ITQ HanShow 2016

한쇼 NEO

ITQ 시험 자료 다운로드 방법 안내

다음 페이지

ITQ 시험 자료 다운로드 방법

1. 렉스미디어 홈페이지(www.rexmedia.net)에 접속한 후 **[자료실]-[대용량 자료실]을 클릭**합니다. 그런 다음 렉스미디어 자료실 페이지가 나타나면 **'수험서 관련\2020년 ITQ' 폴더를 선택**한 후 **[ITQ 한쇼2016(NEO).exe]를 클릭**합니다.

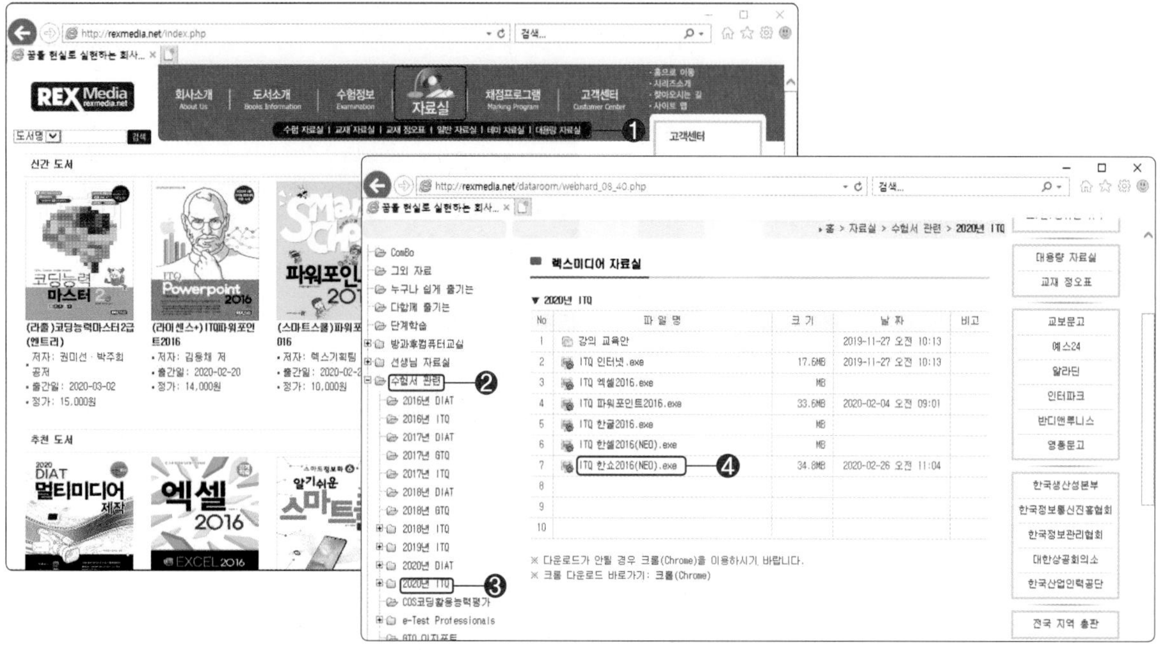

2. 'ITQ 한쇼2016(NEO).exe를 실행하거나 저장하시겠습니까?'라고 묻는 대화상자가 나타나면 **[실행] 단추를 클릭**합니다.

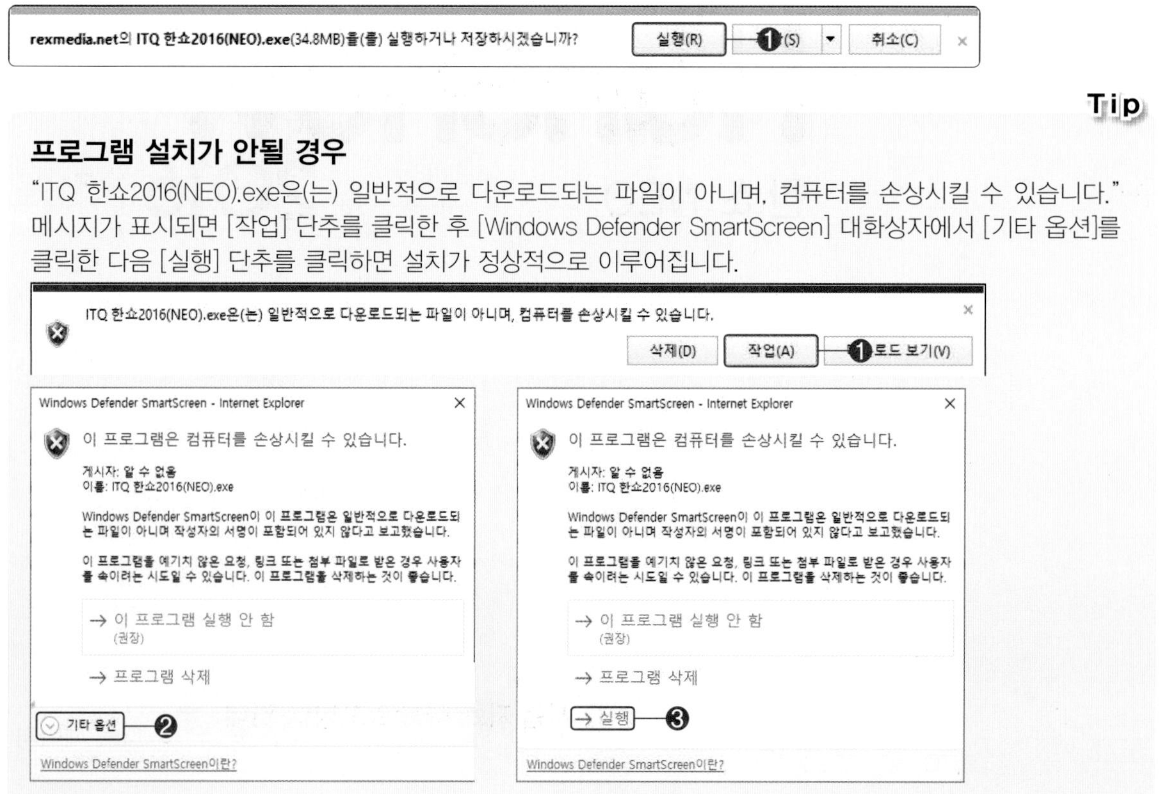

Tip

프로그램 설치가 안될 경우

"ITQ 한쇼2016(NEO).exe은(는) 일반적으로 다운로드되는 파일이 아니며, 컴퓨터를 손상시킬 수 있습니다." 메시지가 표시되면 [작업] 단추를 클릭한 후 [Windows Defender SmartScreen] 대화상자에서 [기타 옵션]를 클릭한 다음 [실행] 단추를 클릭하면 설치가 정상적으로 이루어집니다.

3. [ITQ 한쇼2016(NEO) 1.00 설치] 대화상자의 'ITQ 한쇼2016(NEO) 설치 마법사입니다' 화면이 나타나면 **[다음] 단추를 클릭**합니다. 그런 다음 [ITQ 한쇼2016(NEO) 1.00 설치] 대화상자의 '설치 위치 선택' 화면이 나타나면 **[다음] 단추를 클릭**합니다.

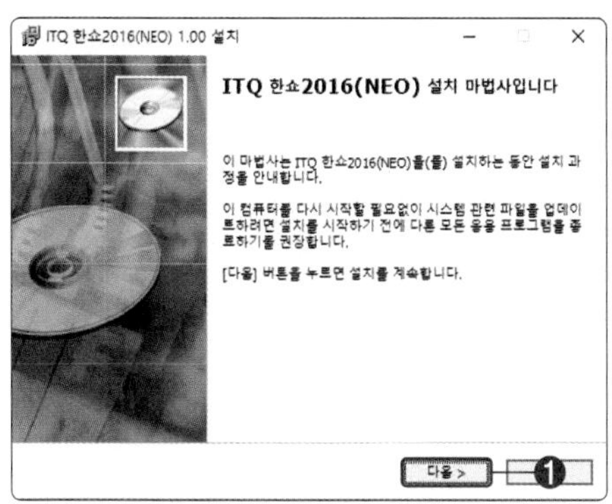

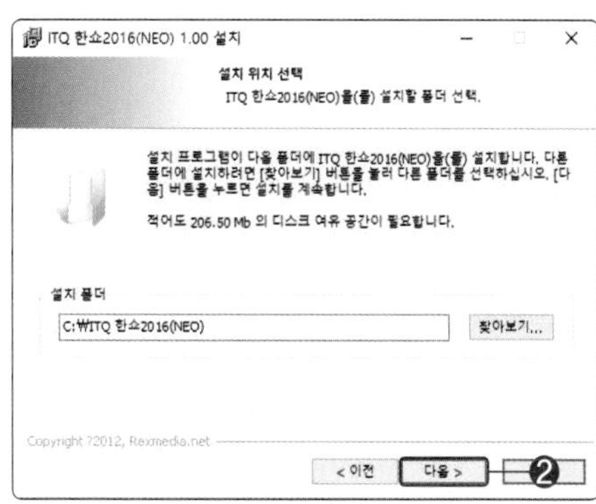

4. [ITQ 한쇼2016(NEO) 1.00 설치] 대화상자의 '설치 준비 완료' 화면이 나타나면 **[설치] 단추를 클릭**합니다. 그런 다음 [ITQ 한쇼2016(NEO) 1.00 설치] 대화상자의 'ITQ 한쇼2016(NEO) 설치가 완료되었습니다' 화면이 나타나면 **[마침] 단추를 클릭**합니다.

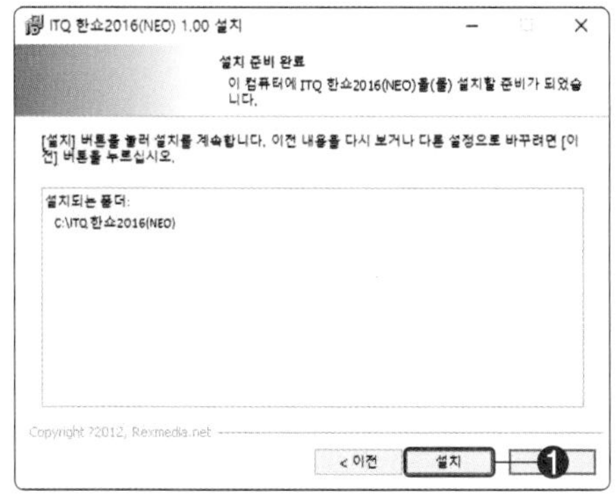

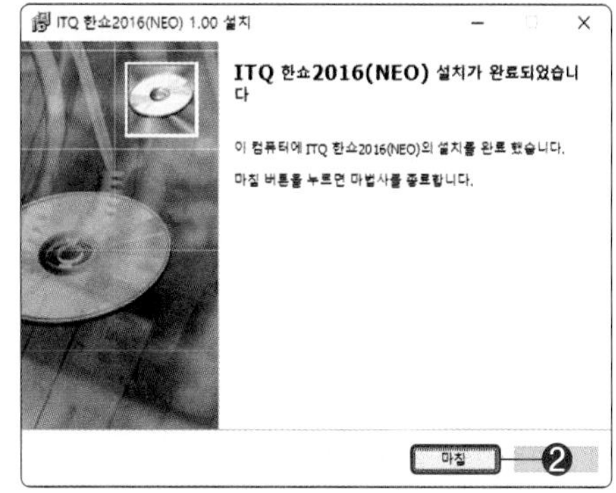

5. 파일 탐색기를 실행한 후 **'C:\ITQ 한쇼2016(NEO)' 폴더를 선택**하면 다음과 같이 ITQ 한쇼2016(NEO) 자료가 다운로드된 것을 확인할 수 있습니다.

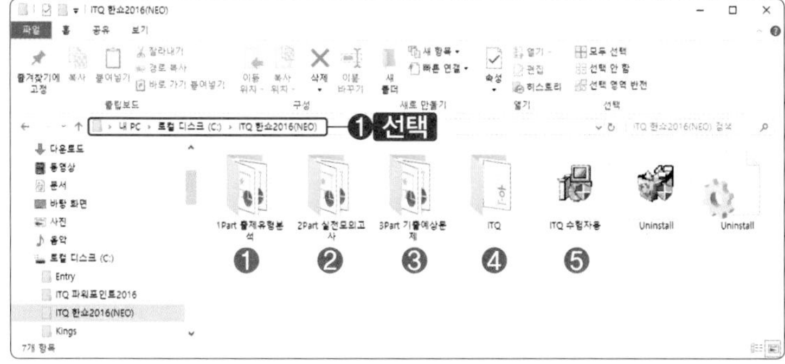

❶ [1Part 따라하기]에서 사용하는 연습파일과 완성파일이 담겨져 있습니다.
❷ [2Part 실전모의고사]에서 다룬 문제의 완성파일이 담겨져 있습니다.
❸ [3Part 기출예상문제]에서 다룬 문제의 완성파일이 담겨져 있습니다.
❹ [ITQ] 시험에 사용되는 파일이 담겨져 있습니다.
[내 PC\문서\ITQ] 폴더에도 동일한 파일이 담겨져 있습니다.
❺ ITQ 수험자용 프로그램입니다.

ITQ 시험 안내

ITQ 시험이란?

- 정보기술 능력 또는 정보기술 활용능력을 객관적으로 평가하는 시험입니다.
- 정보기술 관리 및 실무능력 수준을 지수화하고 등급화 시키는 국가 인증 시험입니다.
- 산업인력의 정보 경쟁력을 높이고 정보화를 촉진시키기 위한 목적의 국가공인자격을 말합니다.

ITQ 자격 취득자 혜택

- 기업체 및 기관, 행정기관 등의 채용, 승진 및 인사고과에 높은 점수로 우대합니다.
- 대학의 필수 및 선택 과목으로 채택되어 학점을 인정합니다.
- 일부 대학의 경우 수시모집 및 특기자 전형으로 대학입학도 가능합니다.
- 초/중/고등학교의 생활기록부(NEIS)에 국가공인자격으로 등재됩니다.
- 학점 인정 등에 관한 법률에 따라 3과목의 A 등급은 8학점, B 등급은 4학점으로 인정됩니다.

ITQ 시험의 특징

- 다양한 과목에 응시가 가능하며, 시험일에 최대 3과목까지 시험을 볼 수 있습니다.
- 필기시험 없이 실무 작업형 실기시험으로 평가를 합니다.
- 시험 성적에 따라 A • B • C 등급으로 나누어 자격증을 부여합니다.

ITQ 시험의 장점

- 객관적이고 공정성, 신뢰성이 확보된 첨단 OA 자격시험입니다.
- 실무 현장에서 활용도가 높은 기능을 위주로 평가하는 시험입니다.
- 시험 등급을 업그레이드 할 수 있어 발전성과 활용성이 탁월합니다.
- 필기시험 없이 실기시험만으로 능력을 평가할 수 있습니다.

시험 일정 및 검정 수수료

- 시험 일정 및 검정 수수료는 https://license.kpc.or.kr 홈페이지의 [접수/수험표 확인]에서 확인할 수 있습니다.

시험 시행처 안내

- 주관 : 한국생산성본부 ITQ센터(https://license.kpc.or.kr)
  서울 종로구 새문안로 5가길 32 생산성빌딩
- 전화 : 1577-9402(유료)

ITQ 시험 과목 및 시험 프로그램

시험 과목	시험 프로그램	시험 방법	시험 시간
아래한글 한셀 한쇼	한컴오피스 2016(NEO)	실무 작업형 실기시험 하루에 3과목까지 응시가능	과목당 60분
MS 워드 한글 엑셀 한글 파워포인트 한글 액세스	MS 오피스 2016		
인터넷	MS 인터넷 익스플로러 8.0 이상		

※ 시험 프로그램은 ITQ 시험 공식 버전으로 2020년 7월부터 적용됩니다.

ITQ 시험 등급

ITQ 시험은 과목별로 500점 만점을 기준으로 A 등급부터 C 등급까지 등급별 자격을 부여합니다. 이 중 3과목 이상 A 등급을 취득하면 OA 마스터 자격을 부여하는데, 한두 과목에서 낮은 등급을 받았을 경우 다시 응시하여 A 등급으로 업그레이드하면 됩니다.

A 등급	B 등급	C 등급
400점~500점	300점~399점	200점~299점

※ OA 마스터 신청시 아래한글과 MS 워드는 같은 종목으로 인정됩니다.

ITQ 한쇼 2016(NEO) 버전의 문항 및 배점

문항	배점	주요내용
전체 구성	60점	슬라이드 크기, 슬라이드 개수 및 순서, 슬라이드 번호, 그림 편집, 슬라이드 마스터 등 전체적인 구성 내용을 평가
1. 표지 디자인	40점	도형과 그림을 이용한 제목 슬라이드 작성 능력 평가 ▶ 도형에 그림 삽입 및 도형 효과, 워드숍, 로고 삽입(투명한 색 설정)
2. 목차 슬라이드	60점	목차에 따른 하이퍼링크와 도형, 그림 배치 능력을 평가 ▶ 도형 편집 및 효과, 하이퍼링크, 그림 편집
3. 텍스트/동영상 슬라이드	60점	텍스트 간의 조화로운 배치 능력을 평가 ▶ 텍스트 편집 / 문단 수준 조절 / 글머리표 / 내어쓰기, 동영상 삽입
4. 표 슬라이드	80점	한쇼 내에서의 표 작성 능력 평가 ▶ 표 삽입 및 편집, 도형 편집 및 효과
5. 차트 슬라이드	100점	프리젠테이션을 위한 차트를 작성할 수 있는 종합 능력 평가 ▶ 표 삽입 및 편집, 차트 삽입 및 편집, 도형 편집 및 효과
6. 도형 슬라이드	100점	도형을 이용한 슬라이드 작성 능력 평가 ▶ 도형 이용 : 실무에 활용되는 다양한 도형 작성, 그룹화 / 애니메이션 효과

이 책의 구성

출제유형 분석하기

ITQ 시험의 출제유형을 작업별로 분석하여 자세하게 설명하였습니다.

문제

작업별로 풀어야 할 문제입니다.

작업 순서 요약

작업별로 문제를 풀어가는 과정을 요약한 것입니다.

따라하기

작업별로 문제를 풀어가는 과정입니다.

Tip

따라하기에서 설명하지 못한 부가적인 설명입니다.

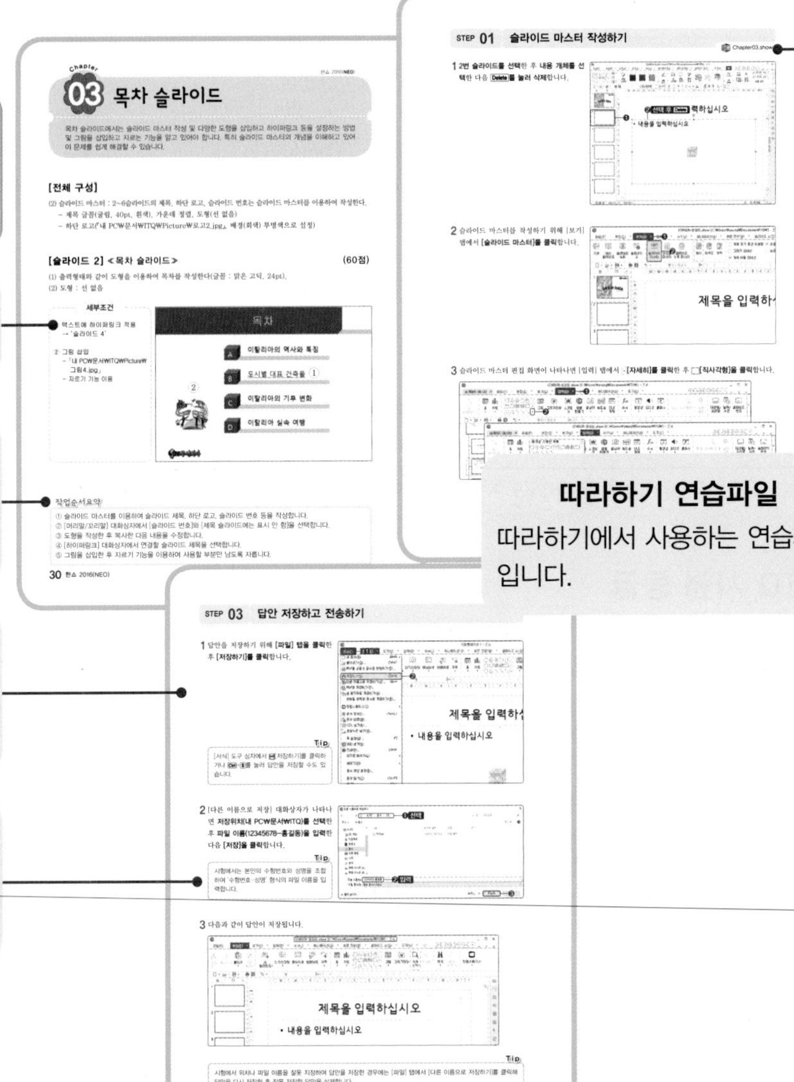

따라하기 연습파일

따라하기에서 사용하는 연습파일입니다.

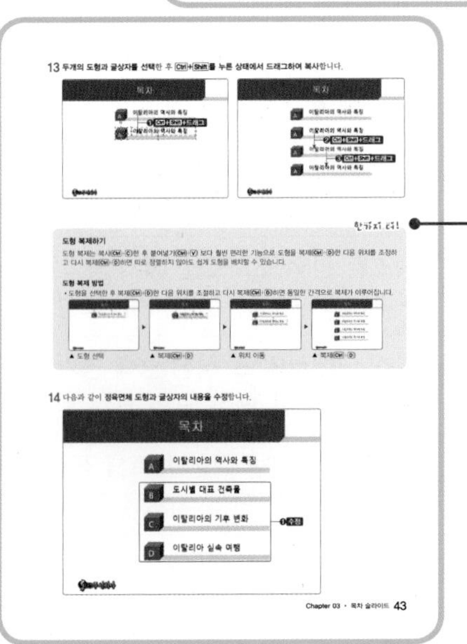

한가지 더!

ITQ 시험의 출제유형과 관련은 있지만 따라하기에서 다루지 못한 내용입니다. ITQ 시험의 출제유형을 이해하는데 도움이 되는 경우 설명하였습니다.

실전문제유형

작업별로 실전문제유형 문제를 마련하여 ITQ 시험을 쉽고 빠르게 준비할 수 있도록 하였습니다.

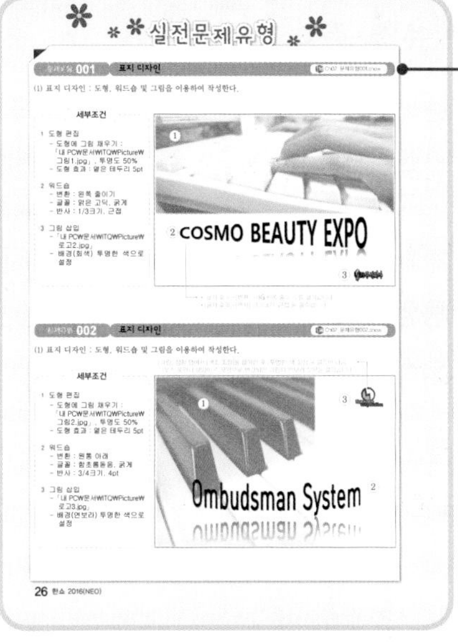

실전문제유형 연습파일

실전문제유형 문제에서 사용하는 연습파일입니다.

실전모의고사 기출예상문제

실전모의고사와 기출예상문제를 마련하여 ITQ 시험에 100% 대비할 수 있도록 하였습니다.

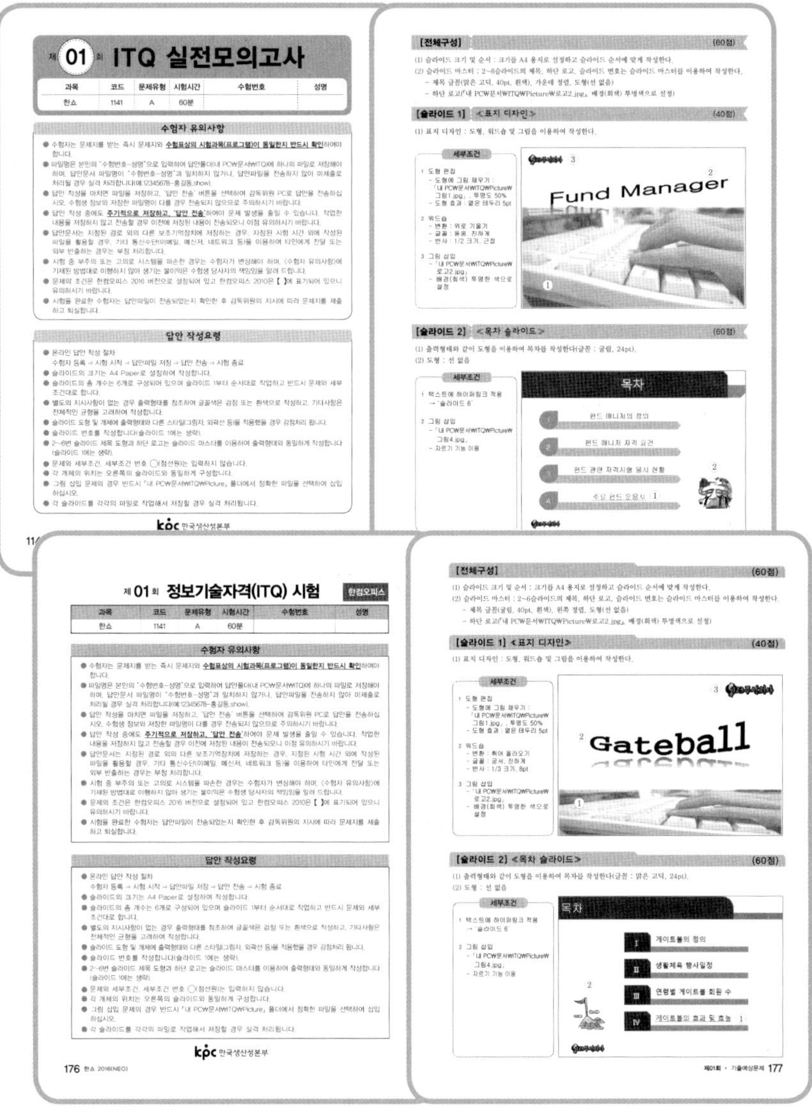

이 책의 차례

PART 01 출제유형 분석

PART 02 실전모의고사

PART 03 기출예상문제

PART 01

출제유형분석

수험자 유의사항 및 답안 작성요령

ITQ 한쇼 시험에서는 KOAS 수험자용 프로그램을 사용하여 수험자 정보를 등록한 후 한컴오피스 한쇼를 실행한 다음 수험자 유의사항과 답안 작성요령에 따라 답안 작성을 준비하고 답안을 작성합니다. 수험자 유의사항과 답안 작성 요령에 따라 답안 작성을 준비하는 방법에 대해 알고 있어야 합니다.

수험자 유의사항

- 수험자는 문제지를 받는 즉시 문제지와 **수험표상의 시험과목(프로그램)이 동일한지 반드시 확인**하여야 합니다.
- 파일명은 본인의 "수험번호-성명"으로 입력하여 답안폴더(내 PC₩문서₩ITQ)에 하나의 파일로 저장해야 하며, 답안문서 파일명이 "수험번호-성명"과 일치하지 않거나, 답안파일을 전송하지 않아 미제출로 처리될 경우 실격 처리합니다(예:12345678-홍길동.pptx).
- 답안 작성을 마치면 파일을 저장하고, '답안 전송' 버튼을 선택하여 감독위원 PC로 답안을 전송하십시오. 수험생 정보와 저장한 파일명이 다를 경우 전송되지 않으므로 주의하시기 바랍니다.
- 답안 작성 중에도 **주기적으로 저장하고, '답안 전송'**하여야 문제 발생을 줄일 수 있습니다. 작업한 내용을 저장하지 않고 전송할 경우 이전에 저장된 내용이 전송되오니 이점 유의하시기 바랍니다.
- 답안문서는 지정된 경로 외의 다른 보조기억장치에 저장하는 경우, 지정된 시험 시간 외에 작성된 파일을 활용할 경우, 기타 통신수단(이메일, 메신저, 네트워크 등)을 이용하여 타인에게 전달 또는 외부 반출하는 경우는 부정 처리합니다.
- 시험 중 부주의 또는 고의로 시스템을 파손한 경우는 수험자가 변상해야 하며, 〈수험자 유의사항〉에 기재된 방법대로 이행하지 않아 생기는 불이익은 수험생 당사자의 책임임을 알려 드립니다.
- 문제의 조건은 한컴오피스 2016 버전으로 설정되어 있고 한컴오피스 2010은 【 】에 표기되어 있으니 유의하시기 바랍니다.
- 시험을 완료한 수험자는 답안파일이 전송되었는지 확인한 후 감독위원의 지시에 따라 문제지를 제출하고 퇴실합니다.

답안 작성요령

- 온라인 답안 작성 절차
  수험자 등록 ⇒ 시험 시작 ⇒ 답안파일 저장 ⇒ 답안 전송 ⇒ 시험 종료
- 슬라이드의 크기는 A4 Paper로 설정하여 작성합니다.
- 슬라이드의 총 개수는 6개로 구성되어 있으며 슬라이드 1부터 순서대로 작업하고 반드시 문제와 세부조건대로 합니다.
- 별도의 지시사항이 없는 경우 출력형태를 참조하여 글꼴색은 검정 또는 흰색으로 작성하고, 기타사항은 전체적인 균형을 고려하여 작성합니다.
- 슬라이드 도형 및 개체에 출력형태와 다른 스타일(그림자, 외곽선 등)을 적용했을 경우 감점처리 됩니다. 슬라이드 번호를 작성합니다(슬라이드 1에는 생략).
- 2~6번 슬라이드 제목 도형과 하단 로고는 슬라이드 마스터를 이용하여 출력형태와 동일하게 작성합니다(슬라이드 1에는 생략).
- 문제와 세부조건, 세부조건 번호 ◌(점선원)는 입력하지 않습니다.
- 각 개체의 위치는 오른쪽의 슬라이드와 동일하게 구성합니다.
- 그림 삽입 문제의 경우 반드시 「내 PC₩문서₩ITQ₩Picture」 폴더에서 정확한 파일을 선택하여 삽입하십시오.
- 각 슬라이드를 각각의 파일로 작업해서 저장할 경우 실격 처리됩니다.

작업순서요약

① KOAS 수험자용 프로그램을 실행한 후 수험자 정보를 입력합니다.
② 한쇼 2016(NEO) 프로그램을 실행한 후 답안 작성을 준비합니다.
③ 답안을 저장하고 KOAS 수험자용 프로그램을 이용하여 답안을 전송합니다.

STEP 01 수험자 등록하기

1 KOAS 수험자용 프로그램을 실행하기 위해 바탕화면에서 **KOAS 수험자용 아이콘을 더블클릭**합니다.

2 [수험자 등록] 대화상자가 나타나면 **수험자와 수험번호를 입력**한 후 **수험과목(한쇼)을 선택**한 다음 **[확인] 단추를 클릭**합니다.

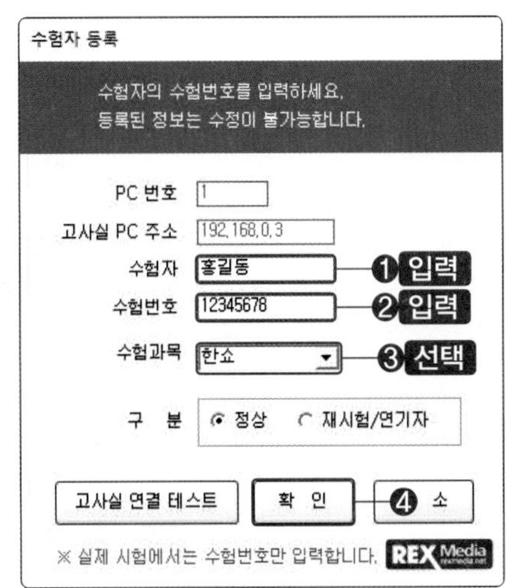

Tip

실제 시험에서는 수험번호(본인의 수험번호)만 입력합니다.

3 수험번호와 구분이 맞는지 묻는 대화상자가 나타나면 **수험번호와 구분을 확인**한 후 **[예] 단추를 클릭**합니다.

4 [수험자 정보] 대화상자가 나타나면 **수험번호, 성명, 수험과목, 좌석번호, 답안 폴더를 확인**한 후 **[확인] 단추를 클릭**합니다.

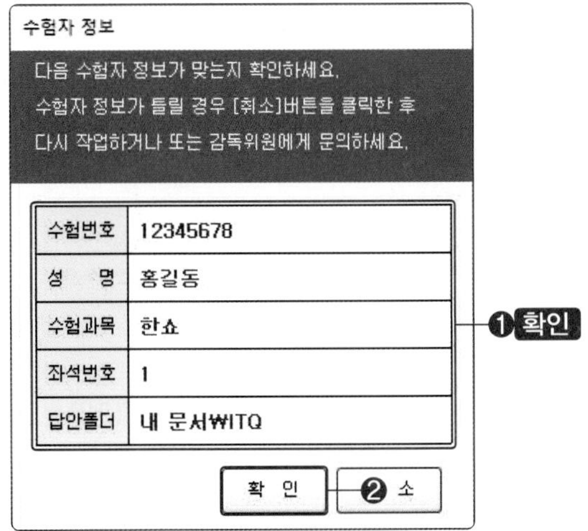

5 컴퓨터가 잠금 상태가 되면 **[확인] 단추를 클릭**합니다.

Tip

- 시험에서는 감독위원이 시험을 시작할 때까지 대기합니다.
- 시험이 시작되면 바탕 화면 오른쪽 위에 KOAS 수험자용 프로그램이 나타납니다.

STEP 02 답안 작성 준비하기

1 한쇼를 실행하기 위해 **[시작] 단추를 클릭**한 후 앱 뷰에서 **[한쇼]를 클릭**합니다.

2 [새 프레젠테이션] 대화상자가 나타나면 **[새 프레젠테이션 만들기]를 선택**한 후 **[한컴오피스]를 선택**한 다음 **[확인]을 클릭**합니다.

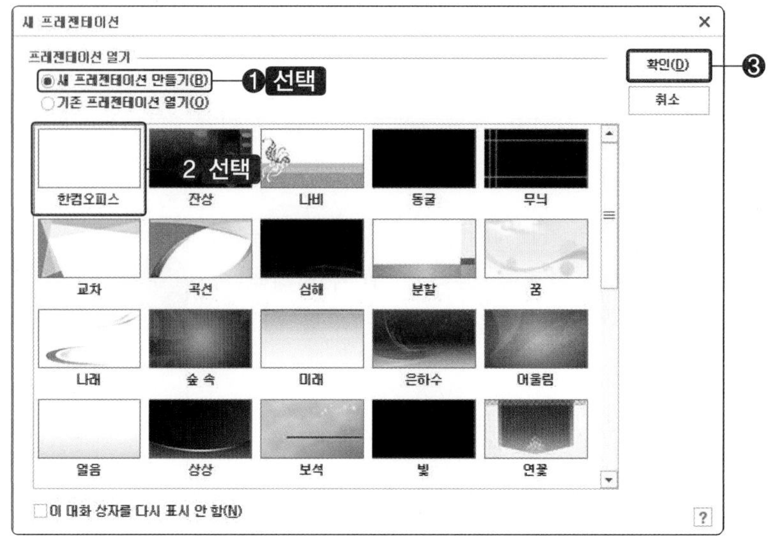

3 한쇼 화면이 나타나면 슬라이드 크기를 지정하기 위해 **[파일] 탭을 클릭**한 후 **[쪽 설정]을 클릭**합니다.

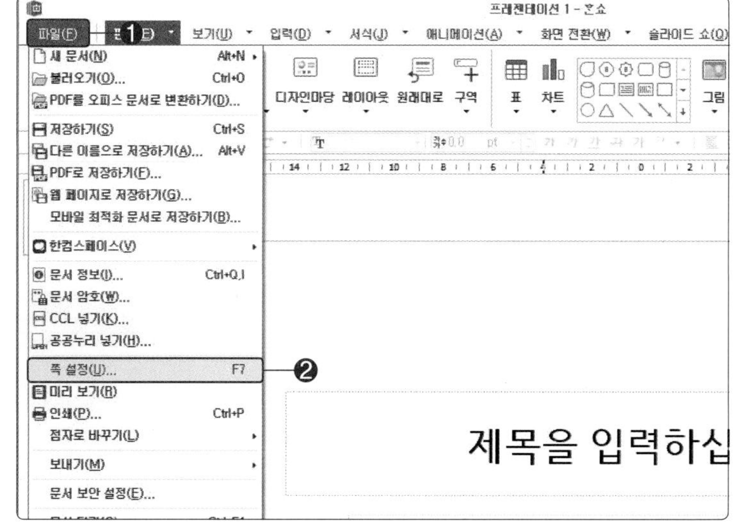

4 [쪽 설정] 대화상자가 나타나면 **용지 종류(A4 용지(210×297mm))를 선택**한 후 **[확인] 단추를 클릭**합니다. 그런다음 [최대화/맞춤 확인] 대화상자가 나타나면 **[맞춤 확인]을 클릭**한 후 **[확인] 단추를 클릭**합니다.

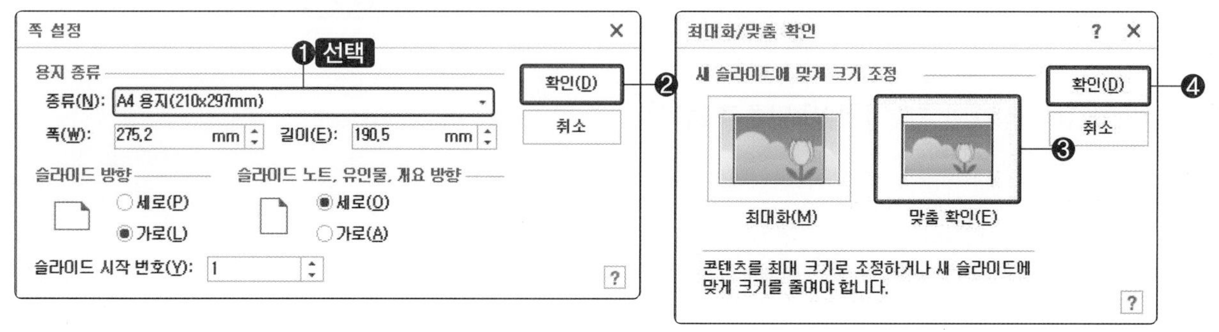

5 슬라이드를 추가하기 위해 **[편집] 탭을 클릭**한 후 **[새 슬라이드]를 클릭**한 다음 **[제목 및 내용]을 클릭**합니다.

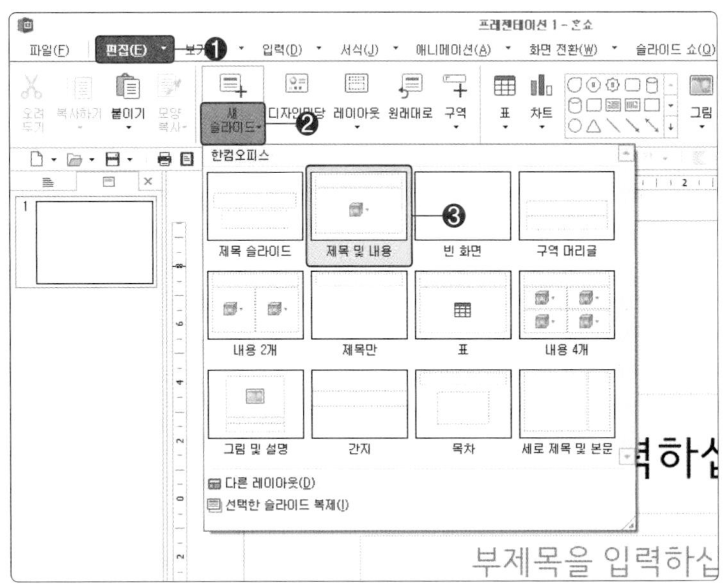

6 [제목 및 내용] 슬라이드가 추가되면 같은 방법으로 **[제목 및 내용] 슬라이드를 4개 더 추가**합니다.

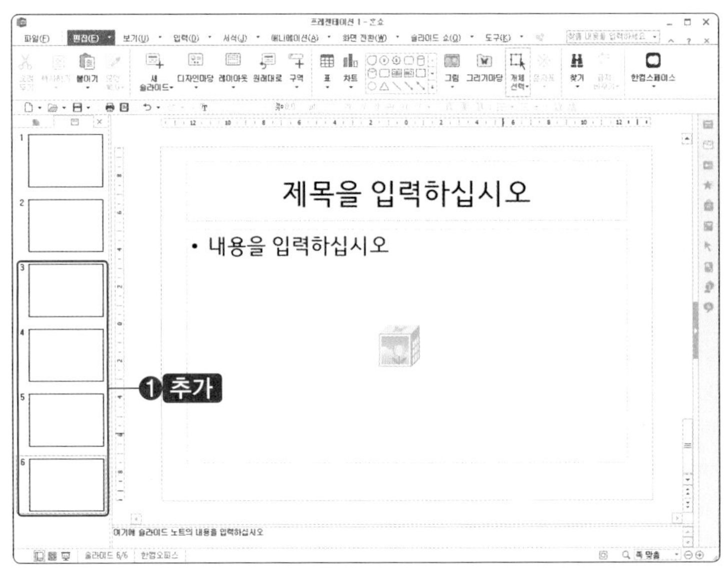

7 슬라이드 창과 슬라이드 노트 영역의 **경계선을 아래로 드래그**하여 슬라이드 노트 창을 숨겨 슬라이드 크기를 크게 표시합니다.

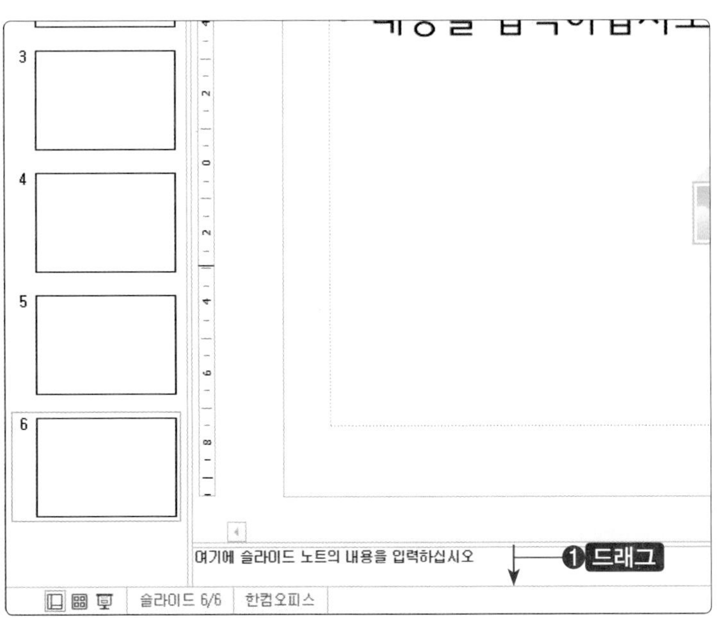

STEP 03 답안 저장하고 전송하기

1 답안을 저장하기 위해 **[파일] 탭을 클릭**한 후 **[저장하기]를 클릭**합니다.

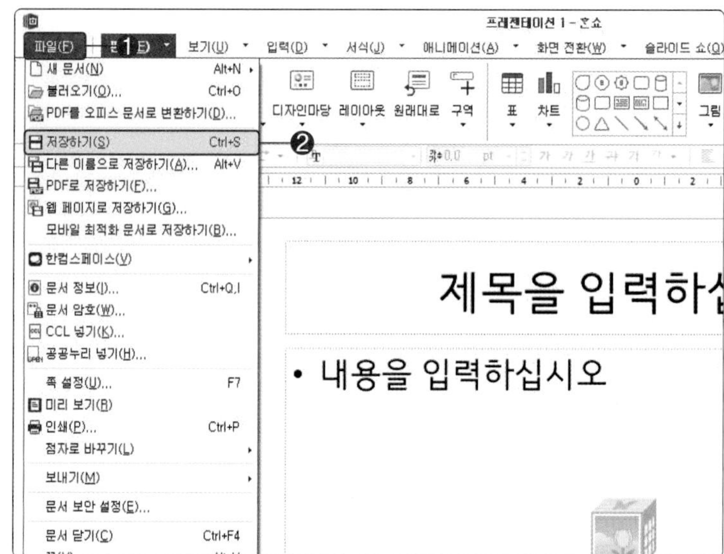

Tip

[서식] 도구 상자에서 [저장하기]를 클릭하거나 Ctrl+S를 눌러 답안을 저장할 수도 있습니다.

2 [다른 이름으로 저장] 대화상자가 나타나면 **저장위치(내 PC₩문서₩ITQ)를 선택**한 후 **파일 이름(12345678-홍길동)을 입력**한 다음 **[저장]을 클릭**합니다.

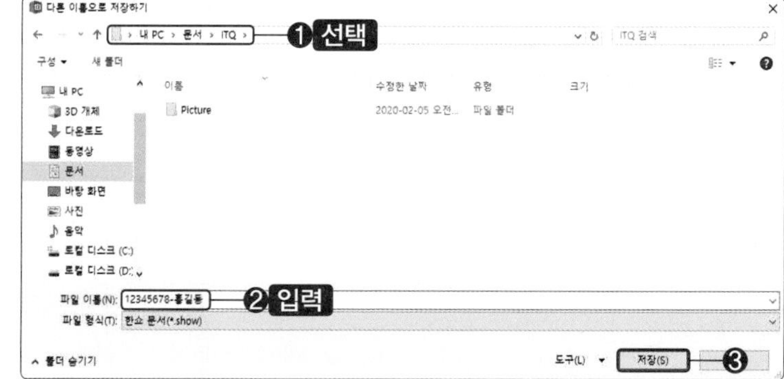

Tip

시험에서는 본인의 수험번호와 성명을 조합하여 '수험번호-성명' 형식의 파일 이름을 입력합니다.

3 다음과 같이 답안이 저장됩니다.

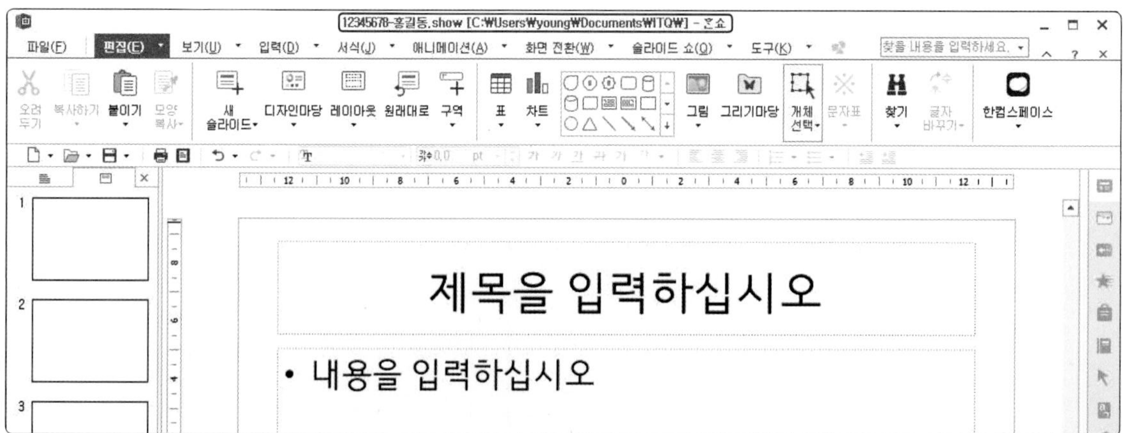

Tip

시험에서 위치나 파일 이름을 잘못 지정하여 답안을 저장한 경우에는 [파일] 탭에서 [다른 이름으로 저장하기]를 클릭해 답안을 다시 저장한 후 잘못 저장한 답안을 삭제합니다.

4 답안을 전송하기 위해 KOAS 수험자용 프로그램에서 **[답안 전송]을 클릭**합니다.

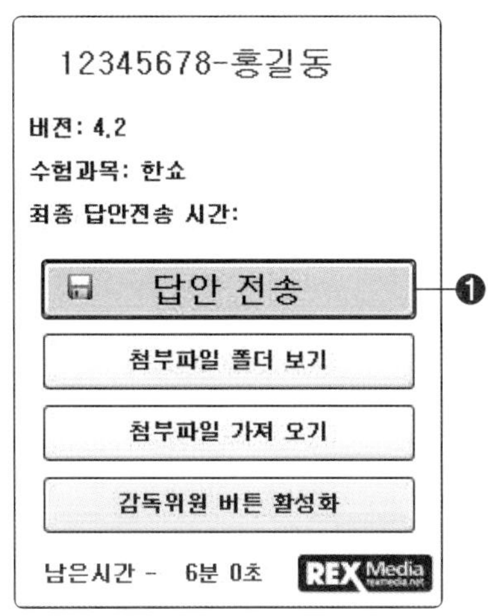

Tip

- 답안을 작성하는 도중에 주기적으로 [파일] 탭-[저장하기]를 클릭하거나 Ctrl+S를 눌러 답안을 저장한 후 감독위원 PC로 전송해 두면 오류가 발생한 경우, 전송된 답안을 불러와서 복구할 수 있습니다. 전송된 답안은 KOAS 수험자용 프로그램에서 [답안 가져오기] 단추를 클릭하여 불러오므로 오류가 발생한 경우, 감독위원에게 문의합니다.
- [첨부파일 폴더 보기] 단추를 클릭하면 답안을 작성할 때 사용할 그림이 있는지 확인할 수 있습니다.

5 지금 전송할 것인지 묻는 대화상자가 나타나면 **[예]를 클릭**합니다.

6 [답안전송] 대화상자가 나타나면 **파일 목록(12345678-홍길동.show)과 존재(있음)를 확인**한 후 **[답안전송]을 클릭**합니다.

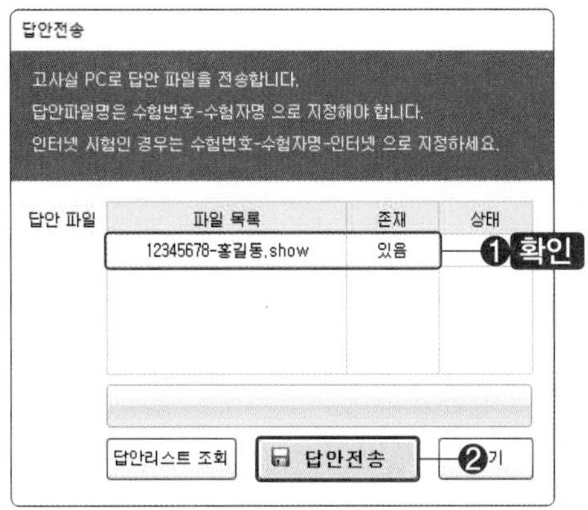

7 답안파일 전송을 성공하였다는 메시지가 나타나면 **[확인]을 클릭**합니다.

8 [답안전송] 대화상자가 다시 나타나면 **[상태]에 '성공'이 표시되는지 확인**한 후 **[닫기]를 클릭**합니다.

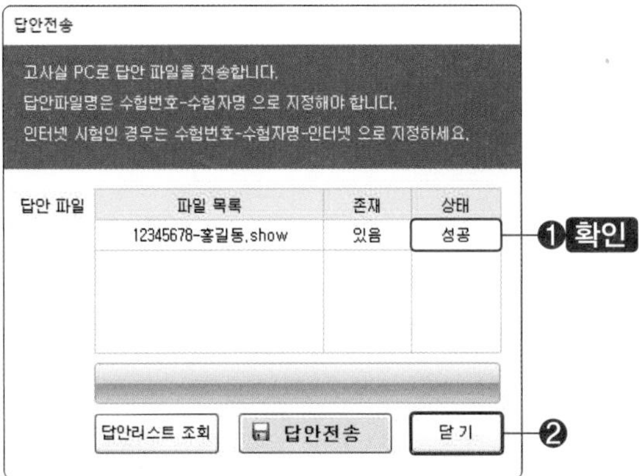

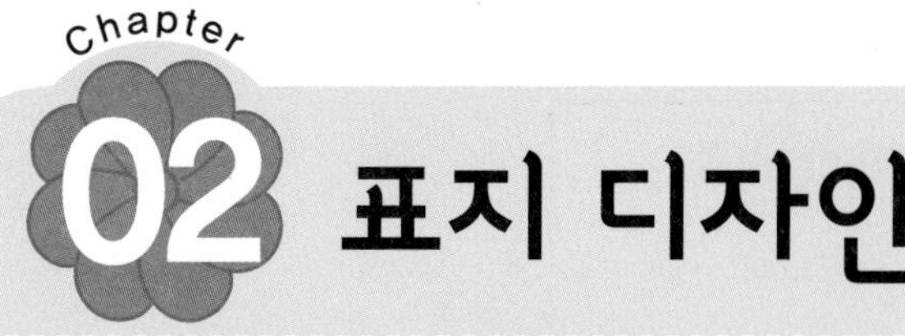

표지 디자인 슬라이드에는 그림 삽입, 워드숍, 도형 편집 등이 출제됩니다. 도형에 그림을 채우고 투명도 및 옅은 테두리 효과를 지정하는 방법과 워드숍의 경우 동일한 모양을 빠르게 찾을 수 있도록 반복해서 연습하는 것이 좋습니다.

[슬라이드 1] ≪표지 디자인≫ (40점)

(1) 표지 디자인 : 도형, 워드숍 및 그림을 이용하여 작성한다.

세부조건

① 도형 편집
- 도형에 그림 채우기 : 「내 PC₩문서₩ITQ₩Picture₩그림3.jpg」, 투명도 50%
- 도형 효과 : 옅은 테두리 5pt

② 워드숍
- 변환 : 갈매기형 수장
- 글꼴 : 궁서, 굵게
- 반사 : 1/2크기, 4pt

③ 그림 삽입
- 「내 PC₩문서₩ITQ₩Picture₩로고2.jpg」
- 배경(회색) 투명한 색으로 설정

작업순서요약

① 슬라이드의 제목 및 내용 개체를 삭제한 후 도형을 삽입합니다.
② 도형에 그림을 채우고 투명도와 옅은 테두리를 지정합니다.
③ 워드숍을 삽입한 후 모양과 효과를 지정합니다.
④ 그림을 삽입한 후 위치 및 크기를 조절한 다음 배경을 투명한 색으로 지정합니다.

STEP 01 도형 작성하기

Chapter02.show

1 1번 슬라이드를 선택한 후 **제목 및 부제목 개체를 선택**한 다음 Delete**를 눌러 삭제**합니다.

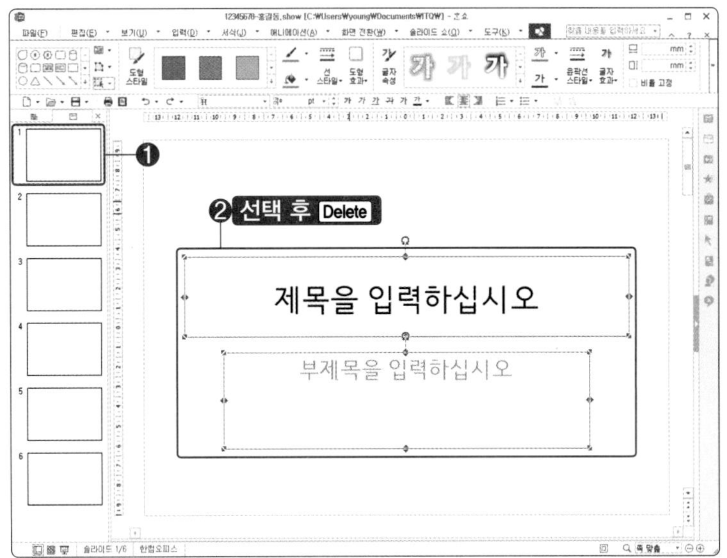

2 도형을 작성하기 위해 [입력] 탭에서 **[자세히]를 클릭**한 후 **[직사각형]을 클릭**합니다.

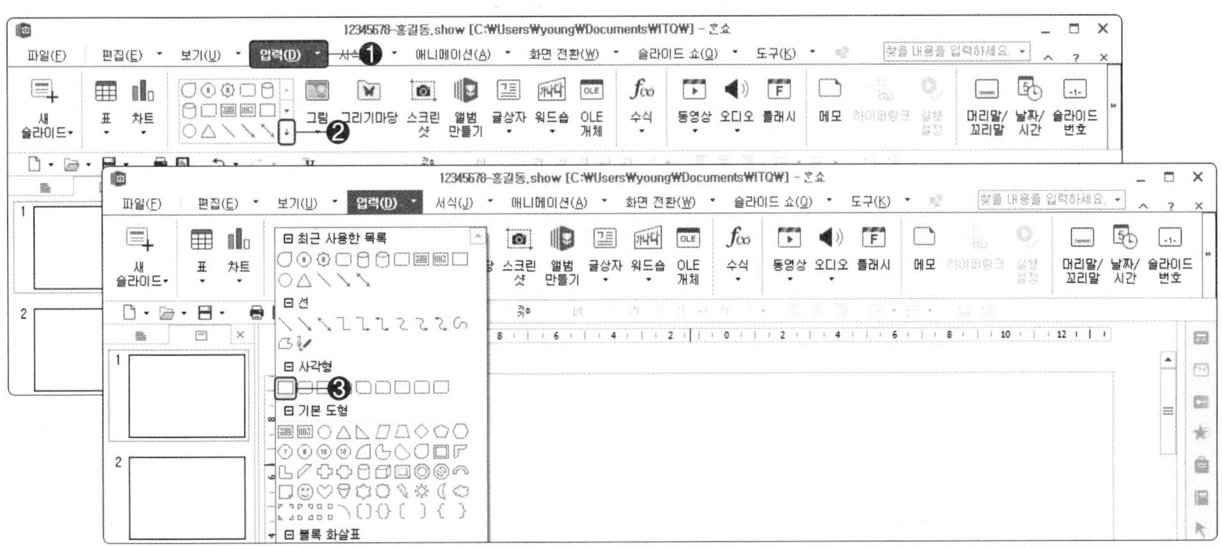

3 마우스 포인터 모양이 + 모양으로 변경되면 **드래그하여 도형을 작성**합니다.

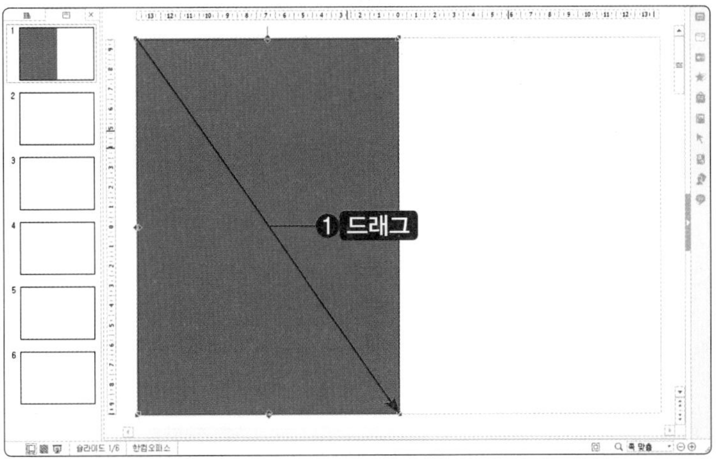

STEP 02 도형 편집하기

1 도형을 편집하기 위해 바로가기 메뉴의 **[개체 속성]을 클릭**합니다.

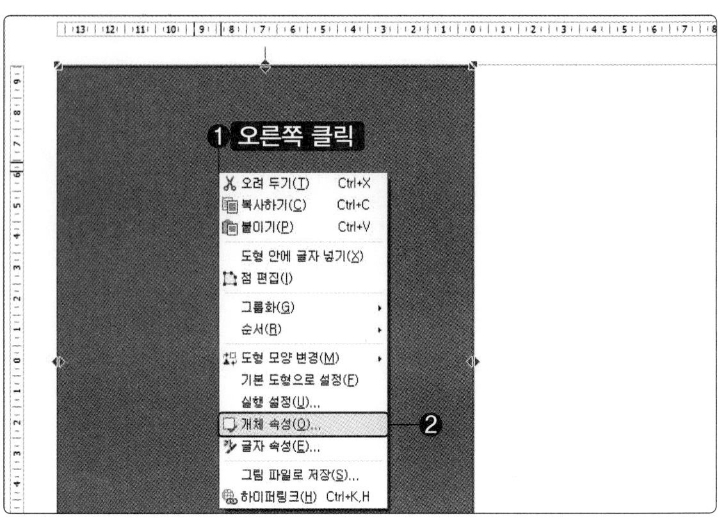

2 [개체 속성] 대화상자가 나타나면 [채우기] 탭에서 **[질감/그림]을 선택**한 후 [질감/그림] 항목이 활성화되면 **[그림]을 클릭**합니다.

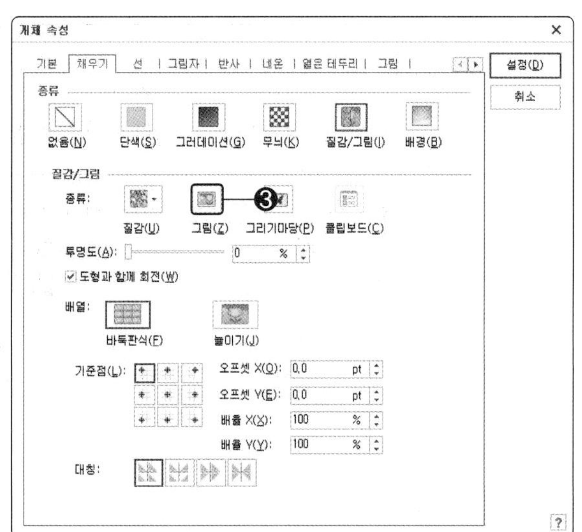

3 [그림 넣기] 대화상자가 나타나면 **찾는 위치(내 PC₩문서₩ITQ₩Picture)를 선택**한 후 **그림(그림3.jpg)을 선택**한 다음 **[넣기]를 클릭**합니다.

4 [개체 속성] 대화상자가 다시 나타나면 **투명도(50)를 입력**한 후 **배열(**[늘이기]**)을 선택**합니다.

5 **[선] 탭을 선택**한 후 색 [목록]을 **클릭**한 다음 **[본문/배경 – 밝은 색 1]을 선택**합니다.

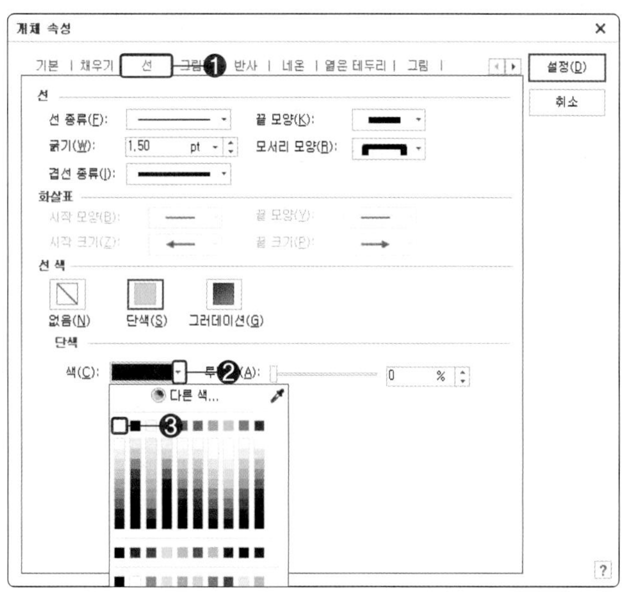

6 **[옅은 테두리] 탭을 선택**한 후 옅은 테두리 효과의 **[5 pt]를 클릭**한 다음 **[설정]을 클릭**합니다.

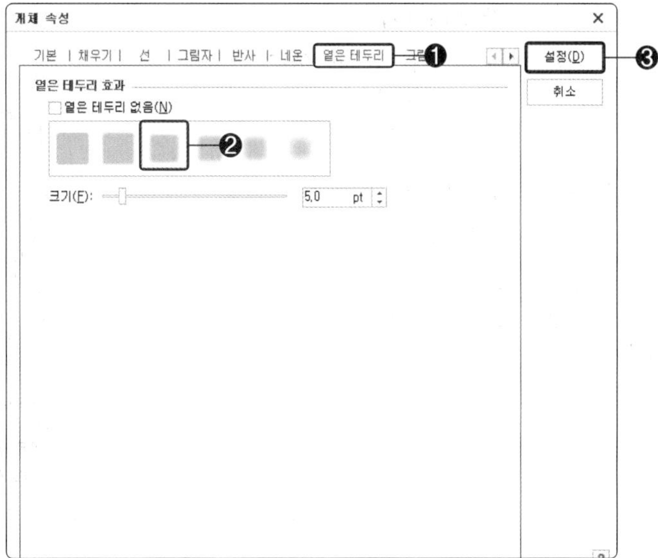

STEP 03 워드숍 삽입하기

1 워드숍을 삽입하기 위해 [입력] 탭에서 **[워드숍]을 클릭**한 후 **임의의 워드숍 모양을 선택**합니다.

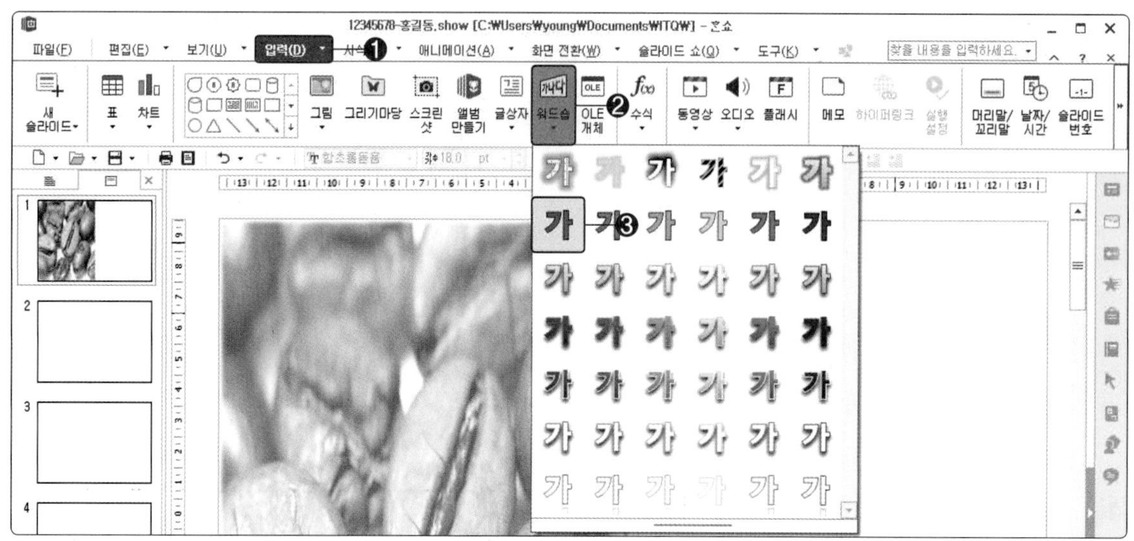

2 워드숍이 삽입되면 **텍스트(Let's go Italia)를 입력**합니다.

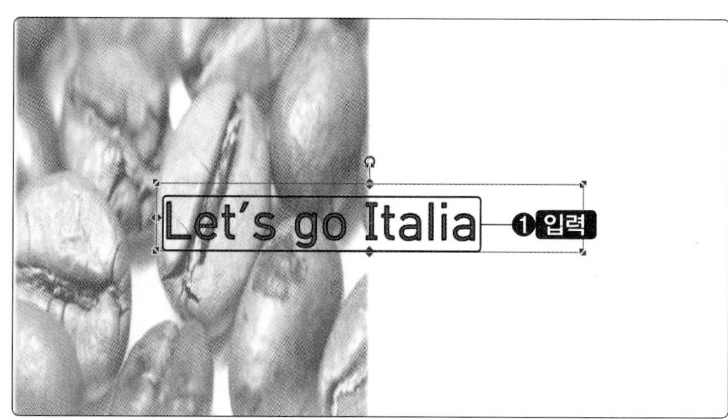

한가지 더!

워드숍 모양 실시간 미리보기

워드숍 모양 이미지 꾸러미에서 각 항목에 마우스를 갖다 대면 실시간 미리 보기가 실행되어, 워드숍 모양이 적용된 모양이 어떤 느낌인지 미리 확인할 수 있습니다.

실시간 미리보기 켜고 끄는 방법

1. [도구] 탭의 [목록] 단추를 클릭한 후 [환경 설정]을 클릭합니다.
2. [환경 설정] 대화상자가 나타나면 [기타] 탭에서 [표시] 항목의 [실시간 미리 보기 사용]을 선택 및 선택 해제합니다.

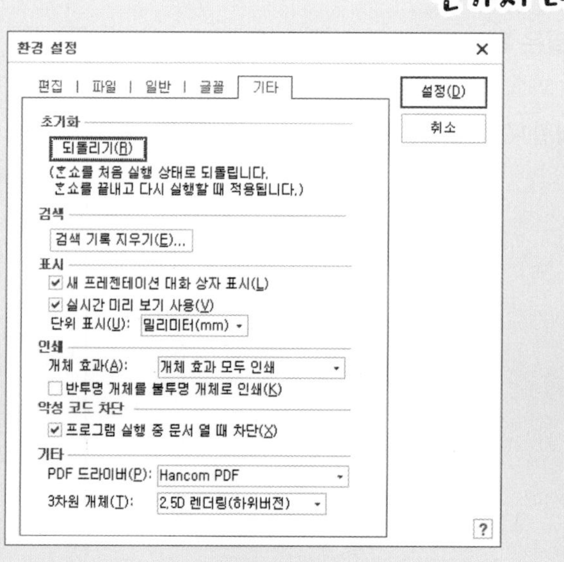

3 워드숍에 지정된 속성을 제거하기 위해 [도형] 정황 탭에서 **[자세히]를 클릭**한 후 **[글자 효과 없음]을 클릭**합니다.

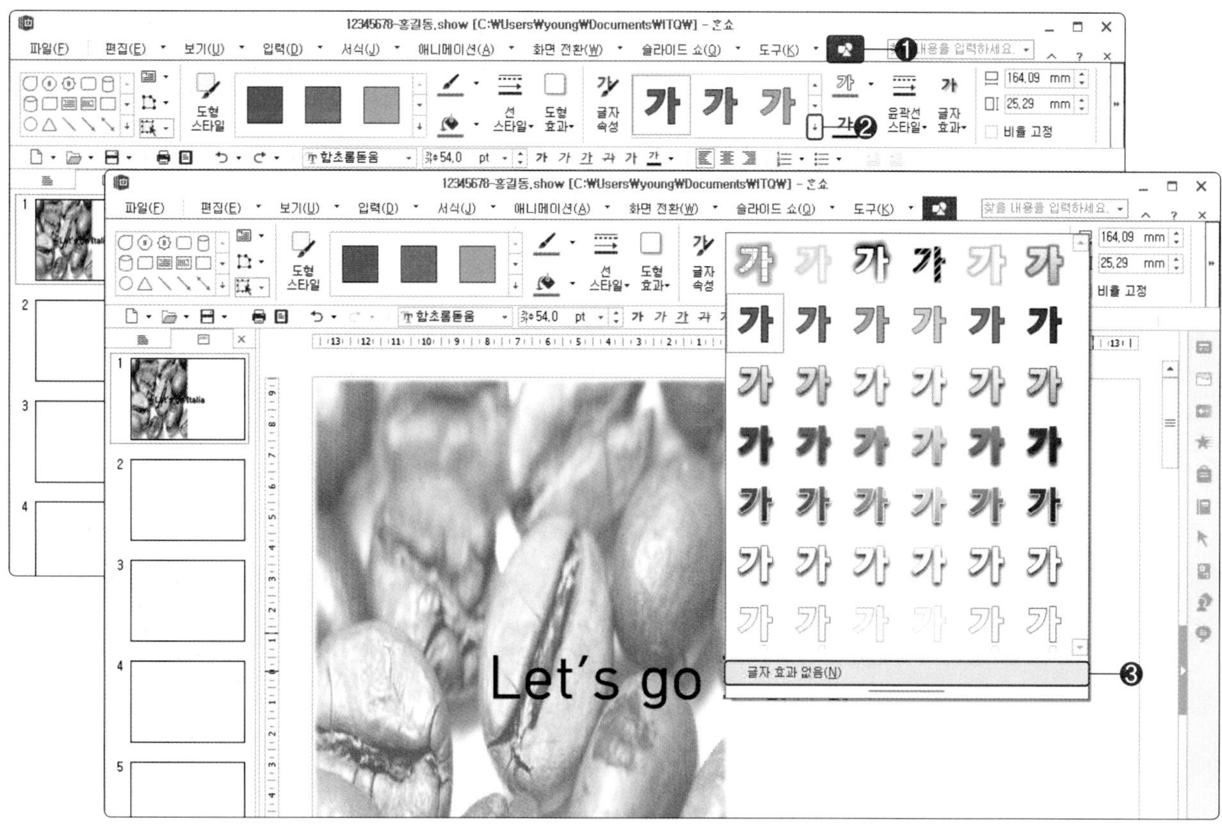

4 워드숍 모양을 지정하기 위해 [도형] 정황 탭에서 **[글자 효과]를 클릭**한 후 [변환]-**[갈매기형 수장]을 클릭**합니다.

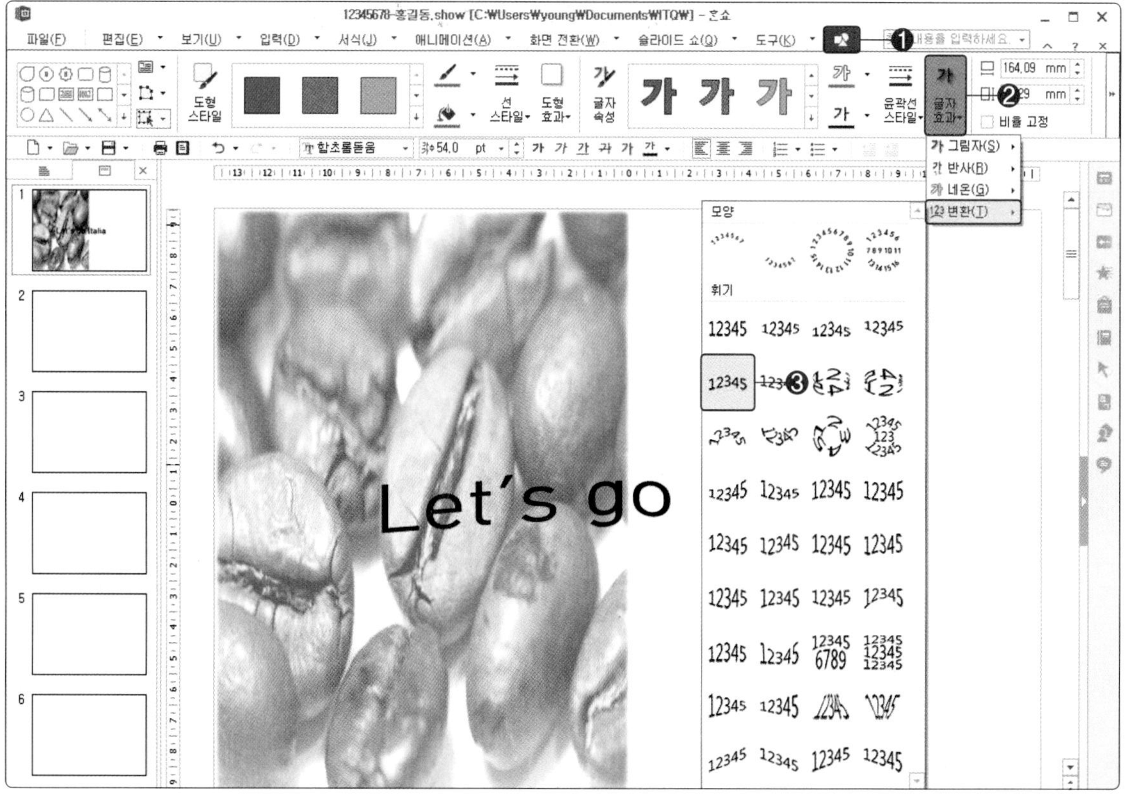

5 [서식] 도구 상자에서 **글꼴(궁서)을 선택**한 후 **가[진하게]를 선택**합니다.

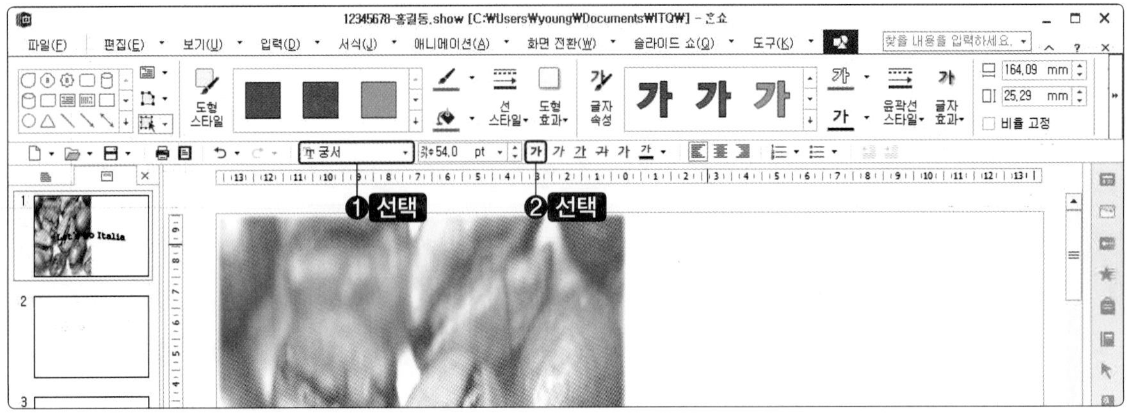

6 [도형] 정황 탭에서 **[글자 효과]를 클릭**한 후 [반사]-**[1/2 크기, 4 pt]를 클릭**합니다.

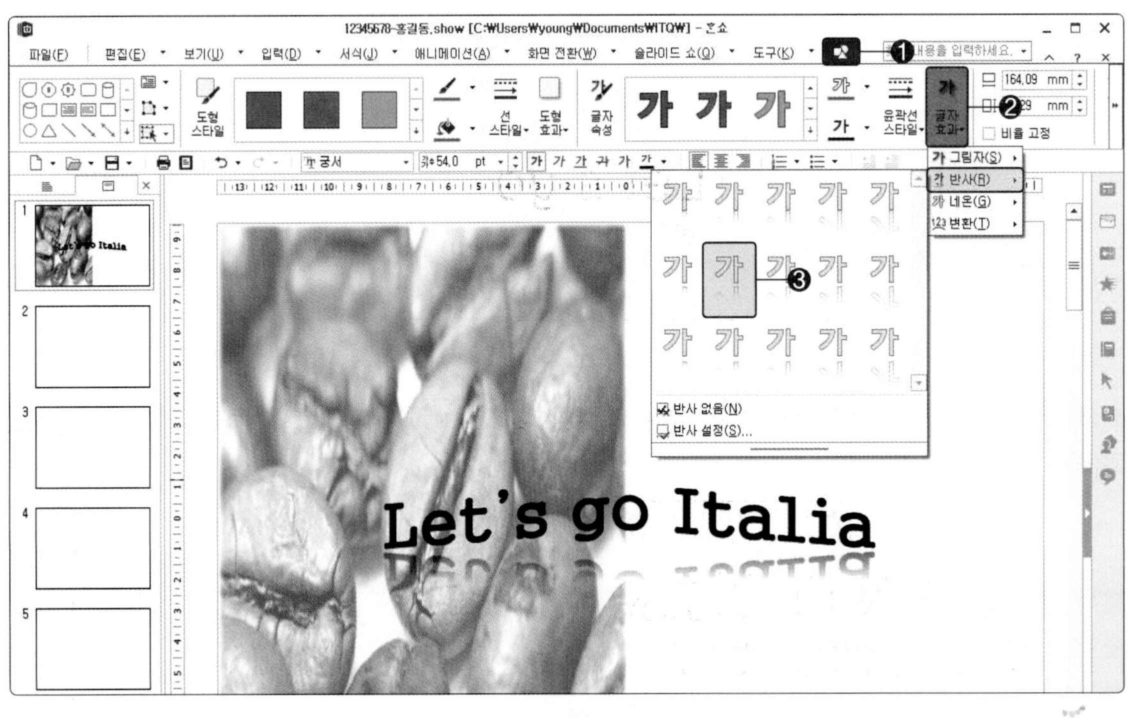

7 워드숍 지정이 완료되면 **크기 조절점을 드래그하여 크기 및 위치를 조절**합니다.

STEP 04 그림 삽입하기

1 [입력] 탭에서 **[그림]을 클릭**합니다.

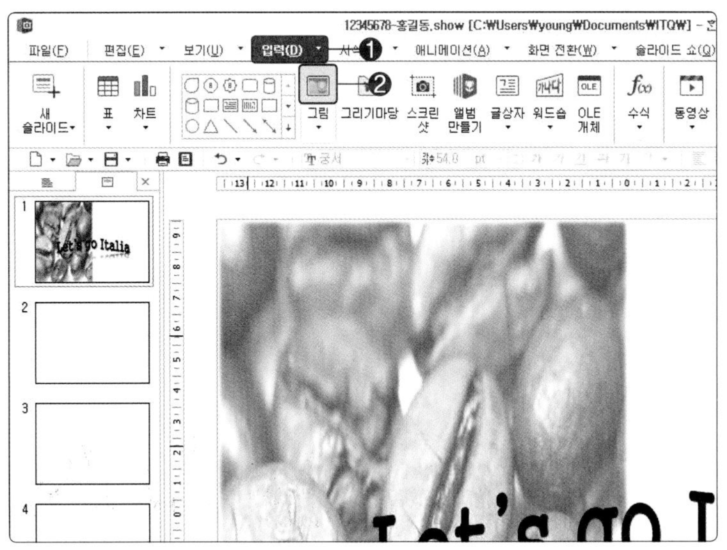

2 [그림 넣기] 대화상자가 나타나면 **찾는 위치(내 PC₩문서₩ITQ₩Picture)를 선택**한 후 **파일(로고2.jpg)을 선택**한 다음 **[넣기]를 클릭**합니다.

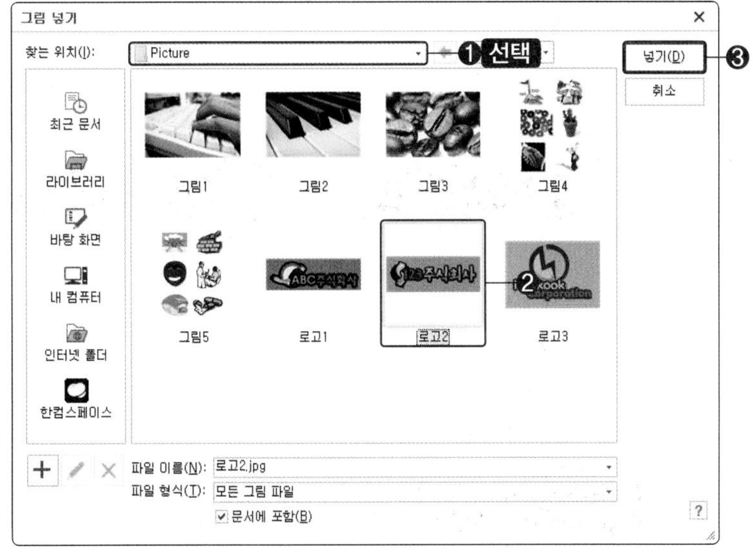

3 삽입된 그림을 드래그하여 **위치를 이동**한 후 **크기를 조절**합니다.

4 [그림] 정황 탭에서 **[색조 조정]을 클릭**한 후 **[투명한 색 설정]을 클릭**합니다.

한가지 더!

색조 조정 – 기본

• 그림에 회색조나 흑색 효과를 적용하거나, 세피아 톤을 적용하여 다양한 느낌을 연출할 수 있습니다.

▲ 회색조

▲ 흑백

▲ 세피아

색조 조정 – 이중 톤

• 그림에 이중 톤 효과를 적용하여 두 가지 톤의 색조로 그림을 표현할 수도 있습니다.

▲ 제목/배경 어두운 색 2

▲ 어두운 강조 색 1

▲ 어두운 강조 색 2

▲ 어두운 강조 색 3

▲ 어두운 강조 색 4

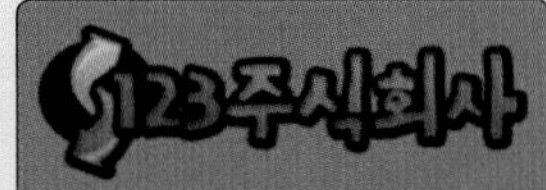
▲ 어두운 강조 색 5

▲ 어두운 강조 색 6

▲ 제목/배경 밝은 색 2

▲ 밝은 강조 색 1

▲ 밝은 강조 색 2

▲ 밝은 강조 색 3

▲ 밝은 강조 색 4

▲ 밝은 강조 색 5

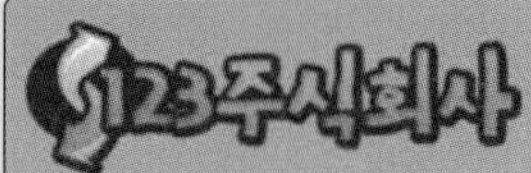
▲ 밝은 강조 색 6

5 마우스 포인터 모양이 ✎ 모양으로 변경되면 **그림의 회색 부분을 클릭**하여 배경을 투명하게 수정합니다.

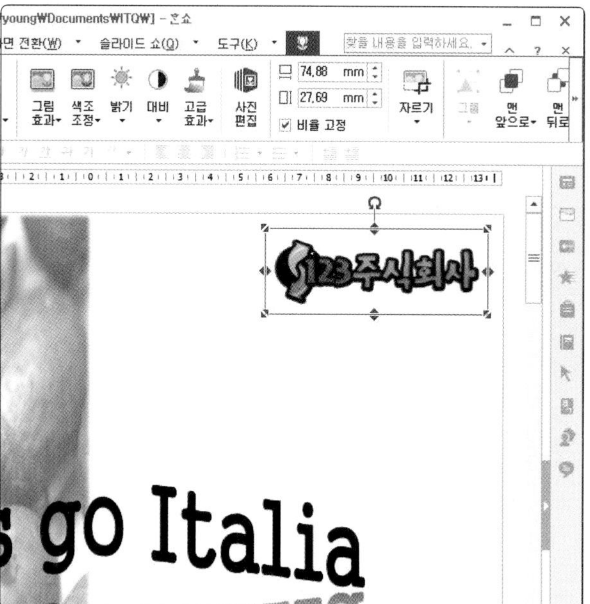

6 표지 디자인 슬라이드 작성이 완료되면 [서식] 도구 상자에서 **[저장하기]를 클릭**합니다.

Tip

[파일] 탭–[저장하기]를 클릭하거나 Ctrl+S를 눌러 답안을 저장할 수도 있습니다.

실전문제유형

문제유형 001 표지 디자인

Ch02_문제유형001.show

(1) 표지 디자인 : 도형, 워드숍 및 그림을 이용하여 작성한다.

세부조건

① 도형 편집
- 도형에 그림 채우기 : 「내 PC₩문서₩ITQ₩Picture₩그림1.jpg」, 투명도 50%
- 도형 효과 : 옅은 테두리 5pt

② 워드숍
- 변환 : 왼쪽 줄이기
- 글꼴 : 맑은 고딕, 굵게
- 반사 : 1/3크기, 근접

③ 그림 삽입
- 「내 PC₩문서₩ITQ₩Picture₩로고2.jpg」
- 배경(회색) 투명한 색으로 설정

- [글자 효과]-[변환]-12345[왼쪽 줄이기]를 클릭합니다.
- [글자 효과]-[반사]-[1/3크기, 근접]을 클릭합니다.

문제유형 002 표지 디자인

Ch02_문제유형002.show

(1) 표지 디자인 : 도형, 워드숍 및 그림을 이용하여 작성한다.

[그림] 정황 탭에서 [색조 조정]을 클릭한 후 [투명한 색 설정]을 클릭한 다음 마우스 포인터 모양이 모양으로 변경되면 그림의 연보라 부분을 클릭합니다.

세부조건

① 도형 편집
- 도형에 그림 채우기 : 「내 PC₩문서₩ITQ₩Picture₩그림2.jpg」, 투명도 50%
- 도형 효과 : 옅은 테두리 5pt

② 워드숍
- 변환 : 원통 아래
- 글꼴 : 함초롬돋움, 굵게
- 반사 : 3/4크기, 4pt

③ 그림 삽입
- 「내 PC₩문서₩ITQ₩Picture₩로고3.jpg」
- 배경(연보라) 투명한 색으로 설정

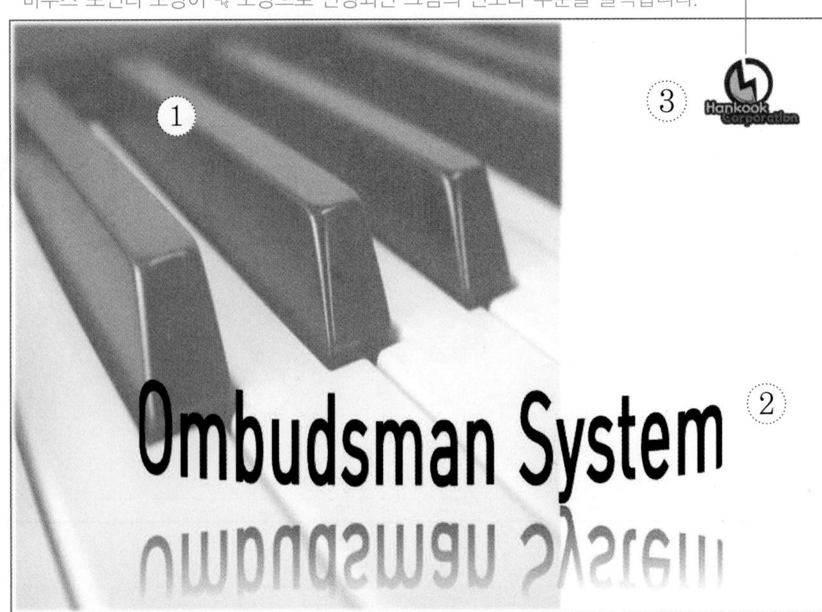

실전문제유형

문제유형 003 표지 디자인

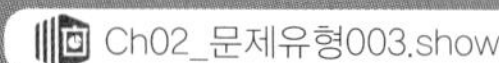
Ch02_문제유형003.show

(1) 표지 디자인 : 도형, 워드숍 및 그림을 이용하여 작성한다.

세부조건

① 도형 편집
- 도형에 그림 채우기 : 「내 PC₩문서₩ITQ₩Picture₩그림3.jpg」, 투명도 50%
- 도형 효과 : 옅은 테두리 5pt

② 워드숍
- 변환 : 원통 위
- 글꼴 : 돋움, 굵게
- 반사 : 1/2크기, 근접

③ 그림 삽입
- 「내 PC₩문서₩ITQ₩Picture₩로고2.jpg」
- 배경(회색) 투명한 색으로 설정

Hint 도형 : ▢[모서리가 둥근 직사각형]

문제유형 004 표지 디자인

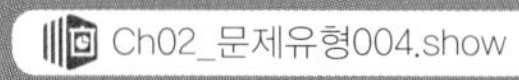
Ch02_문제유형004.show

(1) 표지 디자인 : 도형, 워드숍 및 그림을 이용하여 작성한다.

세부조건

① 도형 편집
- 도형에 그림 채우기 : 「내 PC₩문서₩ITQ₩Picture₩그림1.jpg」, 투명도 50%
- 도형 효과 : 옅은 테두리 5pt

② 워드숍
- 변환 : 원통 위
- 글꼴 : 돋움, 굵게
- 반사 : 전체 크기, 근접

③ 그림 삽입
- 「내 PC₩문서₩ITQ₩Picture₩로고2.jpg」
- 배경(회색) 투명한 색으로 설정

모양 조절점(◇)을 드래그하여 출력형태처럼 모양을 만듭니다.

Hint 도형 : ⑧[팔각형]

실전문제유형

문제유형 005 표지 디자인

Ch02_문제유형005.show

(1) 표지 디자인 : 도형, 워드숍 및 그림을 이용하여 작성한다.

세부조건

① 도형 편집
- 도형에 그림 채우기 : 「내 PC₩문서₩ITQ₩Picture₩그림2.jpg」, 투명도 50%
- 도형 효과 : 옅은 테두리 5pt

② 워드숍
- 변환 : 원통 아래
- 글꼴 : 함초롬돋움, 굵게
- 반사 : 1/3크기, 근접

③ 그림 삽입
- 「내 PC₩문서₩ITQ₩Picture₩로고1.jpg」
- 배경(회색) 투명한 색으로 설정

Hint 도형 : 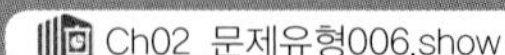[한쪽 모서리가 잘린 사각형]

문제유형 006 표지 디자인

Ch02_문제유형006.show

(1) 표지 디자인 : 도형, 워드숍 및 그림을 이용하여 작성한다.

세부조건

① 도형 편집
- 도형에 그림 채우기 : 「내 PC₩문서₩ITQ₩Picture₩그림3.jpg」, 투명도 50%
- 도형 효과 : 옅은 테두리 5pt

② 워드숍
- 변환 : 역갈매기형 수장
- 글꼴 : 굴림, 굵게
- 반사 : 1/2크기, 근접

③ 그림 삽입
- 「내 PC₩문서₩ITQ₩Picture₩로고1.jpg」
- 배경(회색) 투명한 색으로 설정

실전문제유형

문제유형 007 표지 디자인

(1) 표지 디자인 : 도형, 워드숍 및 그림을 이용하여 작성한다.

세부조건

① 도형 편집
- 도형에 그림 채우기 : 「내 PC₩문서₩ITQ₩Picture₩그림1.jpg」, 투명도 50%
- 도형 효과 : 옅은 테두리 5pt

② 워드숍
- 변환 : 위로 기울기
- 글꼴 : 맑은 고딕, 굵게
- 반사 : 1/2크기, 4pt

③ 그림 삽입
- 「내 PC₩문서₩ITQ₩Picture₩로고2.jpg」
- 배경(회색) 투명한 색으로 설정

문제유형 008 표지 디자인

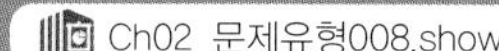

(1) 표지 디자인 : 도형, 워드숍 및 그림을 이용하여 작성한다.

세부조건

① 도형 편집
- 도형에 그림 채우기 : 「내 PC₩문서₩ITQ₩Picture₩그림2.jpg」, 투명도 50%
- 도형 효과 : 옅은 테두리 5pt

② 워드숍
- 변환 : 원통 아래
- 글꼴 : 돋움, 굵게
- 반사 : 1/2크기, 근접

③ 그림 삽입
- 「내 PC₩문서₩ITQ₩Picture₩로고1.jpg」
- 배경(회색) 투명한 색으로 설정

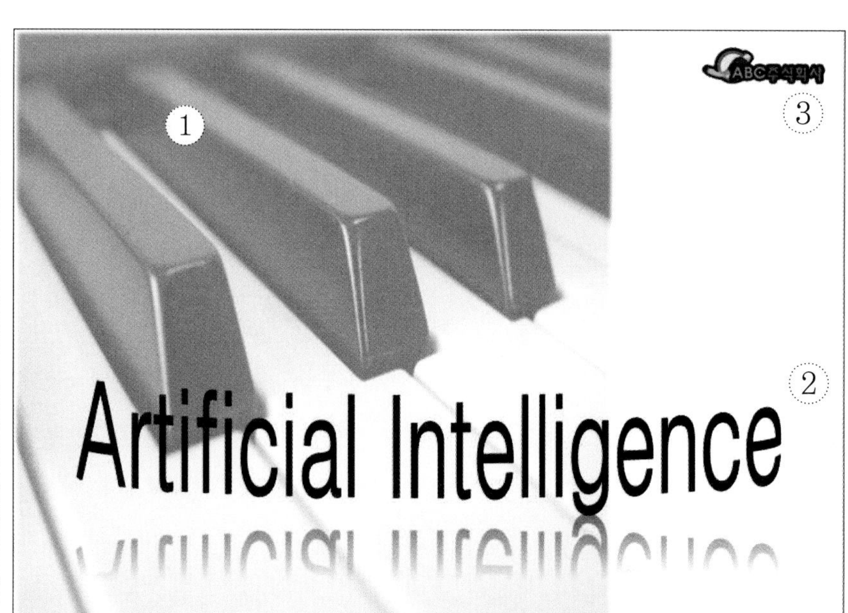

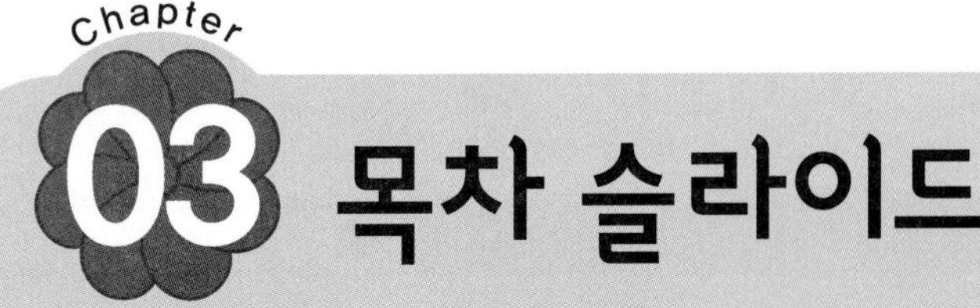

목차 슬라이드에서는 슬라이드 마스터 작성 및 다양한 도형을 삽입하고 하이퍼링크 등을 설정하는 방법 및 그림을 삽입하고 자르는 기능을 알고 있어야 합니다. 특히 슬라이드 마스터의 개념을 이해하고 있어야 문제를 쉽게 해결할 수 있습니다.

[전체 구성]

(2) 슬라이드 마스터 : 2~6슬라이드의 제목, 하단 로고, 슬라이드 번호는 슬라이드 마스터를 이용하여 작성한다.

- 제목 글꼴(굴림, 40pt, 흰색), 가운데 정렬, 도형(선 없음)
- 하단 로고(「내 PC₩문서₩ITQ₩Picture₩로고2.jpg」, 배경(회색) 투명색으로 설정)

[슬라이드 2] ≪목차 슬라이드≫ (60점)

(1) 출력형태와 같이 도형을 이용하여 목차를 작성한다(글꼴 : 맑은 고딕, 24pt).

(2) 도형 : 선 없음

세부조건

① 텍스트에 하이퍼링크 적용
→ '슬라이드 4'

② 그림 삽입
- 「내 PC₩문서₩ITQ₩Picture₩그림4.jpg」
- 자르기 기능 이용

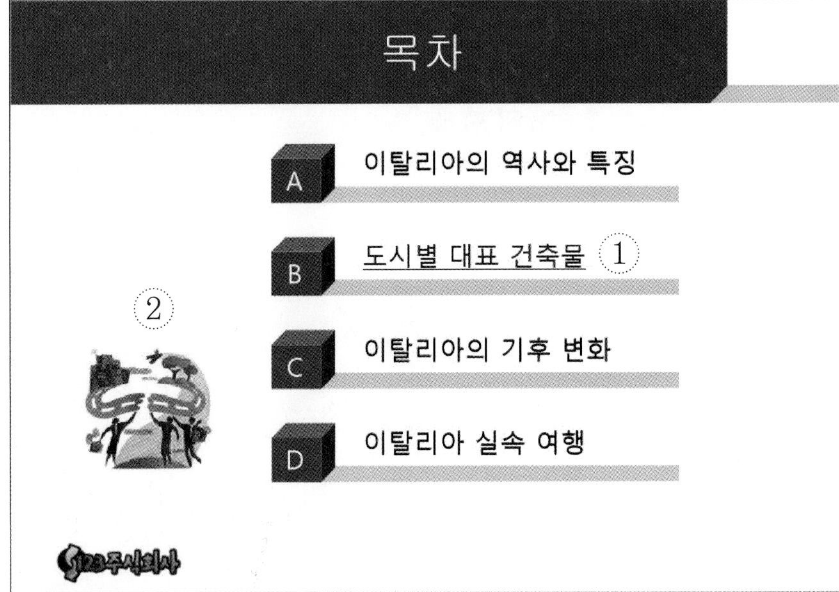

작업순서요약

① 슬라이드 마스터를 이용하여 슬라이드 제목, 하단 로고, 슬라이드 번호 등을 작성합니다.
② [머리말/꼬리말] 대화상자에서 [슬라이드 번호]와 [제목 슬라이드에는 표시 안 함]을 선택합니다.
③ 도형을 작성한 후 복사한 다음 내용을 수정합니다.
④ [하이퍼링크] 대화상자에서 연결할 슬라이드 제목을 선택합니다.
⑤ 그림을 삽입한 후 자르기 기능을 이용하여 사용할 부분만 남도록 자릅니다.

STEP 01 슬라이드 마스터 작성하기

Chapter03.show

1 2번 슬라이드를 선택한 후 내용 개체를 선택한 다음 Delete를 눌러 삭제합니다.

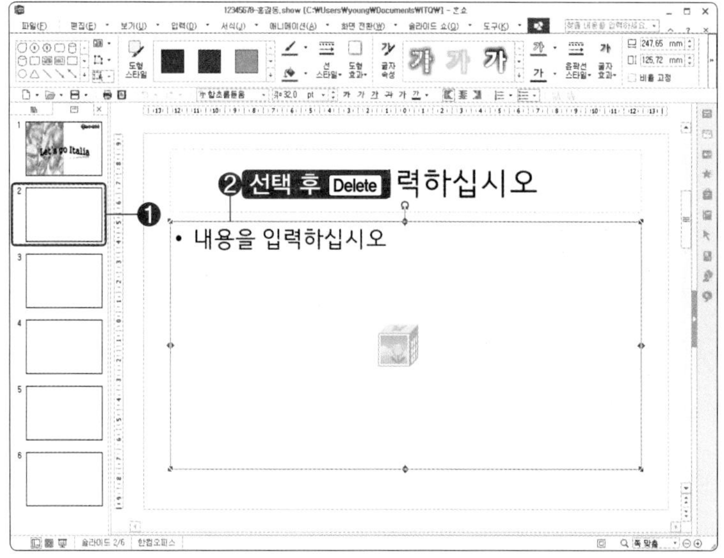

2 슬라이드 마스터를 작성하기 위해 [보기] 탭에서 [슬라이드 마스터]를 클릭합니다.

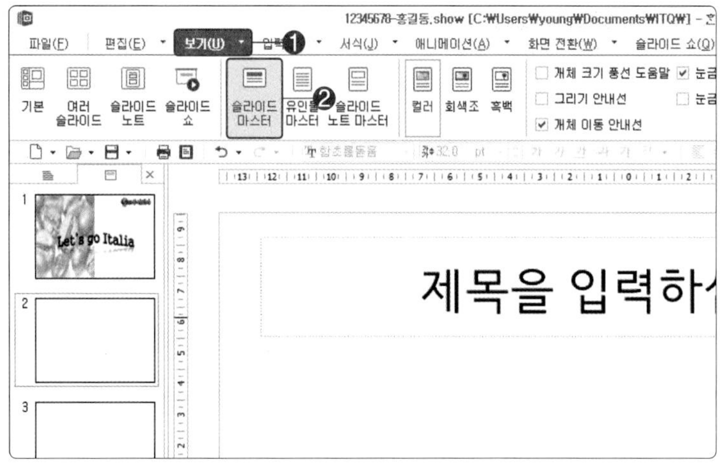

3 슬라이드 마스터 편집 화면이 나타나면 [입력] 탭에서 [자세히]를 클릭한 후 [직사각형]을 클릭합니다.

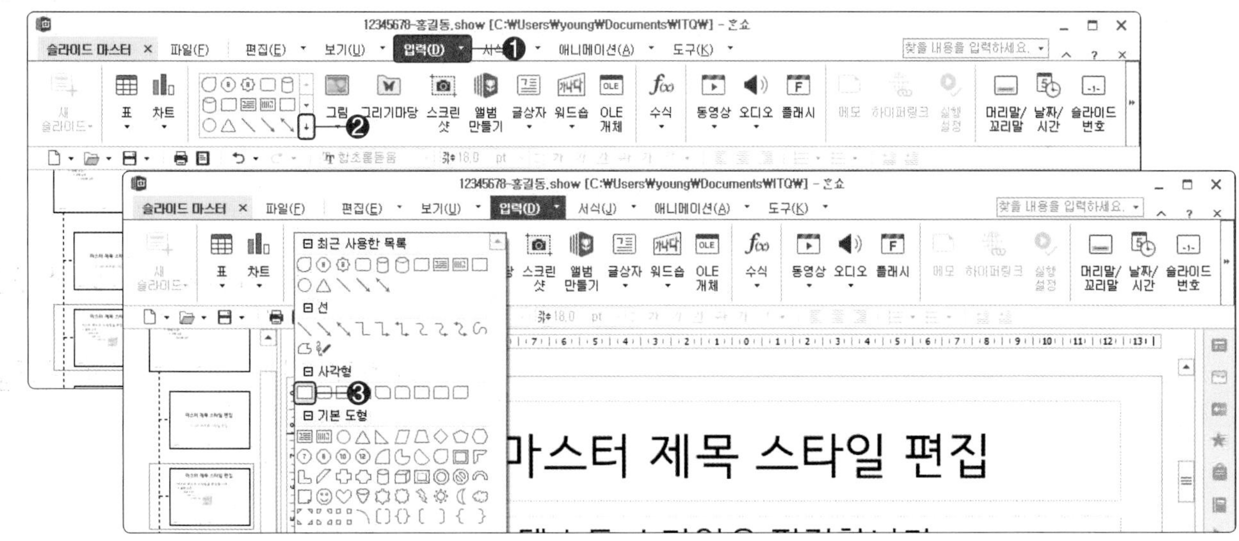

4 마우스 포인터 모양이 + 모양으로 변경되면 **드래그하여 도형을 작성**합니다.

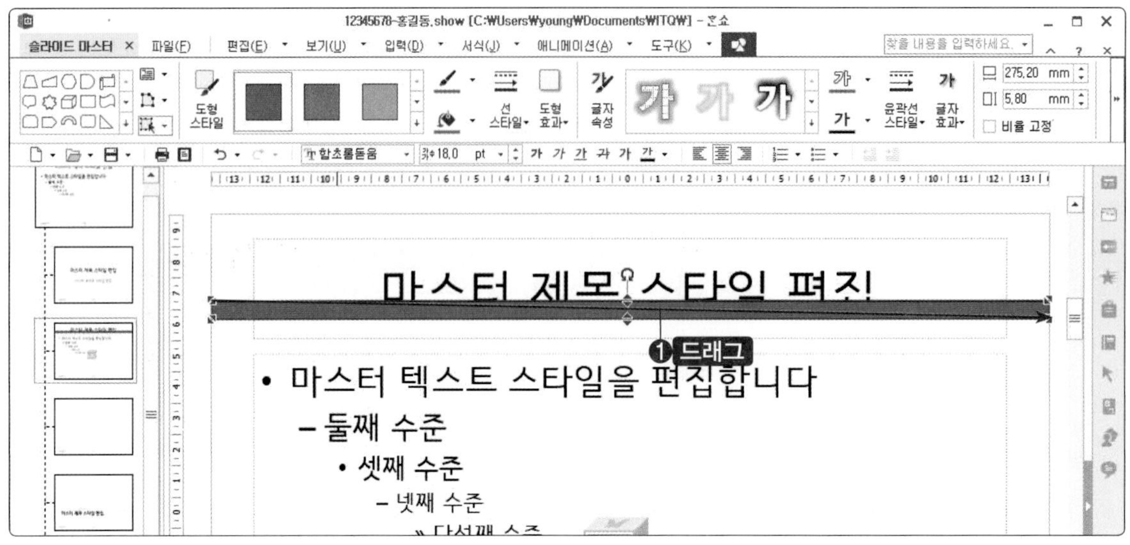

5 도형이 삽입되면 [도형] 정황 탭에서 **[선 스타일]을 클릭**한 후 [선 종류]–[선 없음]을 **클릭**합니다.

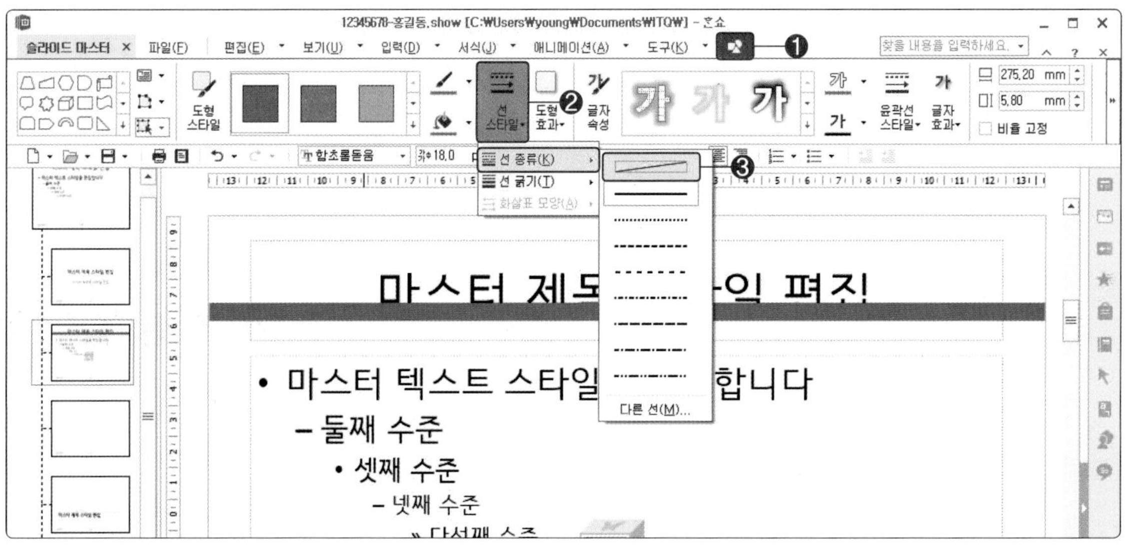

6 [도형] 정황 탭에서 **[채우기 색]의 [목록] 단추를 클릭**한 후 **임의의 색을 지정**합니다.

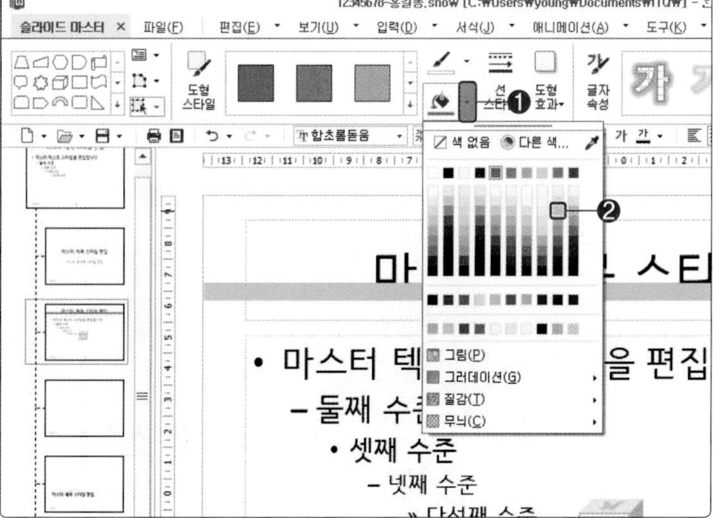

Tip

채우기 색은 수험자가 임의의 색을 지정하며 채우기 색을 변경하지 않아도 감점되지 않습니다.

7 슬라이드 마스터 편집 화면이 나타나면 [입력] 탭에서 **[자세히]를 클릭**한 후 **[한쪽 모서리가 잘린 사각형]을 클릭**합니다.

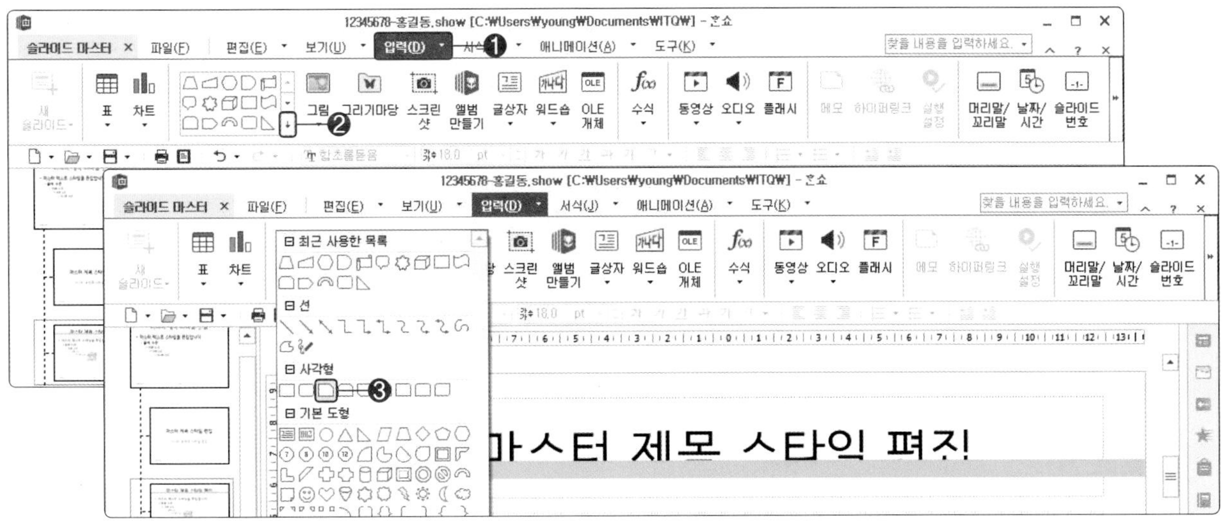

8 마우스 포인터 모양이 + 모양으로 변경되면 **드래그하여 도형을 작성**합니다.

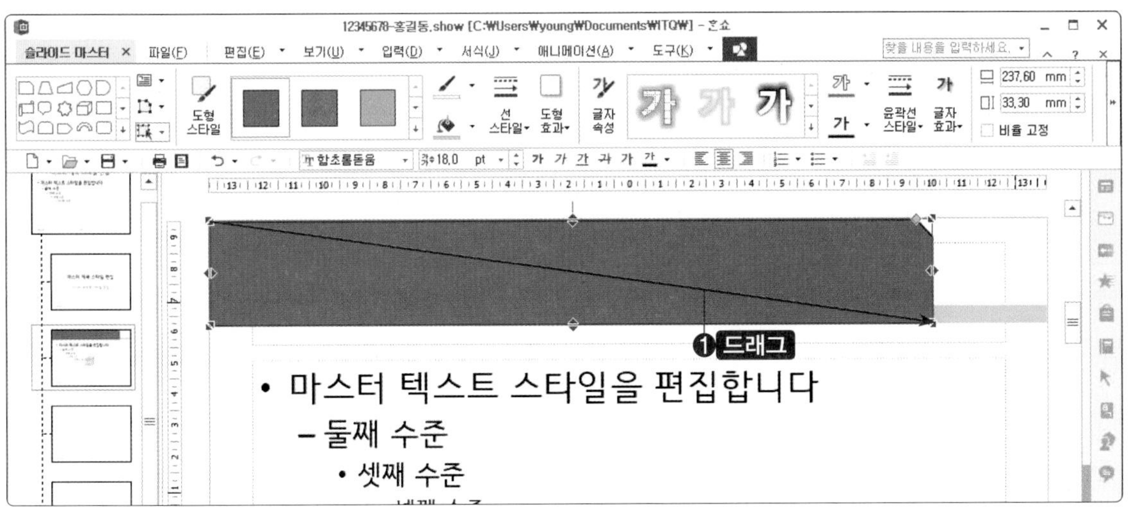

9 도형이 삽입되면 [도형] 정황 탭에서 **[선 스타일]을 클릭**한 후 [선 종류]-**[선 없음]을 클릭**합니다.

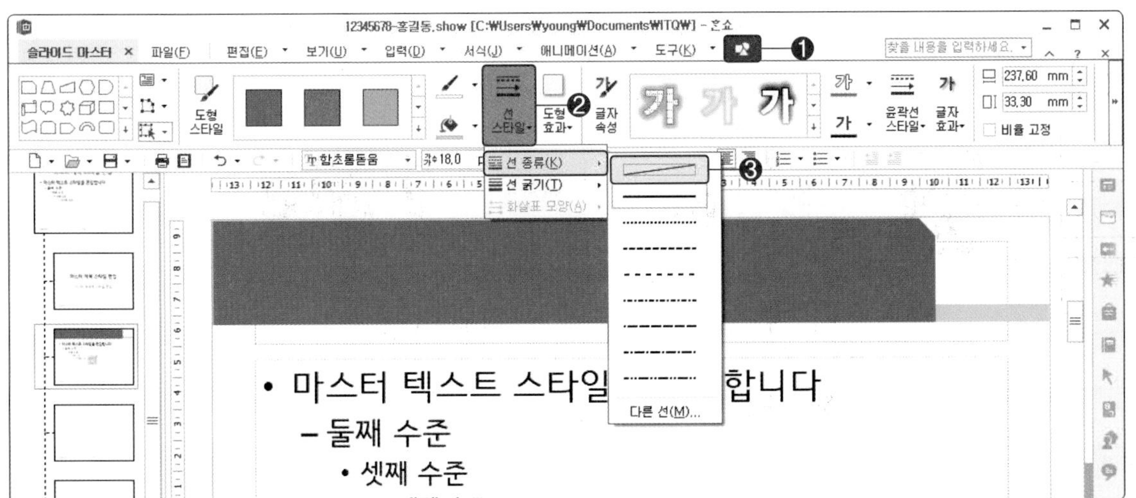

10 [도형] 정황 탭에서 **[회전]을 클릭**한 후 **[상하 대칭]을 클릭**합니다.

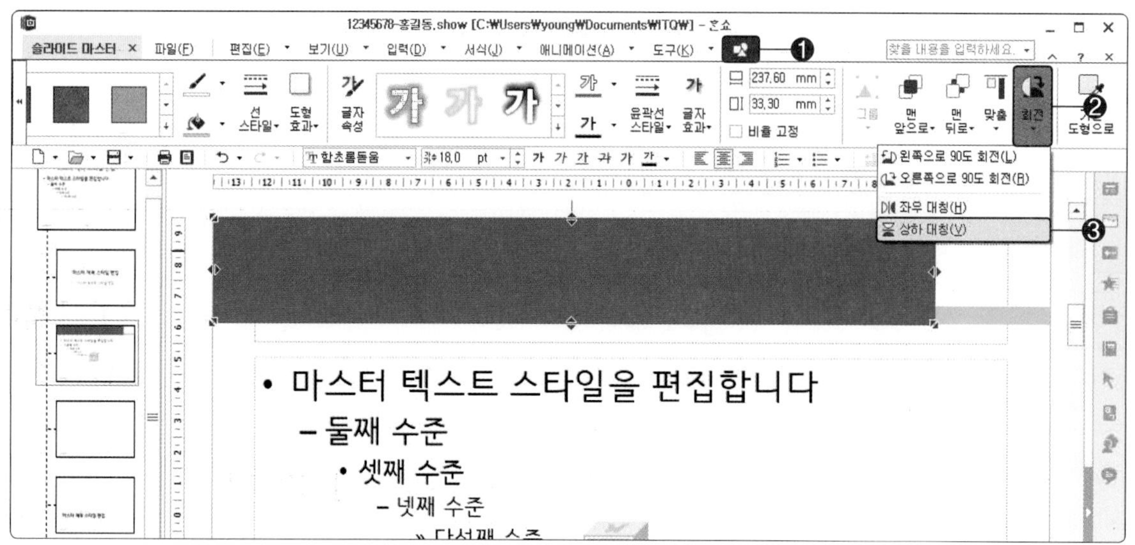

한가지 더!

크기에 따른 메뉴 표시

다음과 같이 도구 상자는 크기에 따라 표시되는 형태가 다릅니다. 프로그램 창의 크기가 작게 설정되어 있으면 일부 명령은 숨김 표시되고 [»] 단추를 클릭하면 숨겨진 부분의 명령이 표시됩니다.

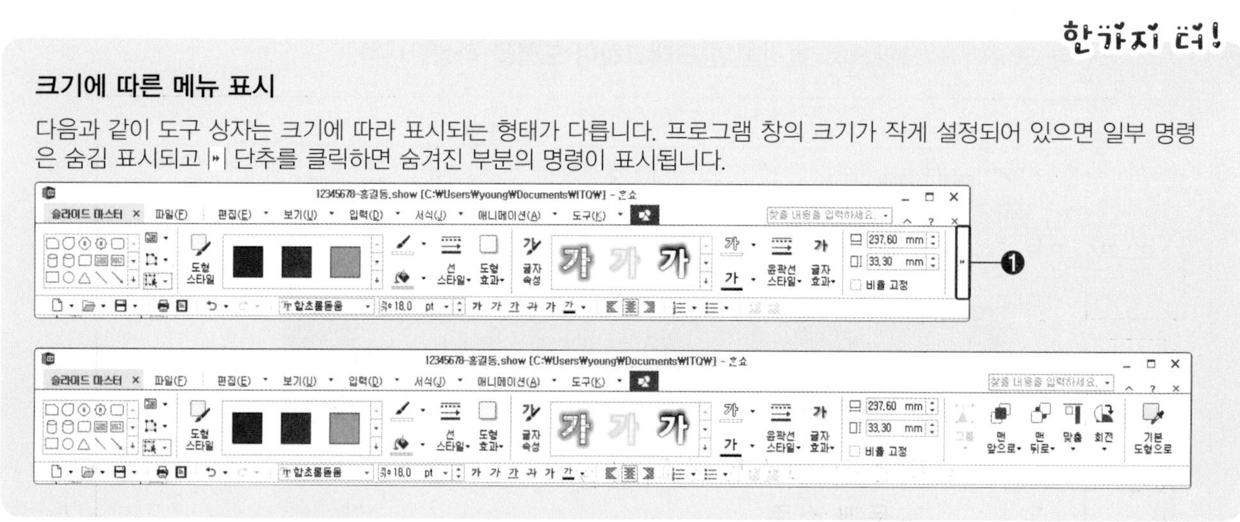

11 [도형] 정황 탭에서 **[채우기 색]의 [목록] 단추를 클릭**한 후 **임의의 색을 지정**합니다.

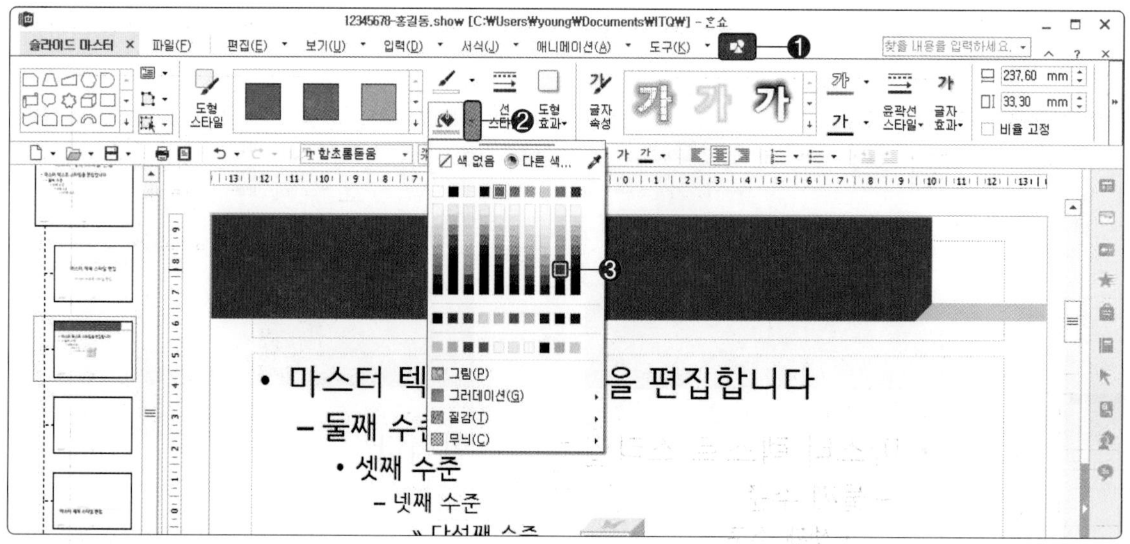

12 **제목 개체틀을 선택**한 후 바로가기 메뉴의 [순서]–**[맨 앞으로]를 클릭**합니다.

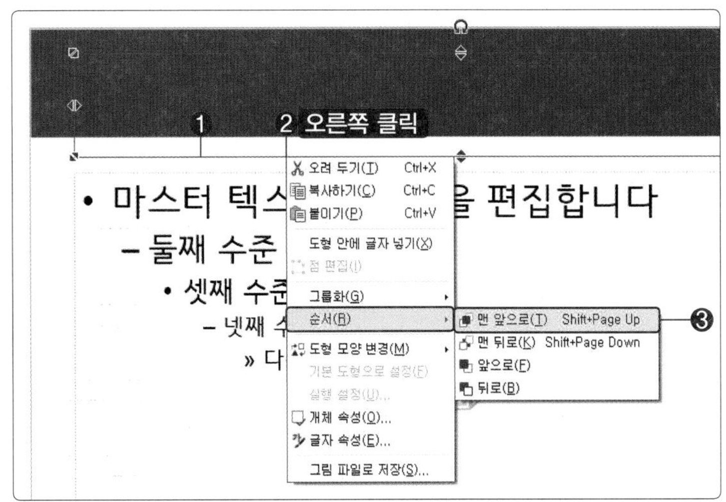

13 다음과 같이 제목 개체틀의 **크기 및 위치를 조절**합니다.

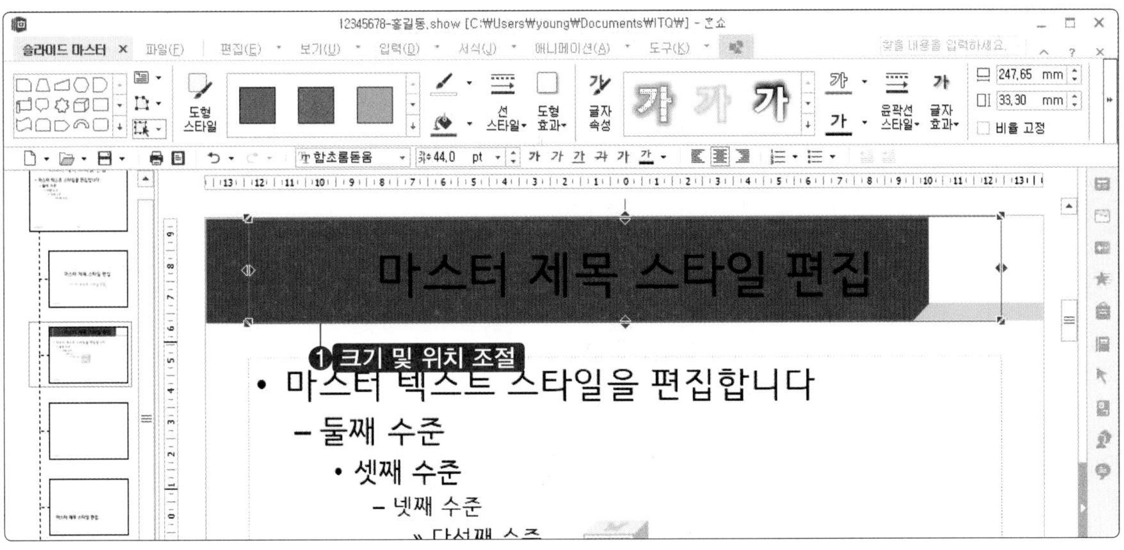

14 [서식] 도구 상자에서 **글꼴(굴림)과 글자 크기(40)를 선택**한 후 **글자 색(본문/배경 – 밝은 색 1)을 선택**합니다.

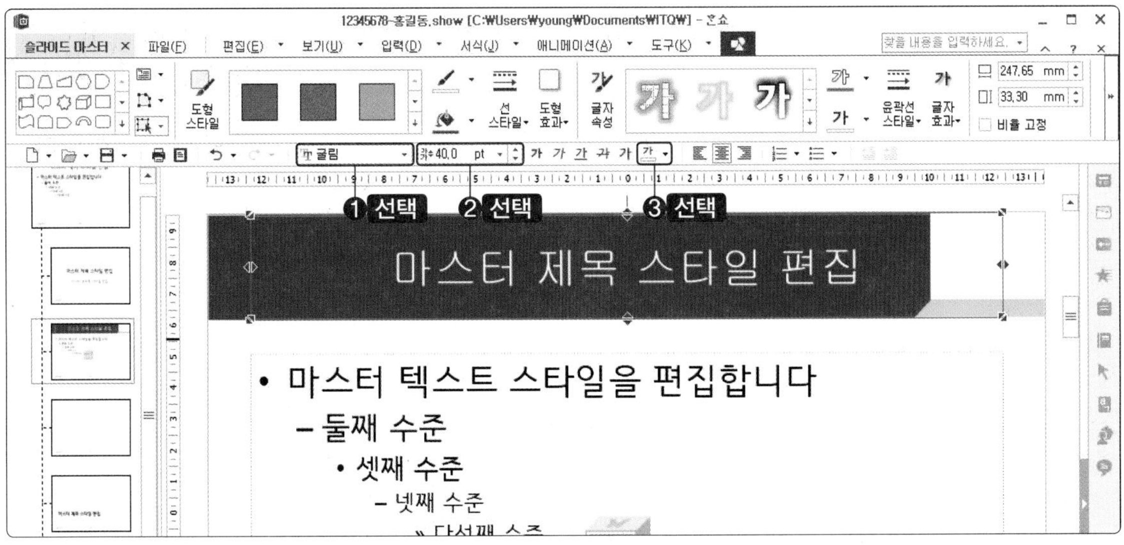

15 [입력] 탭에서 **[그림]을 클릭**합니다.

16 [그림 넣기] 대화상자가 나타나면 **찾는 위치(내 PC₩문서₩ITQ₩Picture)를 선택**한 후 **파일(로고2.jpg)을 선택**한 다음 **[넣기]를 클릭**합니다.

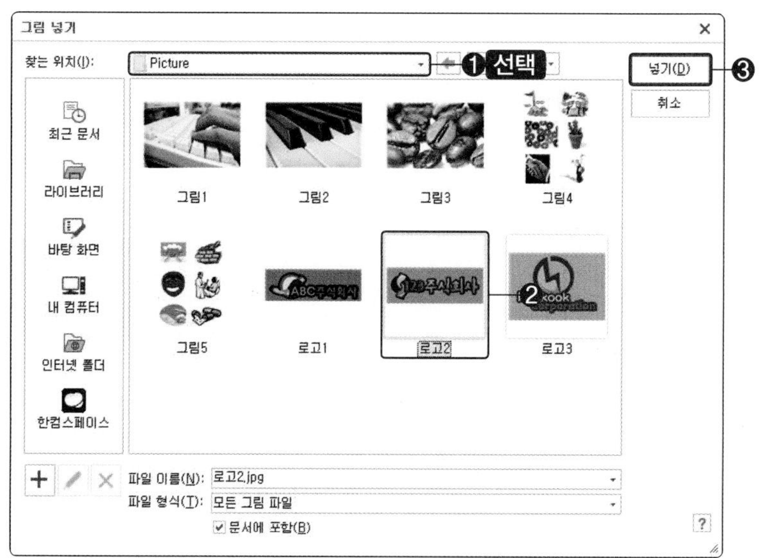

17 삽입된 그림을 드래그하여 **위치를 이동**한 후 **크기를 조절**합니다.

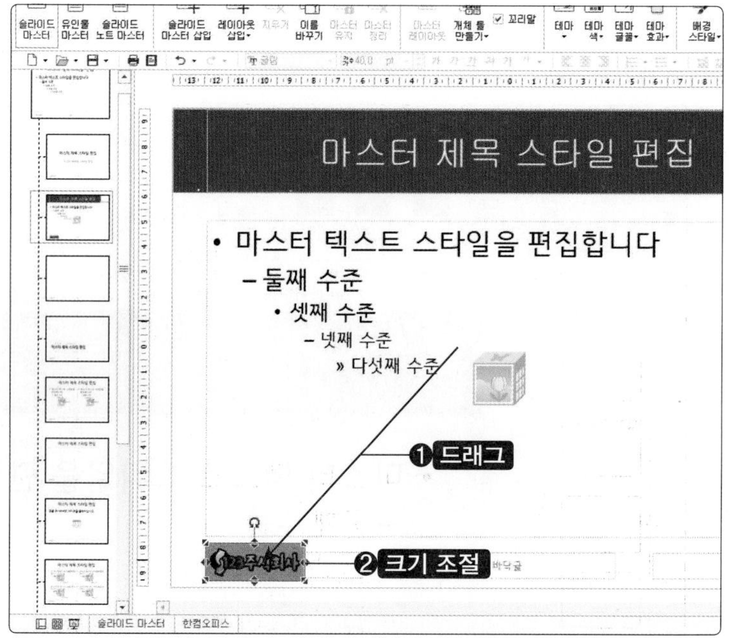

18 [그림] 정황 탭에서 **[색조 조정]을 클릭**한 후 **[투명한 색 설정]을 클릭**합니다.

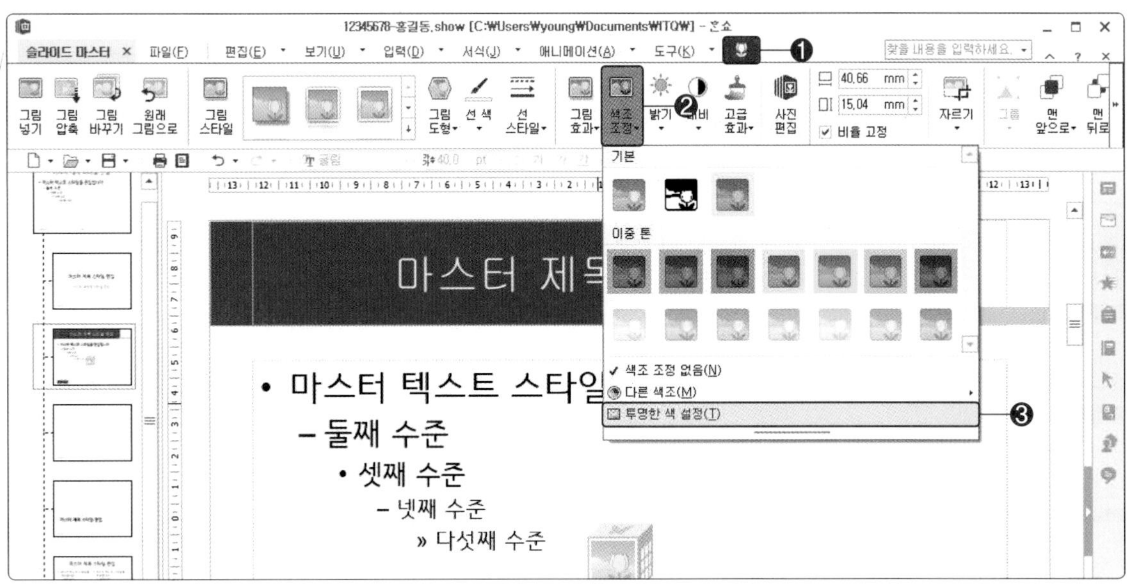

19 마우스 포인터 모양이 모양으로 변경되면 **그림의 회색 부분을 클릭**하여 배경을 투명하게 수정합니다.

20 슬라이드 마스터 작성이 완료되면 [슬라이드 마스터] 탭에서 **[닫기]를 클릭**합니다.

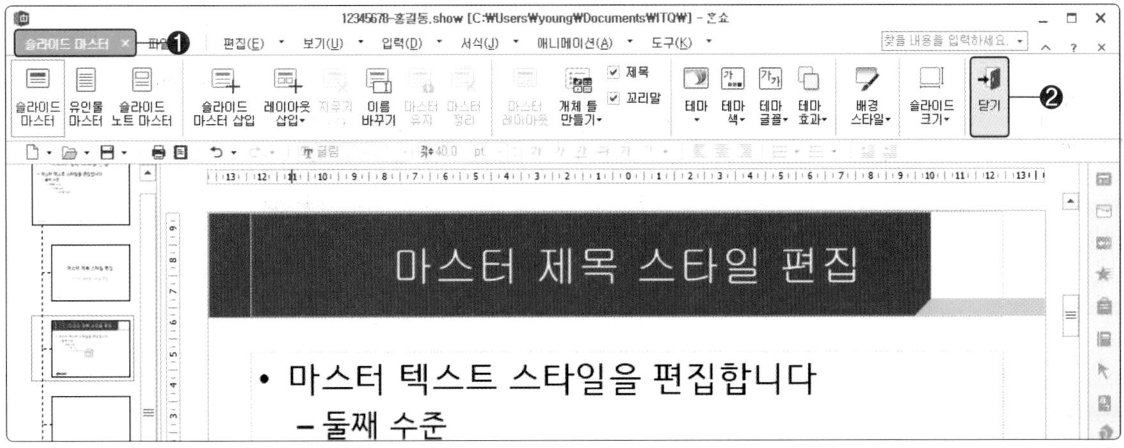

21 슬라이드 편집 화면이 다시 나타나면 [입력] 탭에서 **[머리말/꼬리말]을 클릭**합니다.

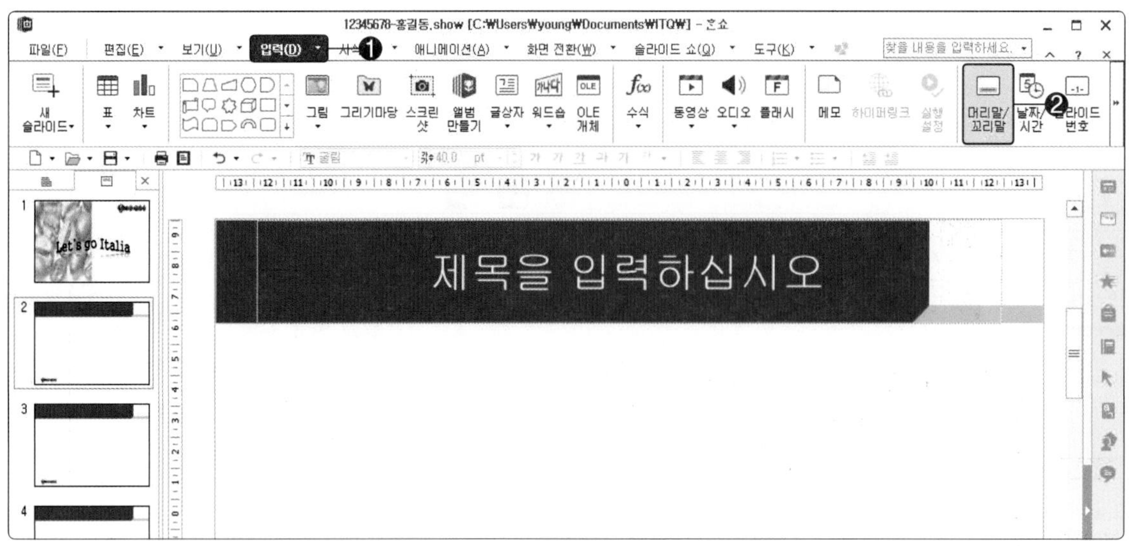

22 [머리말/꼬리말] 대화상자가 나타나면 **[슬라이드 번호]를 선택**한 후 **[제목 슬라이드에는 표시 안 함]을 선택**한 다음 **[모두 적용]을 클릭**합니다.

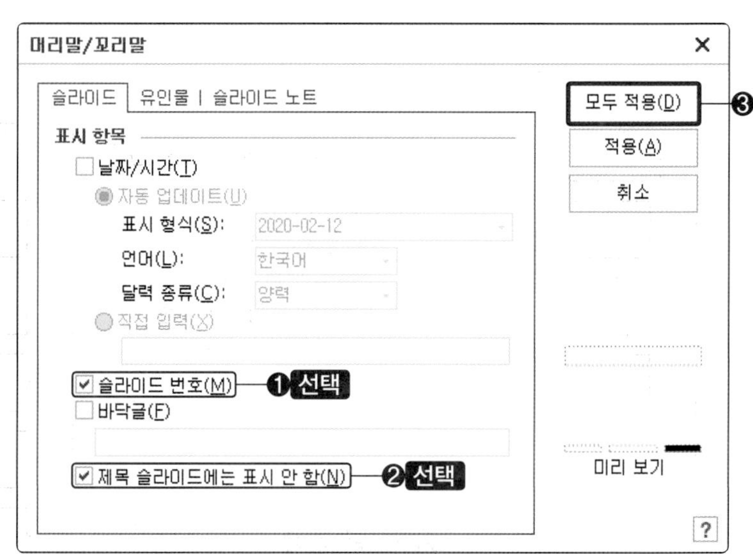

Tip

[제목 슬라이드에는 표시 안 함]을 선택하지 않으면 제목 슬라이드에도 슬라이드 번호가 표시됩니다.

23 **제목 개체 틀을 클릭**한 후 **제목(목차)을 입력**합니다.

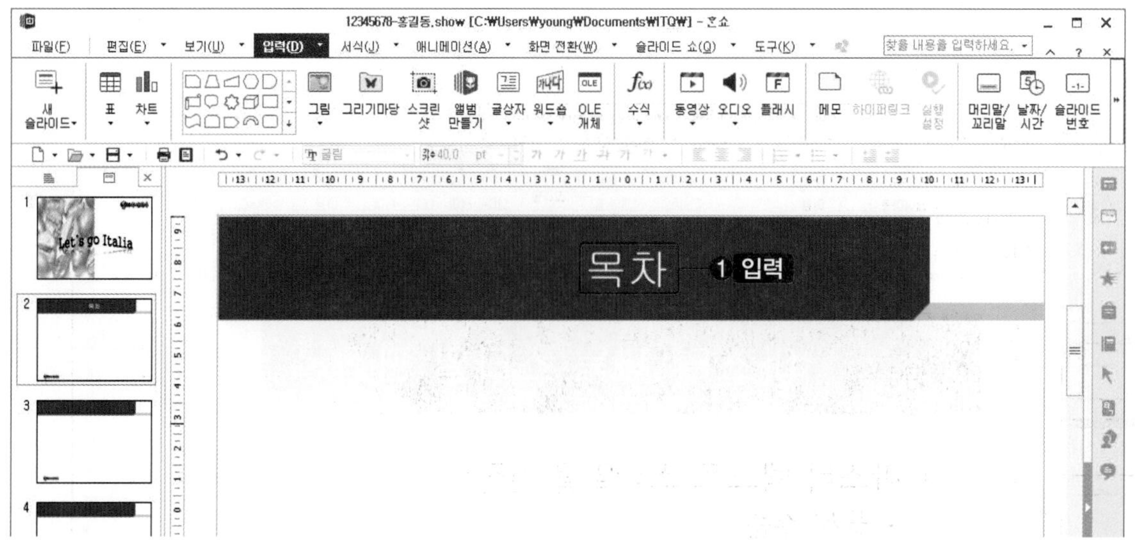

STEP 02 도형 작성하기

1 도형을 작성하기 위해 [입력] 탭에서 [자세히]를 클릭한 후 [직사각형]을 클릭합니다.

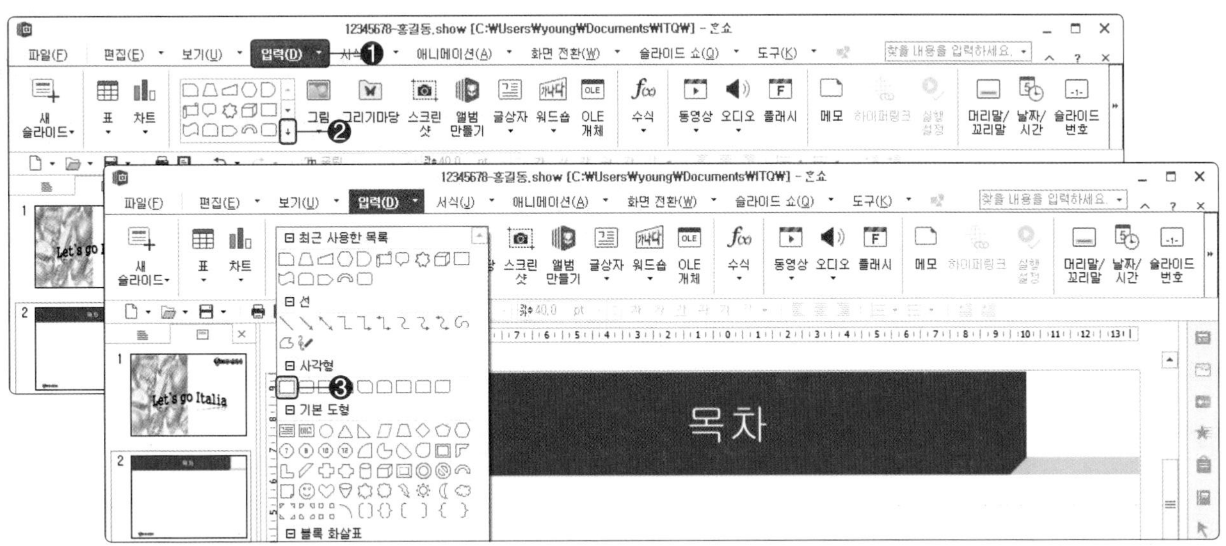

2 마우스 포인터 모양이 + 모양으로 변경되면 **드래그하여 도형을 작성**합니다.

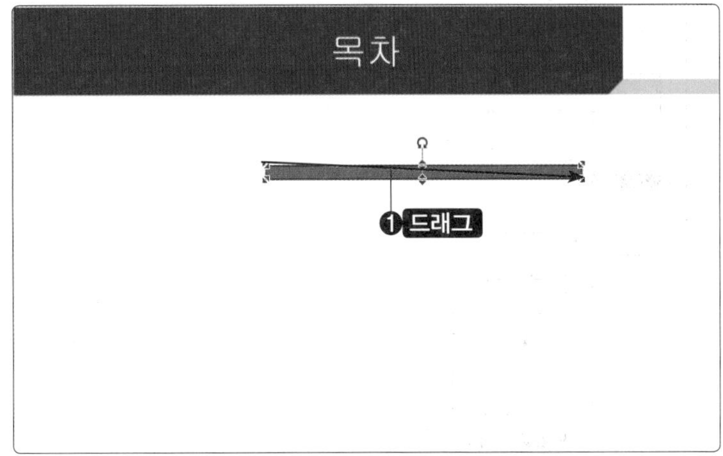

3 도형이 삽입되면 [도형] 정황 탭에서 **[선 스타일]을 클릭**한 후 [선 종류]–**[선 없음]을 클릭**합니다.

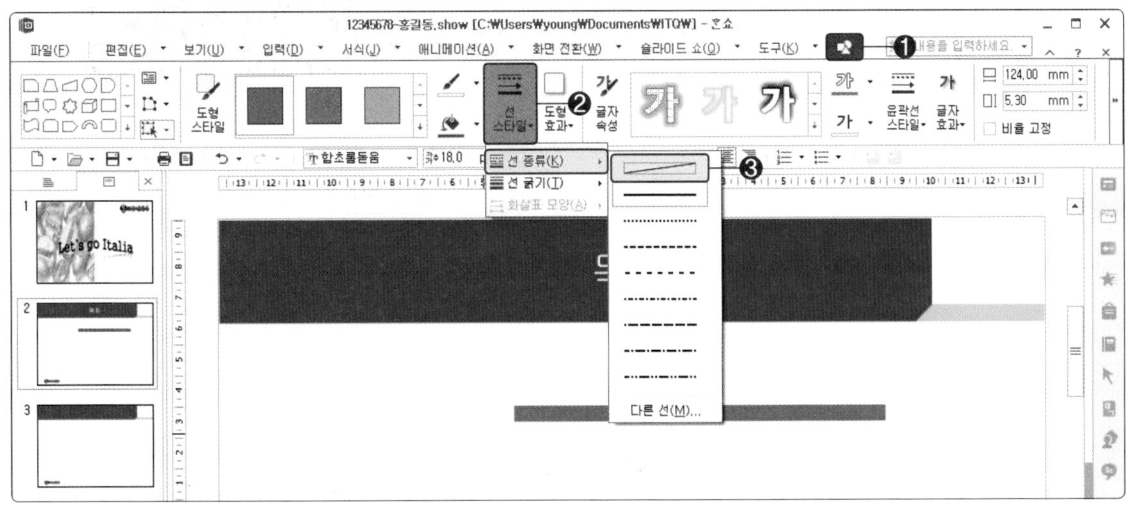

4 [도형] 정황 탭에서 **[채우기 색]의 [목록] 단추를 클릭**한 후 **임의의 색을 지정**합니다.

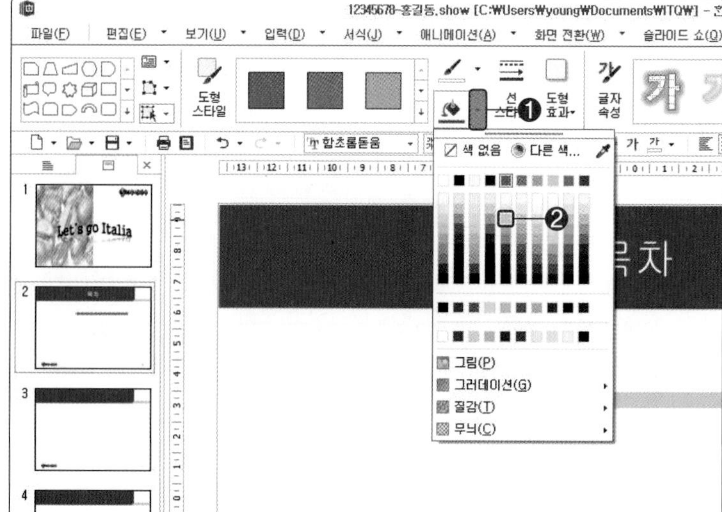

Tip

채우기 색은 수험자가 임의의 색을 지정하며 채우기 색을 변경하지 않아도 감점되지 않습니다.

5 목차 번호 도형을 작성하기 위해 [입력] 탭에서 **[자세히]를 클릭**한 후 **[정육면체]를 클릭**합니다.

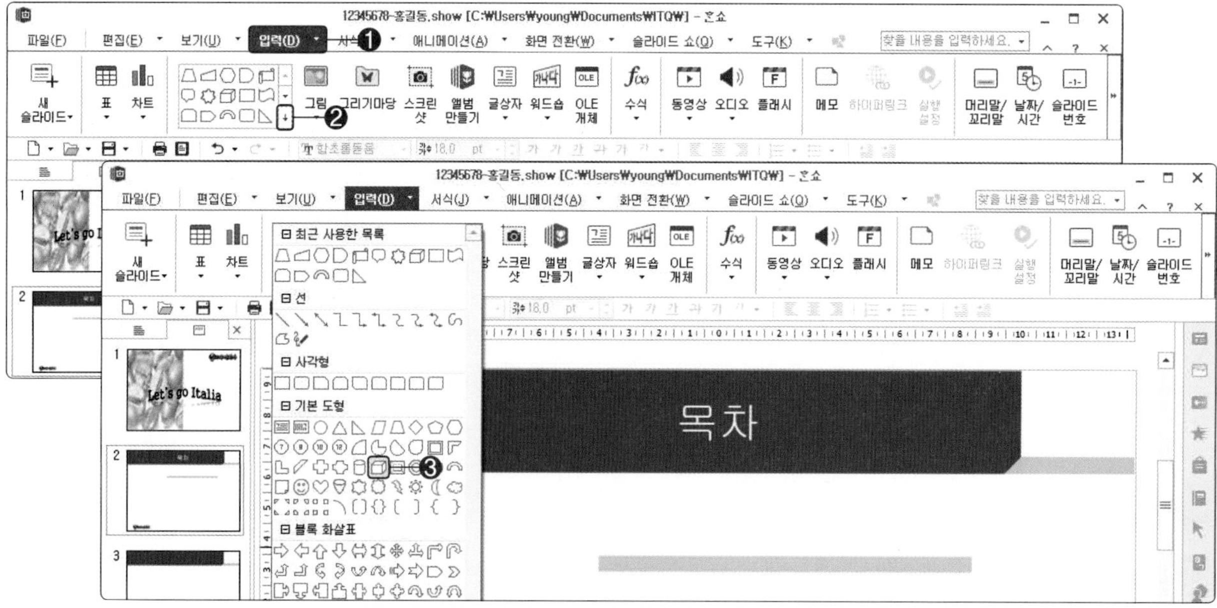

6 마우스 포인터 모양이 + 모양으로 변경되면 **드래그하여 도형을 작성**합니다.

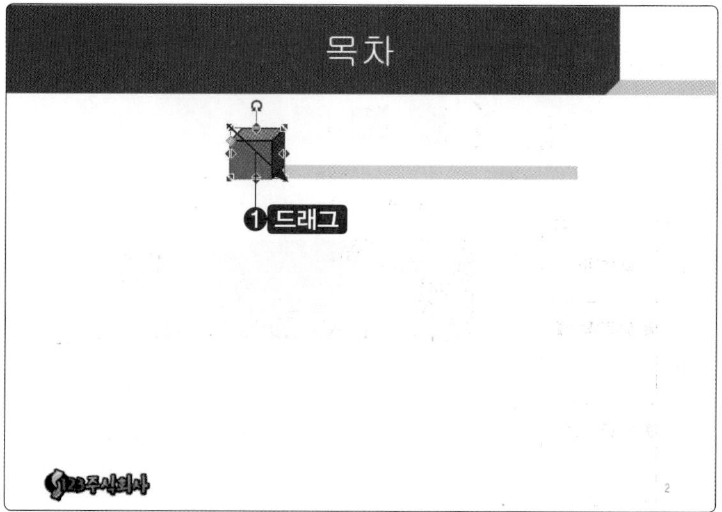

7 도형이 삽입되면 [도형] 정황 탭에서 **[선 스타일]을 클릭**한 후 [선 종류]–**[선 없음]을 클릭**합니다.

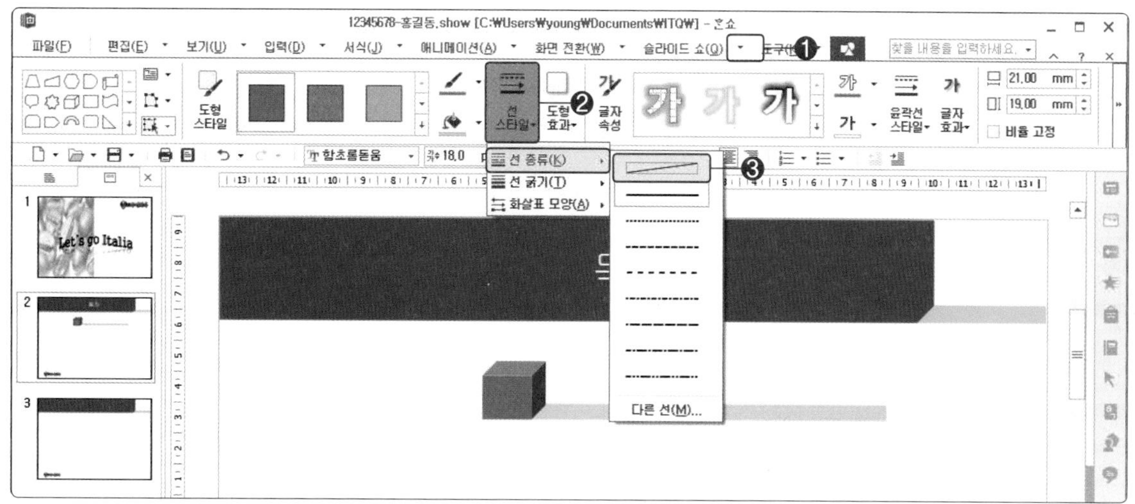

8 [도형] 정황 탭에서 **[채우기 색]의 [목록] 단추를 클릭**한 후 **임의의 색을 지정**합니다.

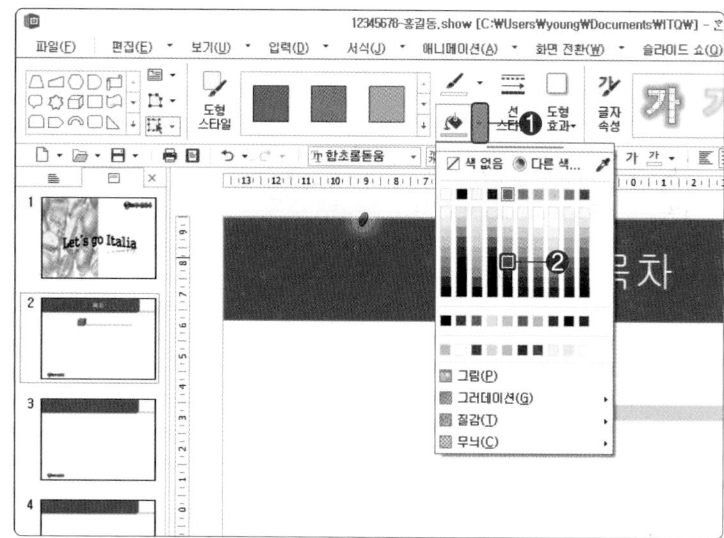

9 정육면체 도형에 **'A'를 입력**한 후 **도형을 선택**합니다. 그런다음 [서식] 도구 상자에서 **글꼴(맑은 고딕)과 글자 크기(24)를 선택**한 후 **글자 색(본문/배경 – 밝은 색 1)을 선택**합니다.

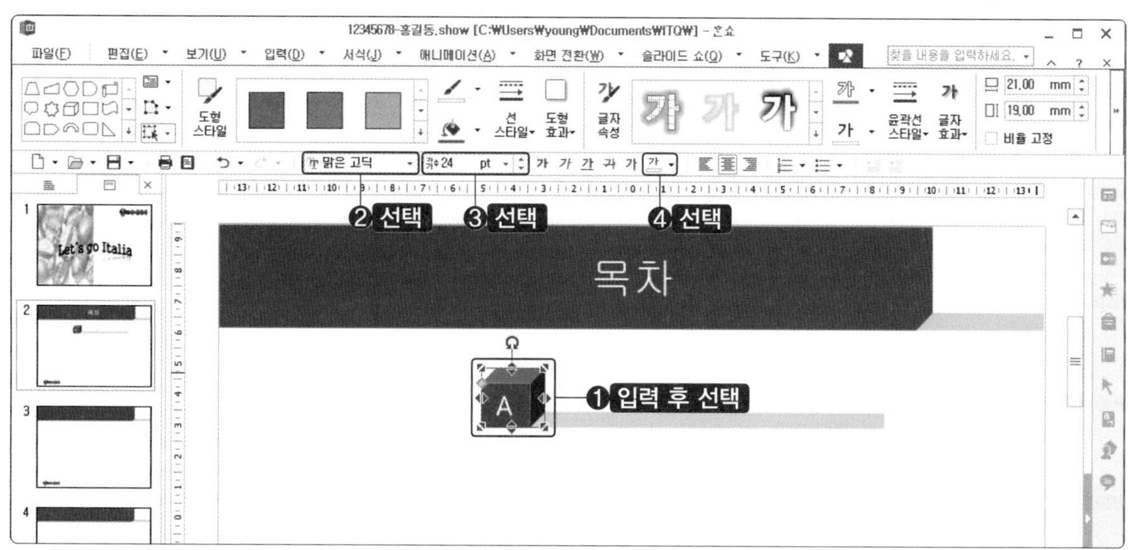

10 [입력] 탭에서 **[글상자]를 클릭**합니다.

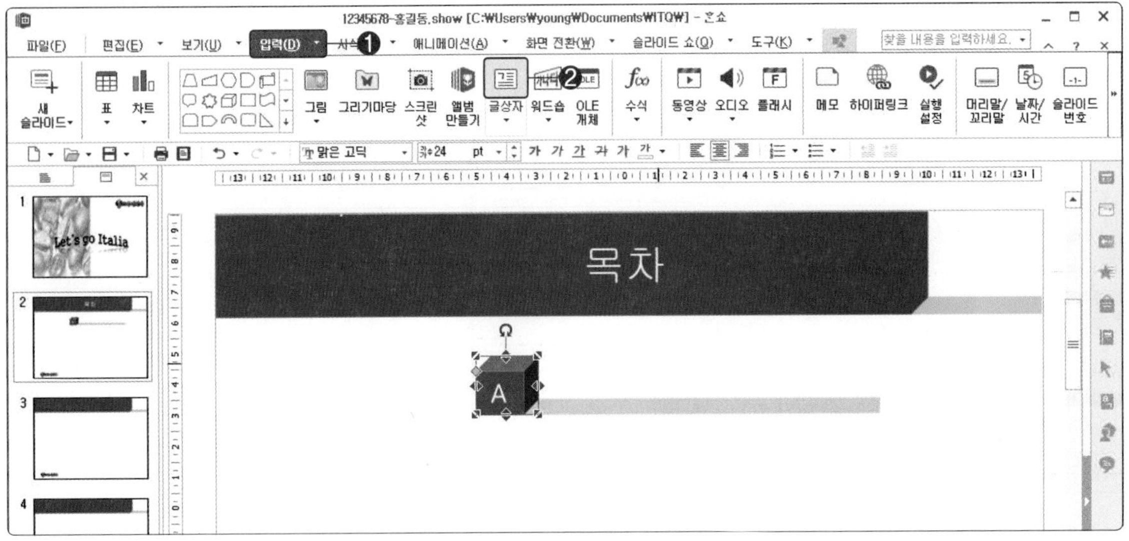

11 마우스 포인터 모양이 + 모양으로 변경되면 **드래그하여 글상자를 삽입**한 후 **텍스트(이탈리아의 역사와 특징)를 입력**합니다.

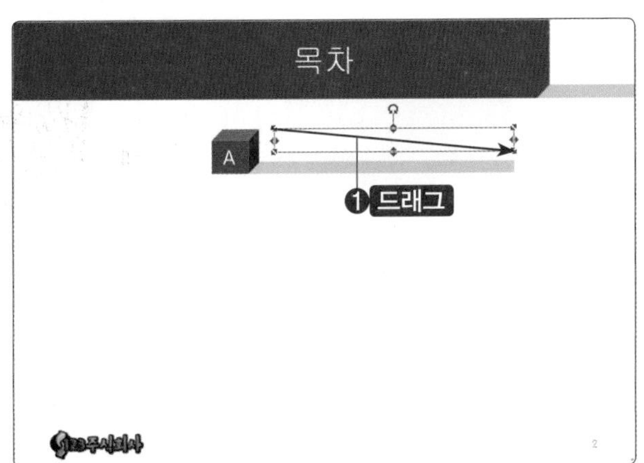

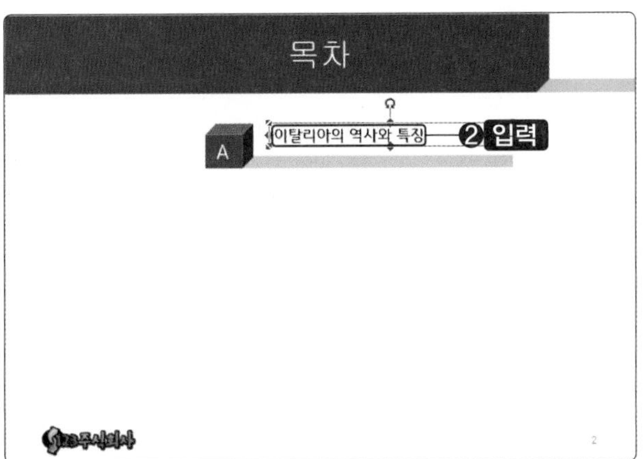

12 글상자를 선택한 후 [서식] 도구 상자에서 **글꼴(맑은 고딕)을 선택**한 다음 **글자 크기(24)를 선택**합니다.

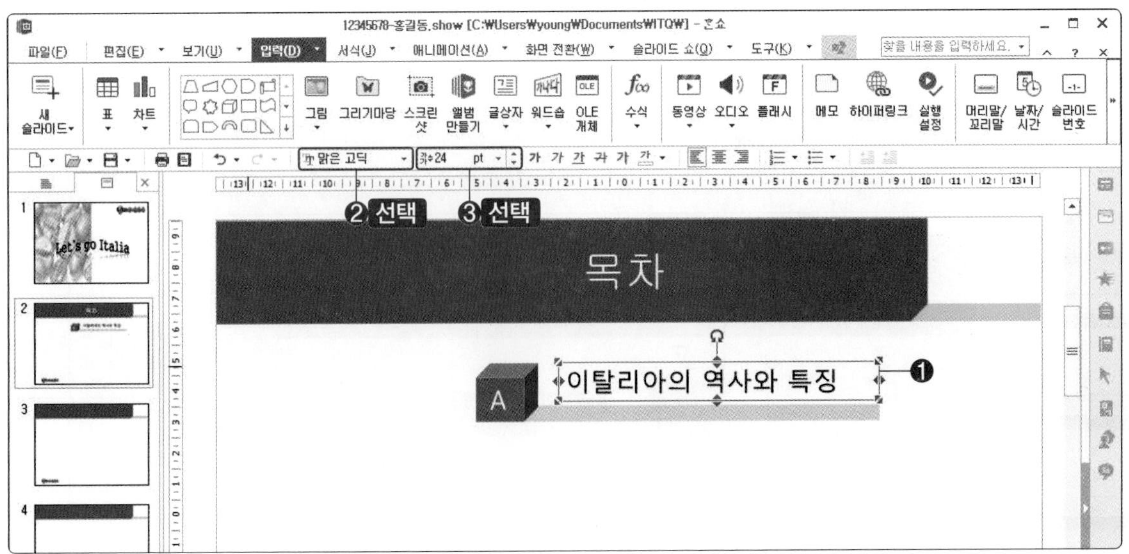

13 두개의 도형과 글상자를 선택한 후 Ctrl+Shift를 누른 상태에서 드래그하여 복사합니다.

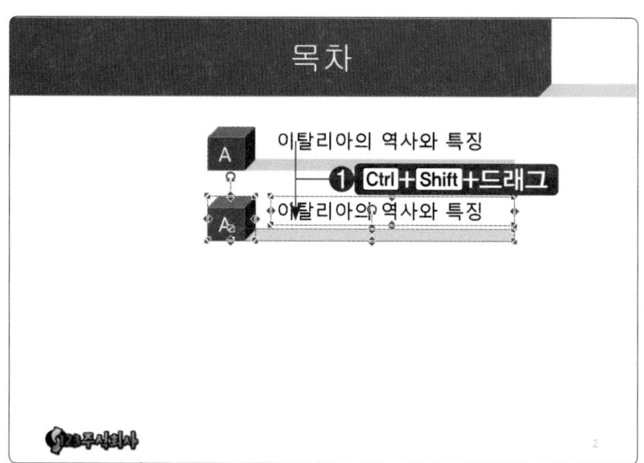

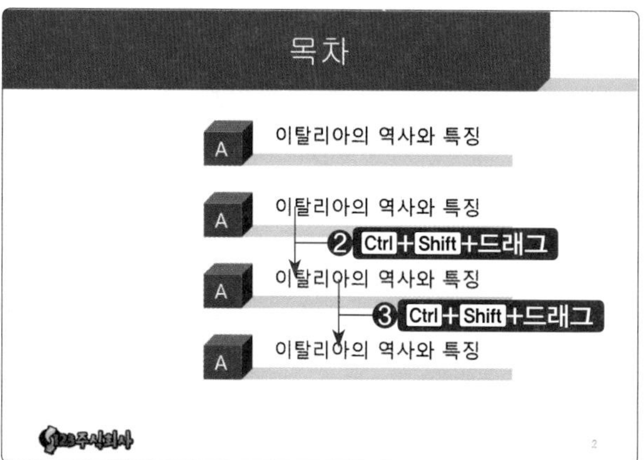

한가지 더!

도형 복제하기

도형 복제는 복사(Ctrl+C)한 후 붙여넣기(Ctrl+V) 보다 훨씬 편리한 기능으로 도형을 복제(Ctrl+D)한 다음 위치를 조정하고 다시 복제(Ctrl+D)하면 따로 정렬하지 않아도 쉽게 도형을 배치할 수 있습니다.

도형 복제 방법

• 도형을 선택한 후 복제(Ctrl+D)한 다음 위치를 조절하고 다시 복제(Ctrl+D)하면 동일한 간격으로 복제가 이루어집니다.

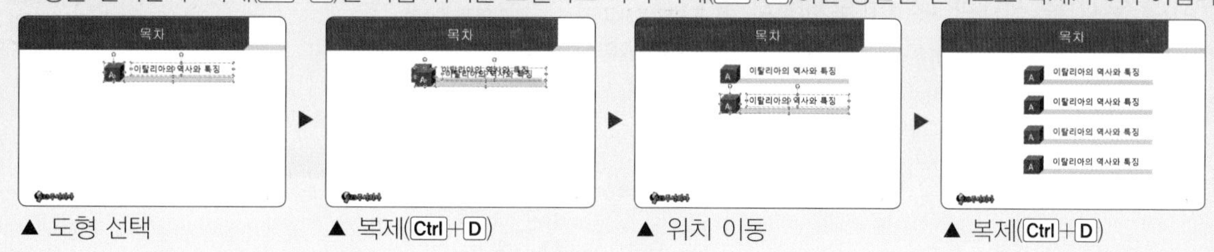

▲ 도형 선택 ▲ 복제(Ctrl+D) ▲ 위치 이동 ▲ 복제(Ctrl+D)

14 다음과 같이 정육면체 도형과 글상자의 내용을 수정합니다.

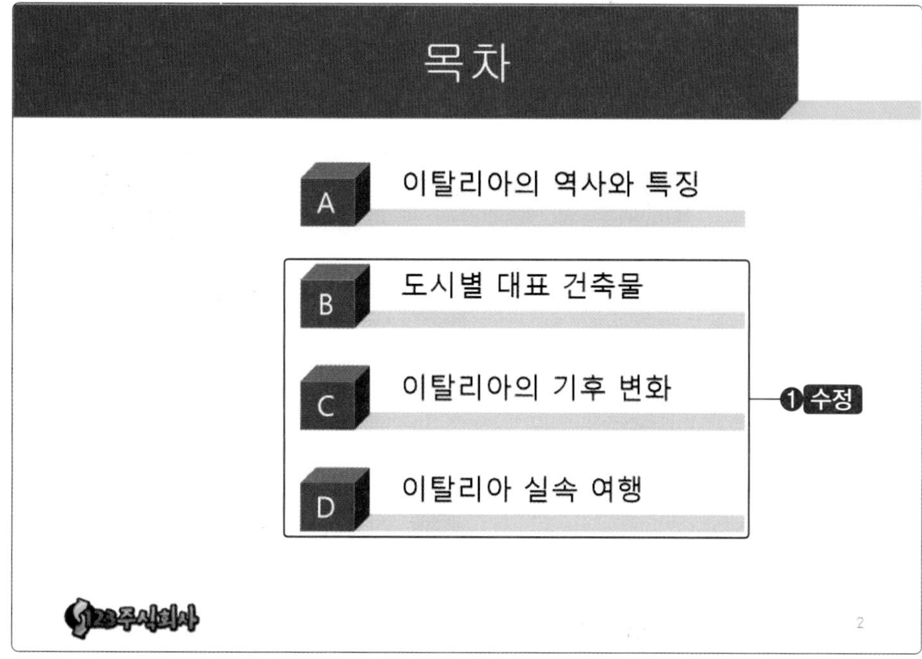

STEP 03 하이퍼링크 지정하기

1 **텍스트를 드래그하여 블록으로 설정**한 후 [입력] 탭에서 **[하이퍼링크]를 클릭**합니다.

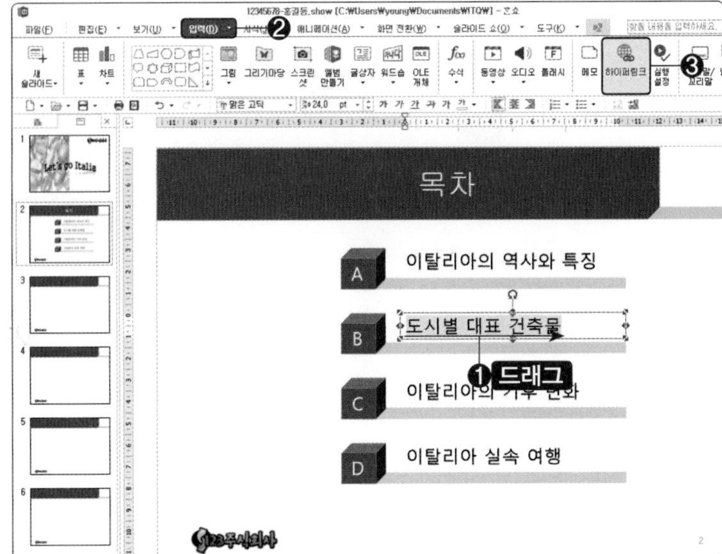

Tip

텍스트를 드래그하여 블록으로 설정한 후 바로가기 메뉴의 [하이퍼링크]를 클릭하거나 Ctrl+K,H를 눌러 [하이퍼링크 삽입] 대화상자를 표시할 수 있습니다.

2 [하이퍼링크] 대화상자가 나타나면 **연결 대상(현재 문서)을 선택**한 후 **이 문서에서 위치(4. 슬라이드 4)를 선택**한 다음 **[넣기]를 클릭**합니다.

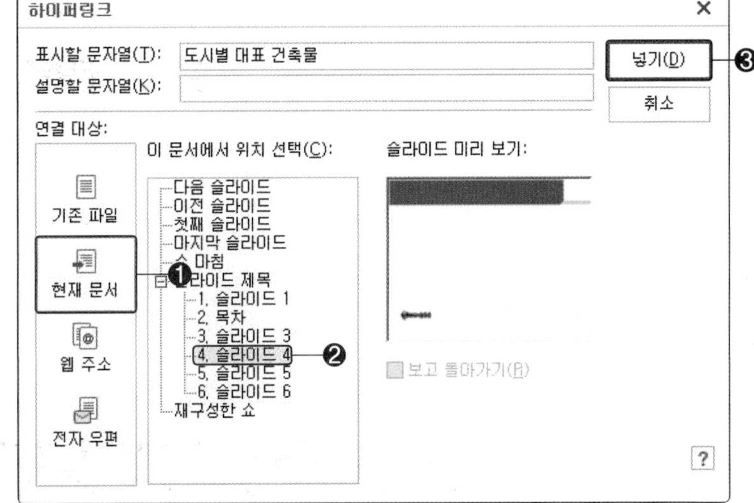

Tip

6개의 슬라이드를 미리 만들지 않으면 하이퍼링크를 적용할 수 없으므로 반드시 6개의 슬라이드를 미리 작성해 두어야 합니다.

3 블록으로 설정한 텍스트에 하이퍼링크가 적용되면 밑줄이 표시됩니다.

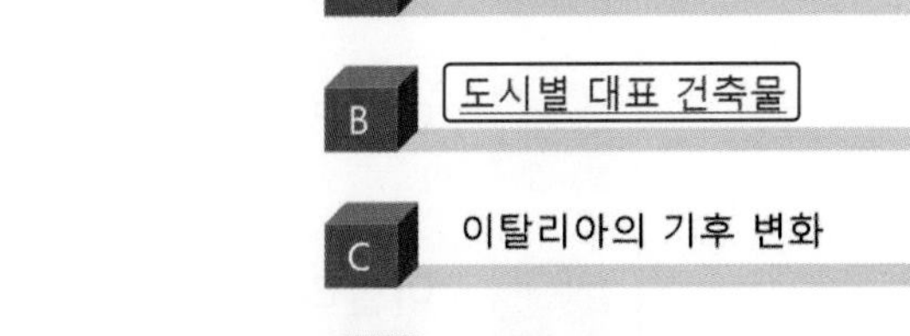

Tip

하이퍼링크를 제거하기 위해서는 하이퍼링크가 적용된 텍스트에서 바로가기 메뉴의 [하이퍼링크 지우기]를 클릭하면 하이퍼링크를 제거할 수 있습니다.

STEP 04 그림 삽입하기

1 [입력] 탭에서 **[그림]을 클릭**합니다.

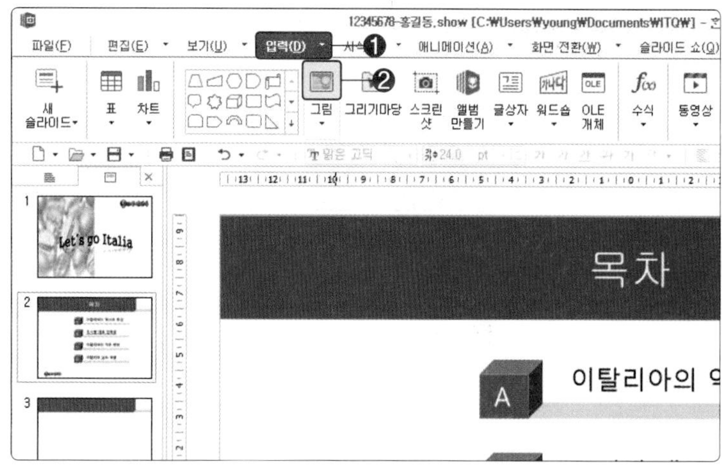

2 [그림 넣기] 대화상자가 나타나면 **찾는 위치(내 PC₩문서₩ITQ₩Picture)를 선택**한 후 **파일(그림4.jpg)을 선택**한 다음 **[넣기]를 클릭**합니다.

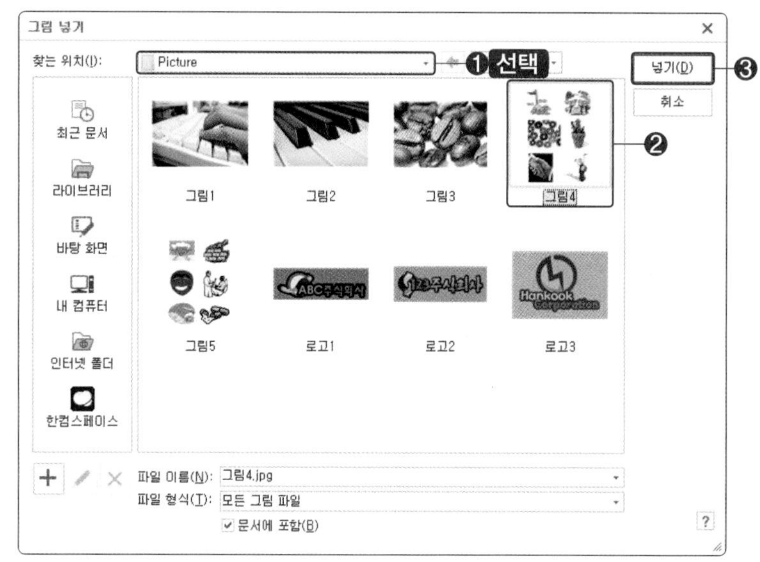

3 그림이 삽입되면 [그림] 정황 탭에서 **[자르기]를 클릭**합니다.

4 그림 모서리의 모양이 ⌟ 모양으로 변경되면 **그림의 모서리 부분을 드래그하여 자를 부분을 지정**한 후 Esc **를 눌러 자르기 기능을 해제**합니다.

5 그림을 **드래그하여 위치를 이동**합니다.

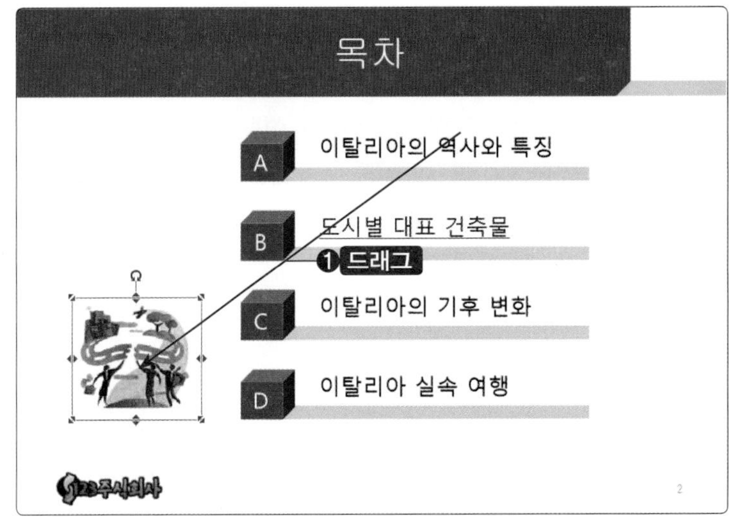

6 목차 슬라이드 작성이 완료되면 [서식] 도구 상자에서 **[저장하기]를 클릭**합니다.

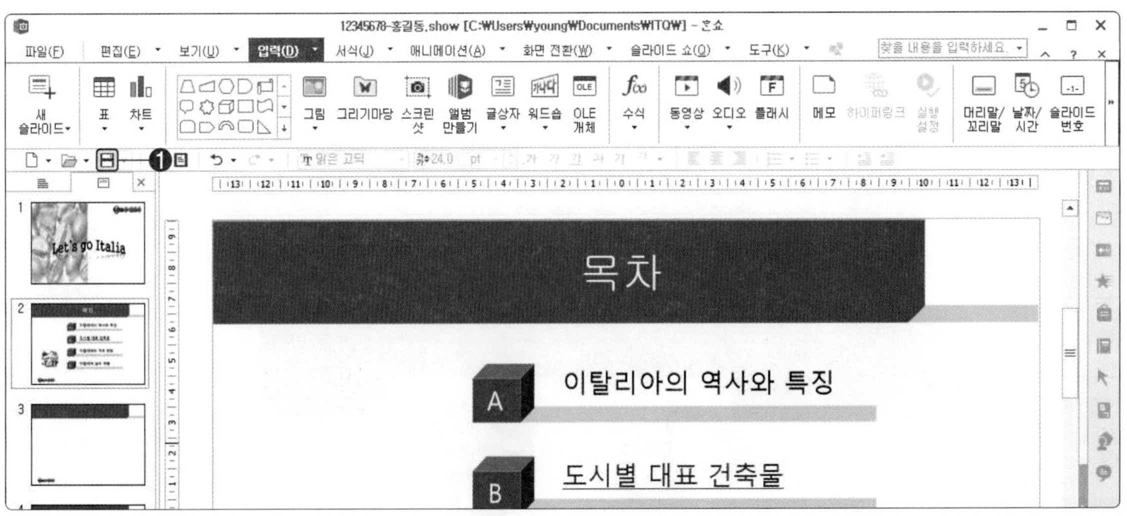

Tip

[파일] 탭-[저장하기]를 클릭하거나 Ctrl+S를 눌러 답안을 저장할 수도 있습니다.

실전문제유형

문제유형 001 목차 슬라이드

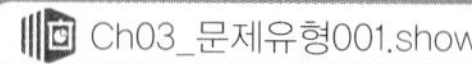

[전체 구성]

(2) 슬라이드 마스터 : 2~6슬라이드의 제목, 하단 로고, 슬라이드 번호는 슬라이드 마스터를 이용하여 작성한다.

- 제목 글꼴(굴림, 40pt, 흰색), 가운데 정렬, 도형(선 없음)
- 하단 로고(「내 PC₩문서₩ITQ₩Picture₩로고2.jpg」, 배경(회색) 투명색으로 설정)

[슬라이드 2] ≪목차 슬라이드≫

(1) 출력형태와 같이 도형을 이용하여 목차를 작성한다(글꼴 : 돋움, 24pt).

(2) 도형 : 선 없음

세부조건

① 텍스트에 하이퍼링크 적용
→ '슬라이드 5'

② 그림 삽입
- 「내 PC₩문서₩ITQ₩Picture₩그림5.jpg」
- 자르기 기능 이용

• 슬라이드 마스터에서 작성
• 도형 : [대각선 방향의 모서리가 잘린 사각형], [평행 사변형]

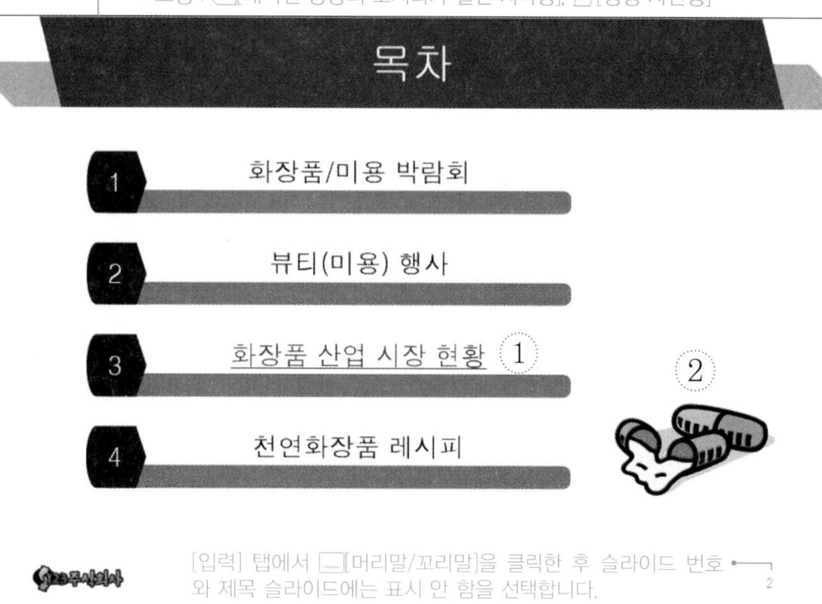

[입력] 탭에서 [머리말/꼬리말]을 클릭한 후 슬라이드 번호와 제목 슬라이드에는 표시 안 함을 선택합니다.

Hint 그림 삽입 및 자르기

1. [입력] 탭에서 [그림]을 클릭합니다.
2. [그림 넣기] 대화상자가 나타나면 찾는 위치(내 PC₩문서₩ITQ₩Picture)를 선택한 후 파일(그림5.jpg)을 선택한 다음 [넣기]를 클릭합니다.
3. 그림이 삽입되면 [그림] 정황 탭에서 [자르기]를 클릭합니다.
4. 그림 모서리의 모양이 ┛ 모양으로 변경되면 그림의 모서리 부분을 드래그하여 자를 부분을 지정한 후 Esc를 눌러 자르기 기능을 해제합니다.

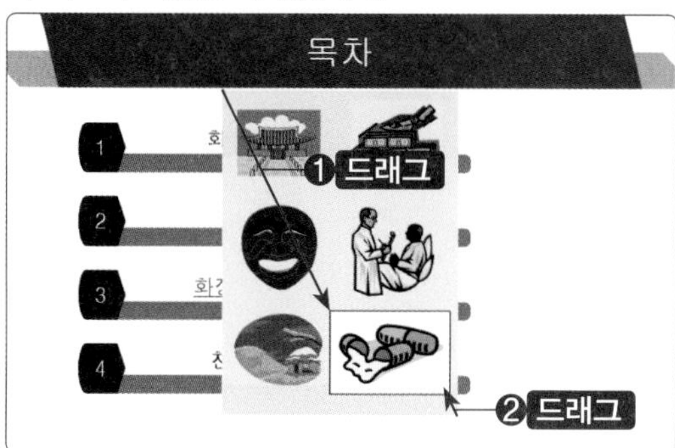

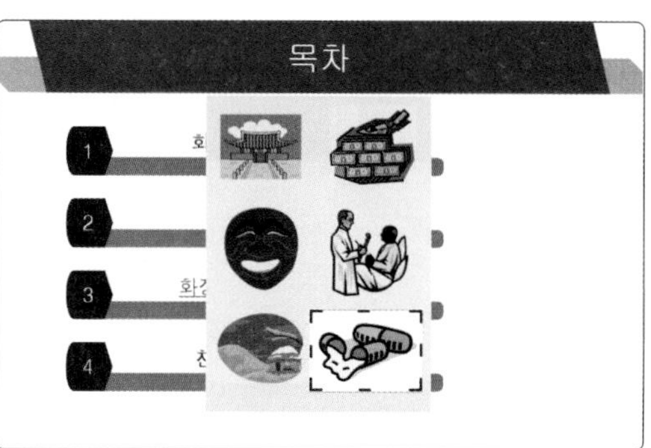

실전문제유형

문제유형 002 목차 슬라이드

Ch03_문제유형002.show

[전체 구성]

(2) 슬라이드 마스터 : 2~6슬라이드의 제목, 하단 로고, 슬라이드 번호는 슬라이드 마스터를 이용하여 작성한다.

- 제목 글꼴(궁서, 40pt, 흰색), 왼쪽 정렬, 도형(선 없음)
- 하단 로고(「내 PC₩문서₩ITQ₩Picture₩로고3.jpg」, 배경(연보라) 투명색으로 설정)

[슬라이드 2] ≪목차 슬라이드≫

(1) 출력형태와 같이 도형을 이용하여 목차를 작성한다(글꼴 : 굴림, 24pt).

(2) 도형 : 선 없음

세부조건

① 텍스트에 하이퍼링크 적용
→ '슬라이드 6'

② 그림 삽입
- 「내 PC₩문서₩ITQ₩Picture₩그림5.jpg」
- 자르기 기능 이용

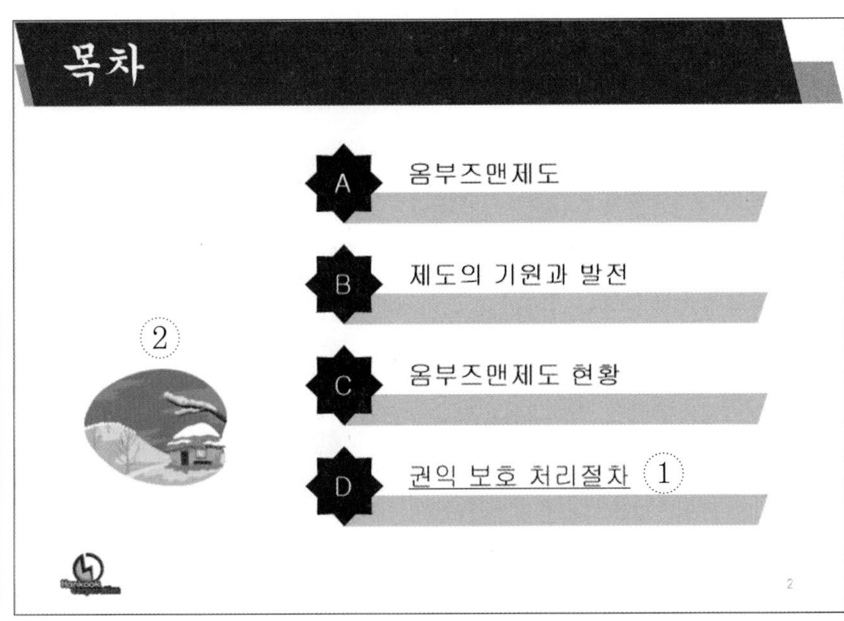

Hint 하이퍼링크

1. 텍스트(권익 보호 처리절차)를 드래그하여 블록으로 설정한 후 [입력] 탭에서 [하이퍼링크]를 클릭합니다.
2. [하이퍼링크] 대화상자가 나타나면 연결 대상(현재 문서)을 선택한 후 이 문서에서 위치(6. 슬라이드 6)을 선택한 다음 [넣기]를 클릭합니다.

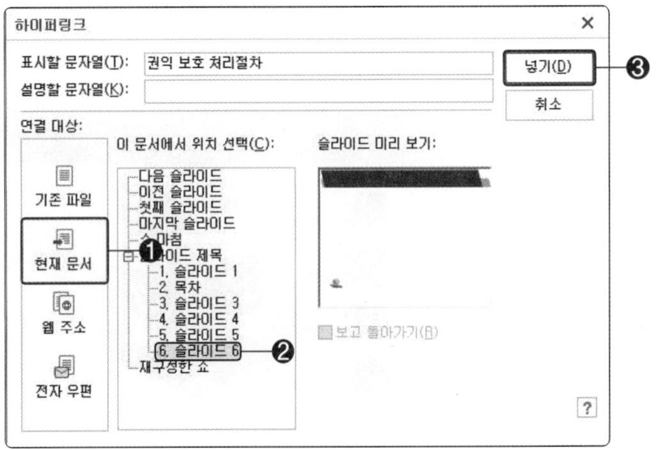

실전문제유형

문제유형 003 목차 슬라이드

[전체 구성]

(2) 슬라이드 마스터 : 2~6슬라이드의 제목, 하단 로고, 슬라이드 번호는 슬라이드 마스터를 이용하여 작성한다.
- 제목 글꼴(굴림, 40pt, 흰색), 가운데 정렬, 도형(선 없음)
- 하단 로고(「내 PC₩문서₩ITQ₩Picture₩로고2.jpg」, 배경(회색) 투명색으로 설정)

[슬라이드 2] ≪목차 슬라이드≫

(1) 출력형태와 같이 도형을 이용하여 목차를 작성한다(글꼴 : 굴림, 24pt).

(2) 도형 : 선 없음

세부조건

① 텍스트에 하이퍼링크 적용
→ '슬라이드 4'

② 그림 삽입
- 「내 PC₩문서₩ITQ₩Picture₩그림5.jpg」
- 자르기 기능 이용

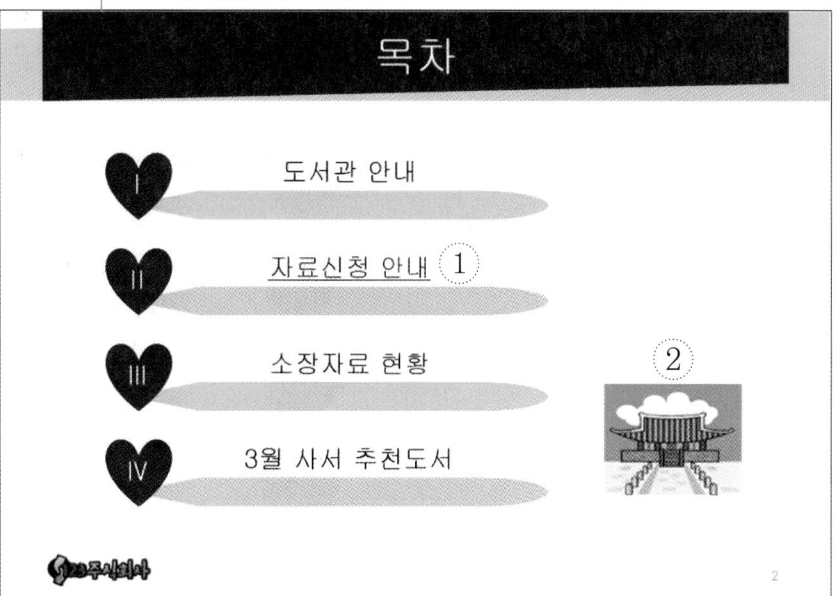

Hint 한글 자음 특수문자

• 한글의 자음을 입력한 후 [한자]를 누르면 특수문자 목록이 나타납니다.

자음	특수문자
ㄱ	공백 ! ' , . ／ : ; ? ^ _ ` ｜
ㄴ	" ( ) [ ] { } ' ' " " 〔 〕 〈 〉 《 》 「 」 『
ㄷ	+ − < = > ± × ÷ ≠ ≤ ≥ ∞ ∴
ㄹ	$ % ₩ F ′ ″ ℃ Å ¢ £ ¥ ¤ ℉
ㅁ	# & * @ § ※ ☆ ★ ○ ● ◎ ◇ ◆
ㅂ	─ │ ┌ ┐ ┘ └ ├ ┬ ┤ ┴ ┼ ━ ┃
ㅅ	㉠ ㉡ ㉢ ㉣ ㉤ ㉥ ㉦ ㉧ ㉨ ㉩ ㉪ ㉫ ㉬ ㉭

자음	특수문자
ㅇ	ⓐ ⓑ ⓒ ⓓ ⓔ ⓕ ⓖ ⓗ ⓘ ⓙ ⓚ ⓛ ⓜ
ㅈ	0 1 2 3 4 5 6 7 8 9 ⅰ ⅱ ⅲ
ㅊ	½ ⅓ ⅔ ¼ ¾ ⅛ ⅜ ⅝ ⅞ ¹ ² ³ ⁴ ⁿ
ㅋ	ㄱ ㄲ ㄳ ㄴ ㄵ ㄶ ㄷ ㄸ ㄹ ㄺ ㄻ ㄼ ㄽ
ㅌ	ㅥ ㅦ ㅧ ㅨ ㅪ ㅬ ㅭ ㅮ ㅯ ㅰ ㅲ ㅳ ㅴ ㅱ
ㅍ	A B C D E F G H I J K L M N O P Q
ㅎ	Α Β Γ Δ Ε Ζ Η Θ Ι Κ Λ Μ Ν

실전문제유형

문제유형 004 목차 슬라이드

Ch03_문제유형004.show

[전체 구성]

(2) 슬라이드 마스터 : 2~6슬라이드의 제목, 하단 로고, 슬라이드 번호는 슬라이드 마스터를 이용하여 작성한다.
- 제목 글꼴(돋움, 40pt, 파랑), 가운데 정렬, 도형(선 없음)
- 하단 로고(「내 PC₩문서₩ITQ₩Picture₩로고2.jpg」, 배경(회색) 투명색으로 설정)

[슬라이드 2] ≪목차 슬라이드≫

(1) 출력형태와 같이 도형을 이용하여 목차를 작성한다(글꼴 : 굴림, 24pt).
(2) 도형 : 선 없음

세부조건

① 텍스트에 하이퍼링크 적용
→ '슬라이드 6'

② 그림 삽입
- 「내 PC₩문서₩ITQ₩Picture₩그림5.jpg」
- 자르기 기능 이용

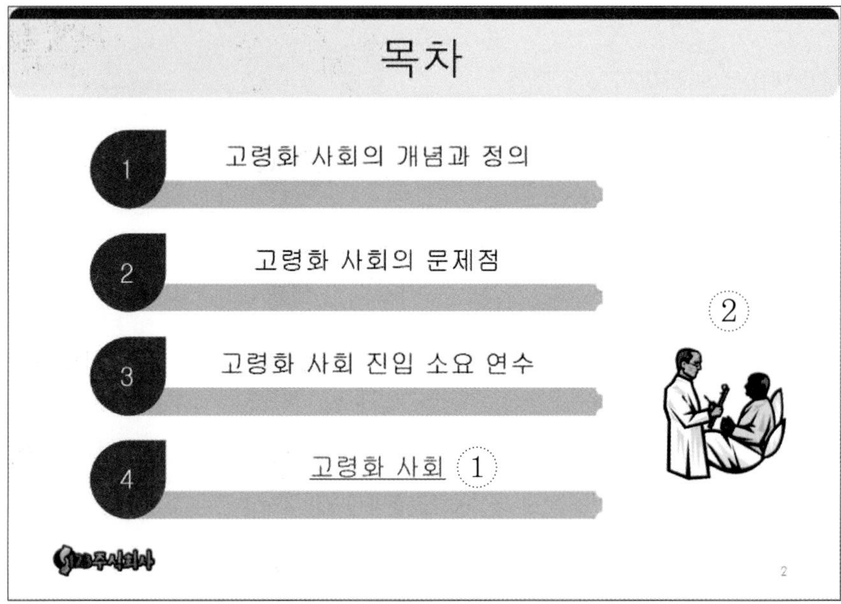

실전문제유형

문제유형 005 목차 슬라이드

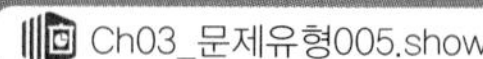

[전체 구성]

(2) 슬라이드 마스터 : 2~6슬라이드의 제목, 하단 로고, 슬라이드 번호는 슬라이드 마스터를 이용하여 작성한다.

- 제목 글꼴(맑은 고딕, 40pt, 흰색), 왼쪽 정렬, 도형(선 없음)
- 하단 로고(「내 PC₩문서₩ITQ₩Picture₩로고1.jpg」, 배경(회색) 투명색으로 설정)

[슬라이드 2] ≪목차 슬라이드≫

(1) 출력형태와 같이 도형을 이용하여 목차를 작성한다(글꼴 : 맑은 고딕, 24pt).

(2) 도형 : 선 없음

세부조건

① 텍스트에 하이퍼링크 적용
→ '슬라이드 4'

② 그림 삽입
- 「내 PC₩문서₩ITQ₩Picture₩그림4.jpg」
- 자르기 기능 이용

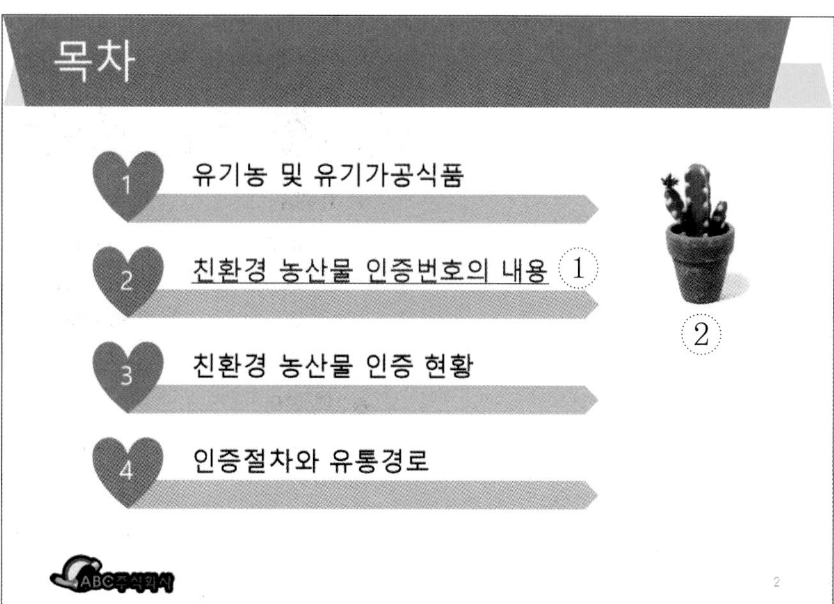

텍스트/동영상 슬라이드

텍스트/동영상 슬라이드에서는 글머리 기호와 텍스트 상자의 배치 방법 등이 출제되며, 동영상 파일을 삽입하는 방법에 대해 알고 있어야 합니다. 텍스트 개체 틀의 경우 출제 방식에 따라 배치 방법이 다르므로 다양한 형태의 배치 방법을 연습하는 것이 좋습니다.

[슬라이드 3] ≪텍스트/동영상 슬라이드≫ (60점)

(1) 텍스트 작성 : 글머리 기호 사용(◆, ✓)
◆문단(굴림, 24pt, 굵게, 줄간격 : 1.5줄), ✓문단(굴림, 20pt, 줄간격 : 1.5줄)

세부조건

① 동영상 삽입 :
- 「내 PC₩문서₩ITQ₩Picture₩동영상.wmv」
- 자동실행, 반복재생 설정

A. 이탈리아의 역사와 특징

◆ Italia
- ✓ Italia is a beautiful country but is one of those countries which you probably have some questions and preconceptions, before your coming to this special country

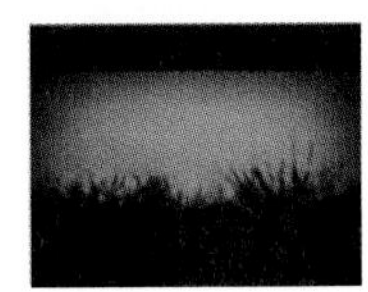

①

◆ 역사와 특징
- ✓ 1870년에 이탈리아 반도를 통일하여 현재 20개의 주로 구성
- ✓ 문학, 미술, 음악 등 예술이 발달하였으며 이베리아, 발칸과 함께 남유럽의 3대 반도로서 가장 유럽적인 문화를 지님

3

작업순서요약

① 텍스트를 입력한 후 글머리표를 매깁니다.
② 텍스트에 글자/문단 모양을 지정합니다.
③ 동영상을 삽입한 후 자동 실행 및 반복 실행을 선택합니다.

STEP 01 텍스트 입력 및 글머리표 매기기

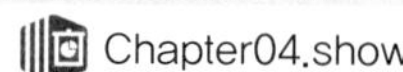

1 3번 **슬라이드를 선택**한 후 **슬라이드 제목(A. 이탈리아의 역사와 특징)을 입력**합니다.

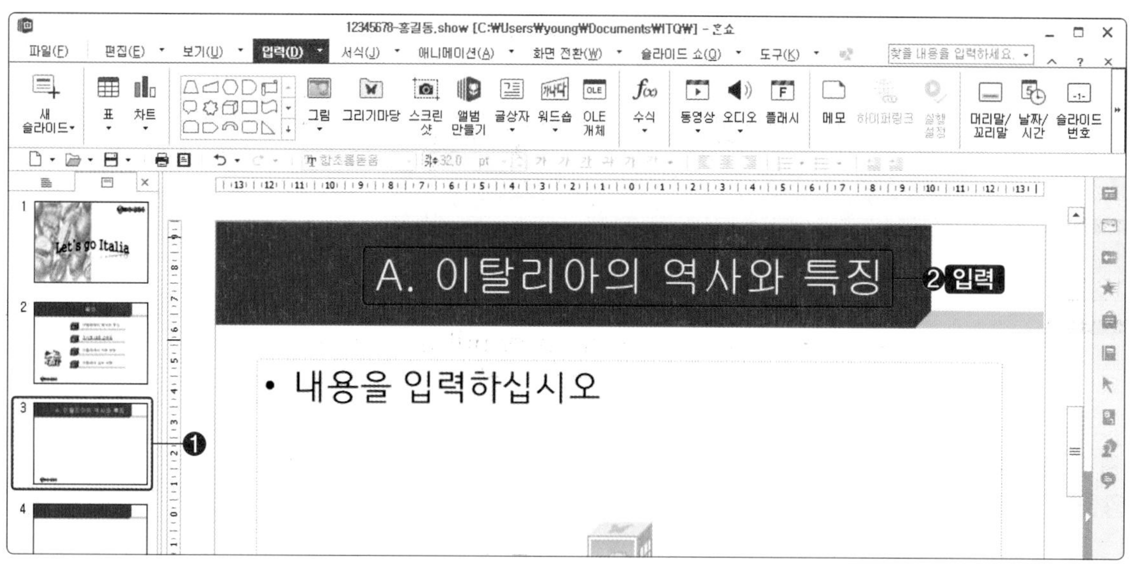

2 **텍스트 상자를 클릭**한 후 **"Italia"를 입력**합니다.

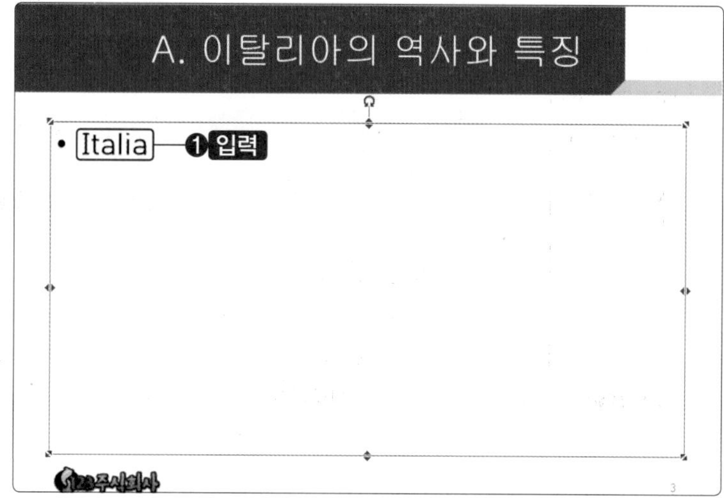

3 Enter를 **눌러 문단을 강제개행** 한 후 Tab을 **눌러 글머리 기호 수준을 한 단계 내린** 다음 **텍스트를 입력**합니다.

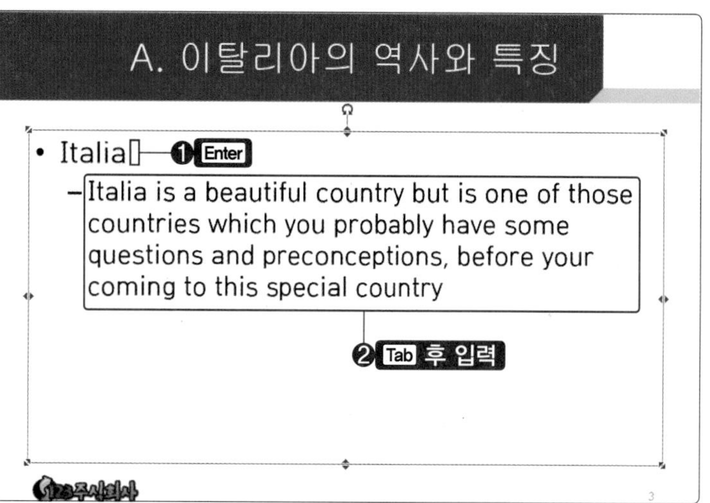

Tip

- 문단 왼쪽 이동 : [서식] 도구 상자에서 [문단 왼쪽 이동] 또는 Shift+Tab
- 문단 오른쪽 이동 : [서식] 도구 상자에서 [문단 오른쪽 이동] 또는 Tab

4 글머리표를 매기기 위해 **첫 번째 단락에 커서를 위치**한 후 [서식] 도구 상자에서 **[글머리표 매기기]의 ▾[목록] 단추를 클릭**한 다음 ⁝☰ **모양을 클릭**합니다.

5 **두 번째 단락에 커서를 위치**한 후 [서식] 도구 상자에서 **[글머리표 매기기]의 ▾[목록] 단추를 클릭**한 다음 ✓☰ **모양을 클릭**합니다.

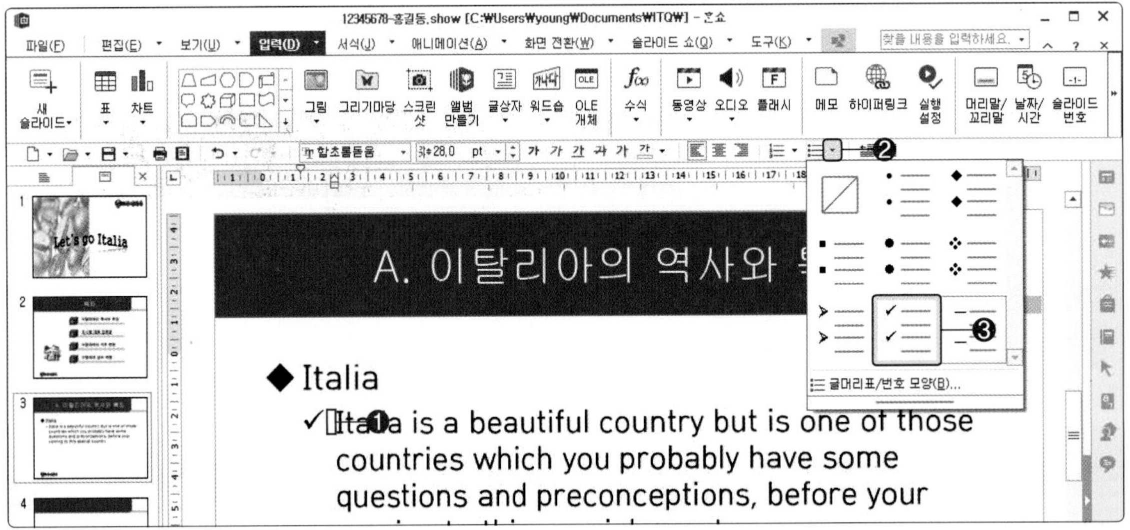

한 가지 더!

글머리표 매기기 및 번호 매기기

❶ 기본 제공되는 글머리표 기호 이외에 다른 글머리표 기호를 적용해야 할 경우 [서식] 도구 상자에서 [글머리표 매기기]의 ▾[목록] 단추를 클릭한 후 [글머리표/번호 모양]을 클릭합니다.

❷ [글머리표/번호 모양] 대화상자가 나타나면 [문자표]를 클릭한 후 [문자표 입력] 대화상자가 나타나면 글머리표 기호를 선택한 다음 [넣기]를 클릭합니다.

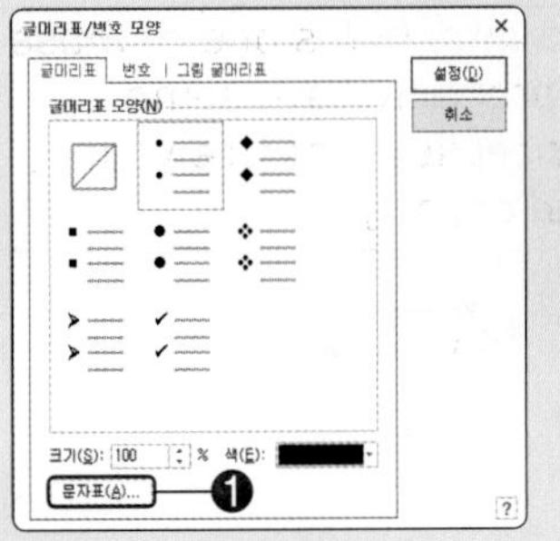

▶

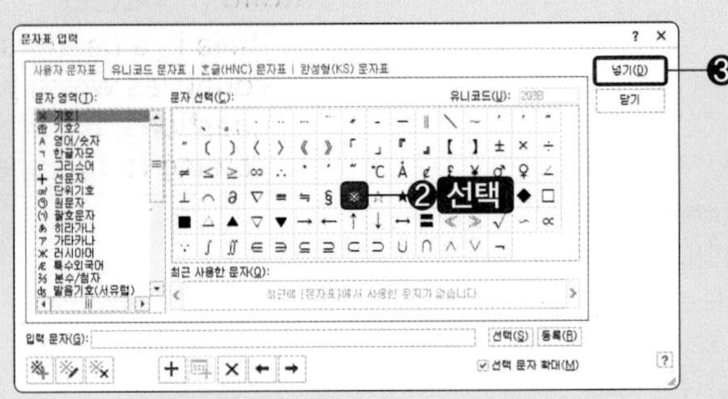

STEP 02 글자/문단 모양 지정하기

1 **첫 번째 단락을 드래그하여 블록으로 설정**한 후 [서식] 도구 상자에서 **글꼴(굴림)과 글자 크기(24), 가[굵게]를 선택**합니다.

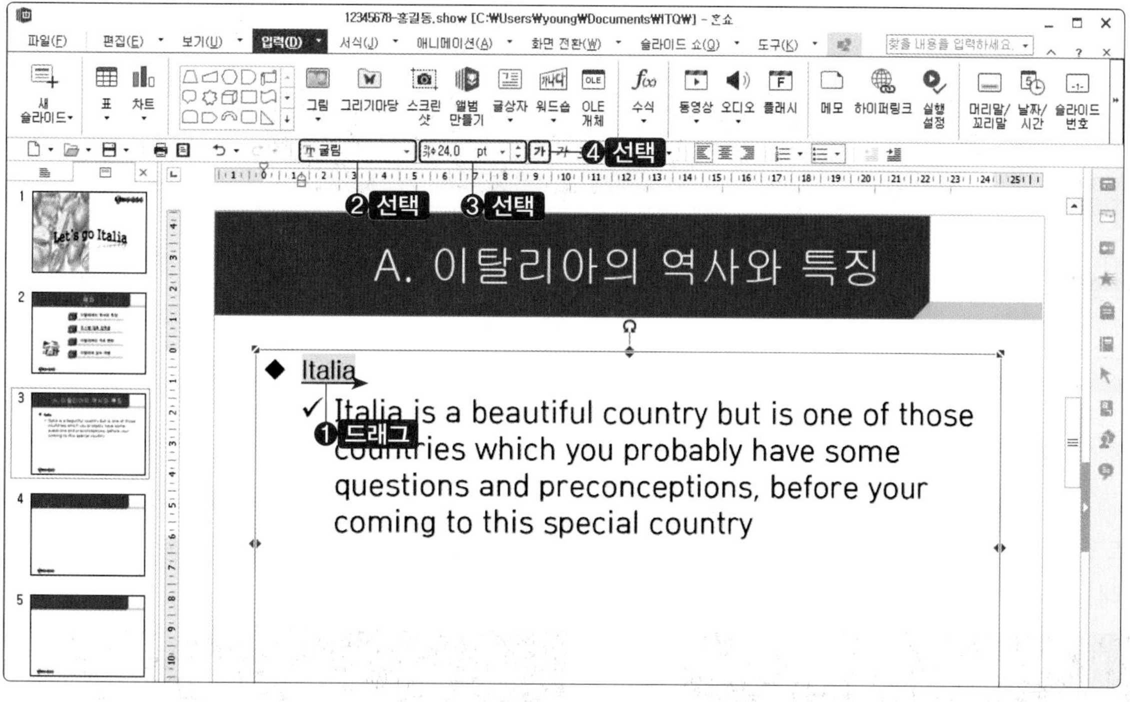

2 **두 번째 단락을 드래그하여 블록으로 설정**한 후 [서식] 도구 상자에서 **글꼴(굴림)과 글자 크기(20)를 선택**합니다.

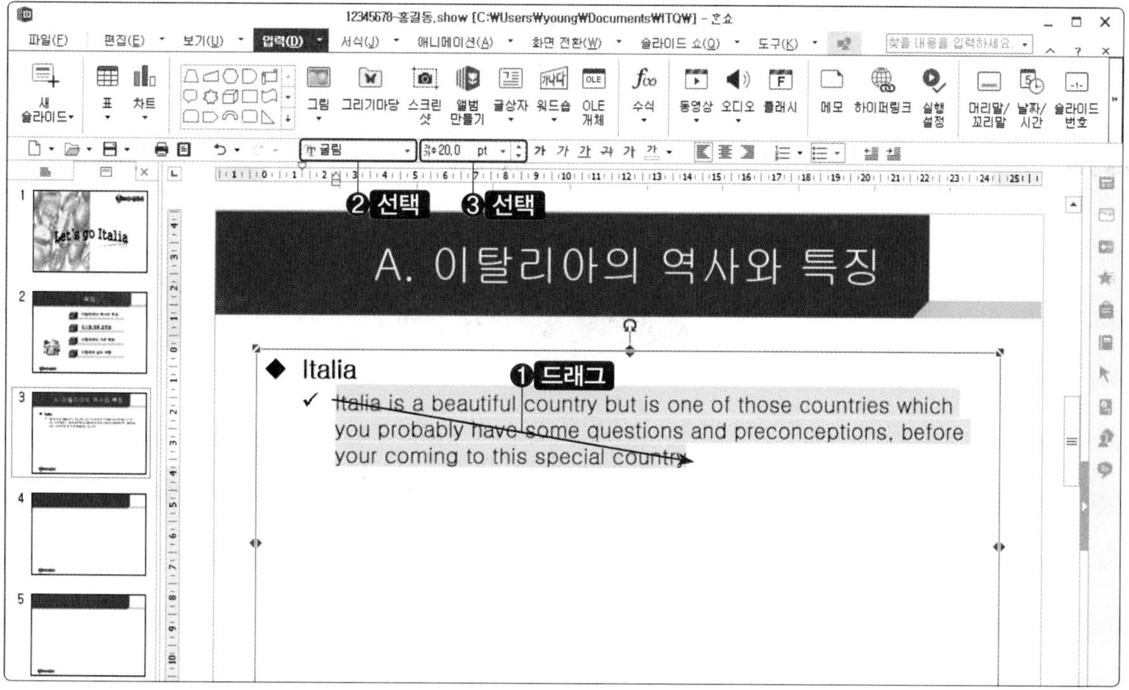

3 **텍스트 전체를 드래그하여 블록으로 설정**한 후 [서식] 탭에서 **줄 간격의 [목록] 단추를 클릭**한 다음 **[1.50]을 선택**합니다.

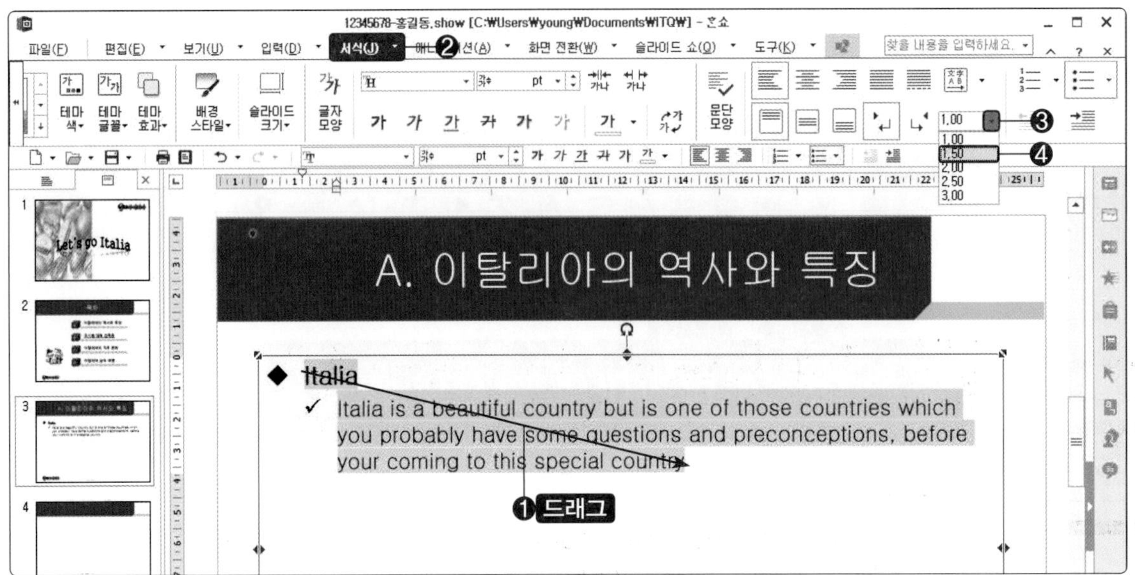

4 **텍스트 상자를 선택**한 후 **크기 조절점을 드래그하여 크기를 조절**한 다음 Ctrl+Shift**를 누른 상태에서 아래로 드래그하여 복사**합니다.

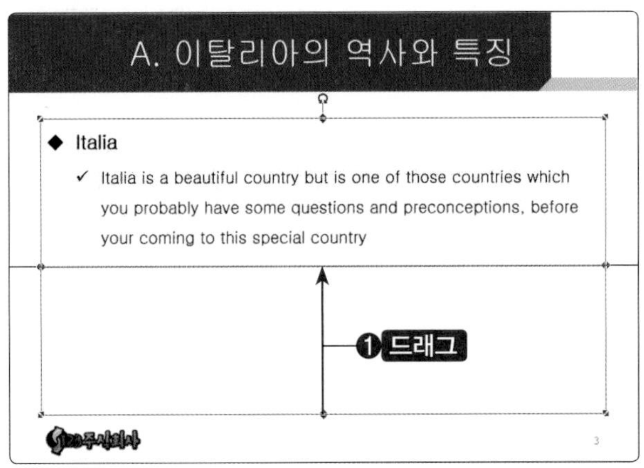

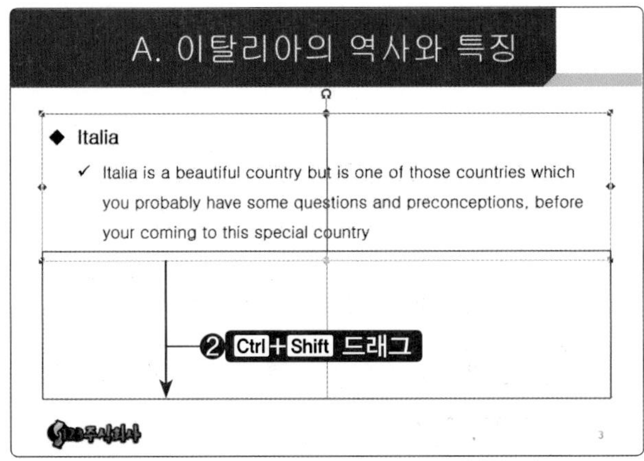

5 텍스트 상자가 복사되면 **텍스트를 수정**합니다.

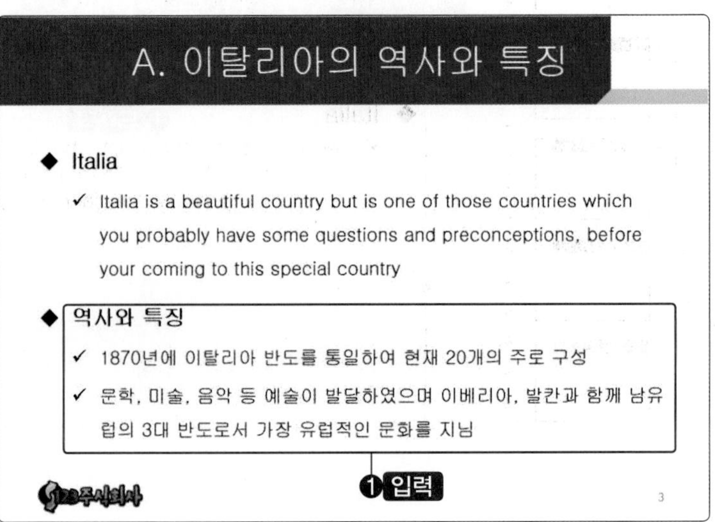

6 텍스트 상자를 선택한 후 크기 조절점을 드래그하여 크기를 조절합니다.

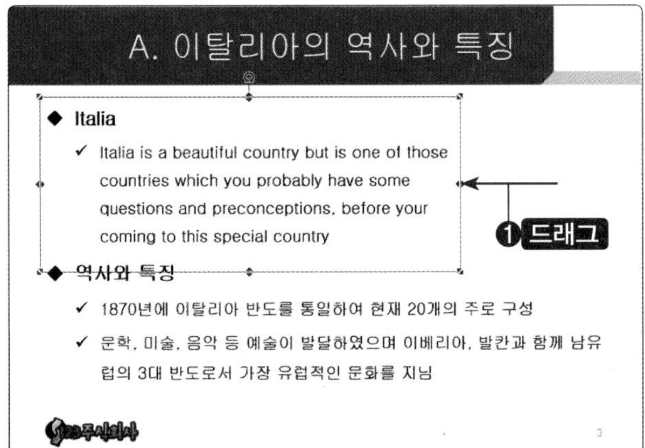

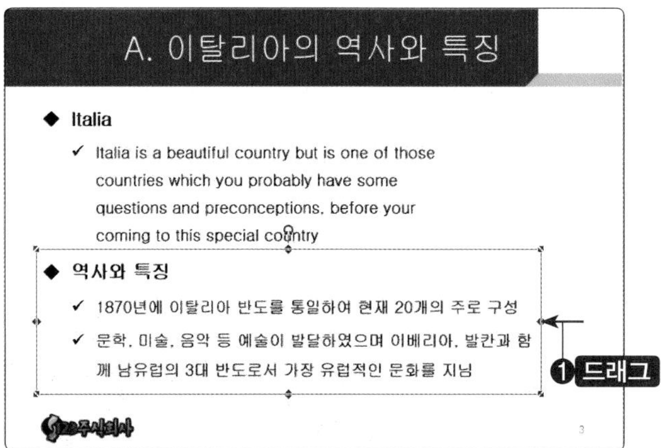

한가지 더!

텍스트 자동 맞춤 해제하기

❶ 텍스트 상자를 선택한 후 바로가기 메뉴의 [개체 속성]을 클릭합니다.

❷ [개체 속성] 대화상자가 나타나면 [다음]를 클릭한 후 [글상자] 탭에서 [자동 맞춤 안 함]을 선택한 다음 [설정]을 클릭합니다.

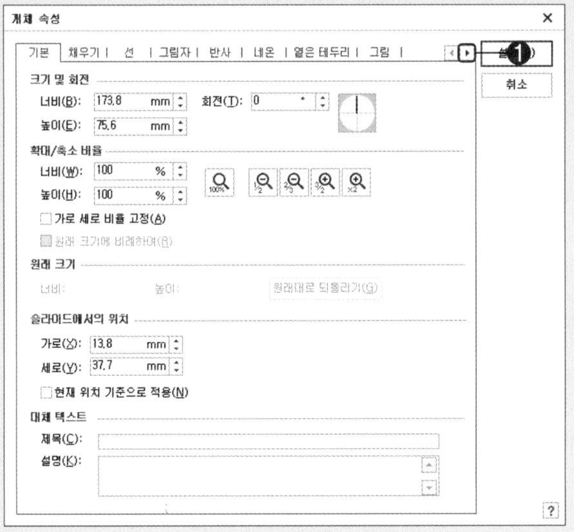

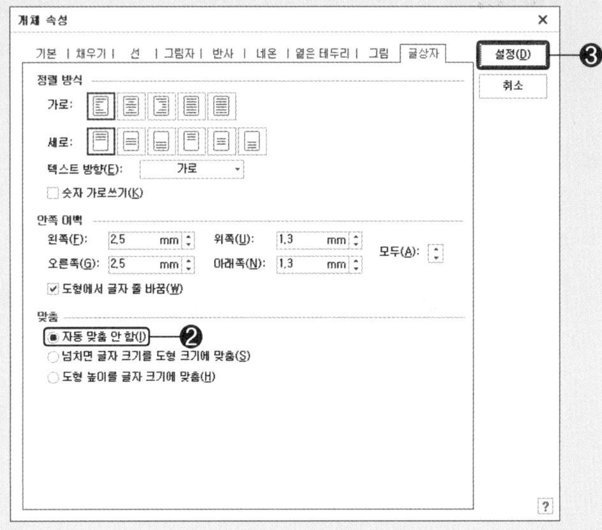

STEP 03 동영상 삽입하기

1 동영상을 삽입하기 위해 [입력] 탭에서 **[동영상]을 클릭**합니다.

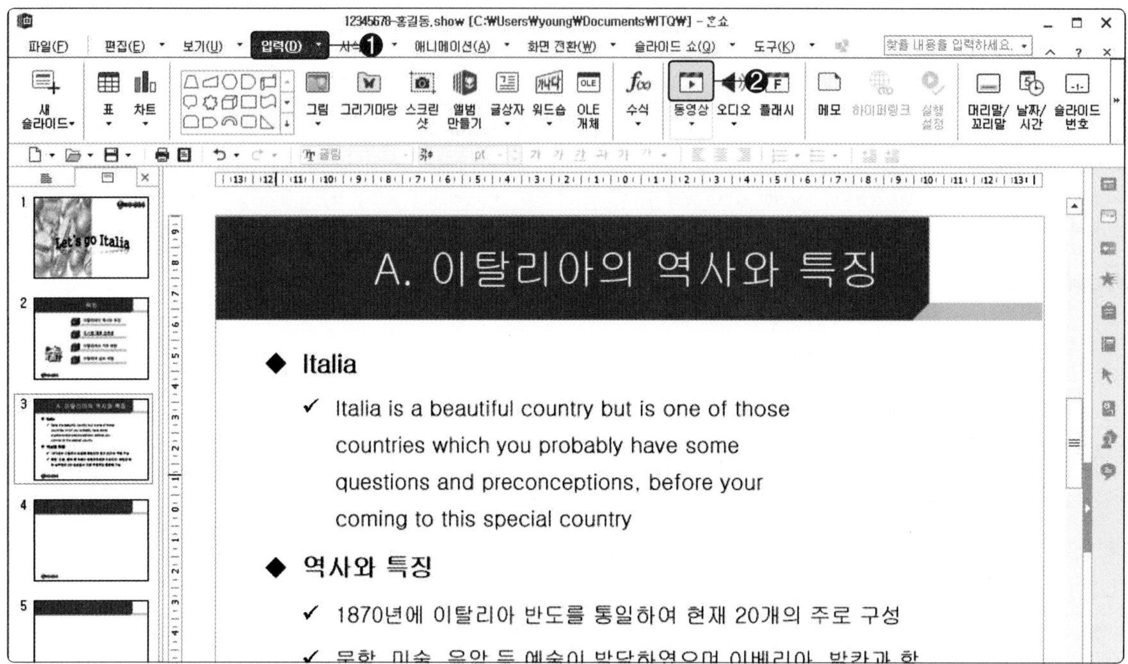

2 [동영상 넣기] 대화상자가 나타나면 **찾는 위치(내 PC₩문서₩ITQ₩Picture)를 선택**한 후 **파일(동영상.wmv)을 선택**한 다음 **[열기]를 클릭**합니다.

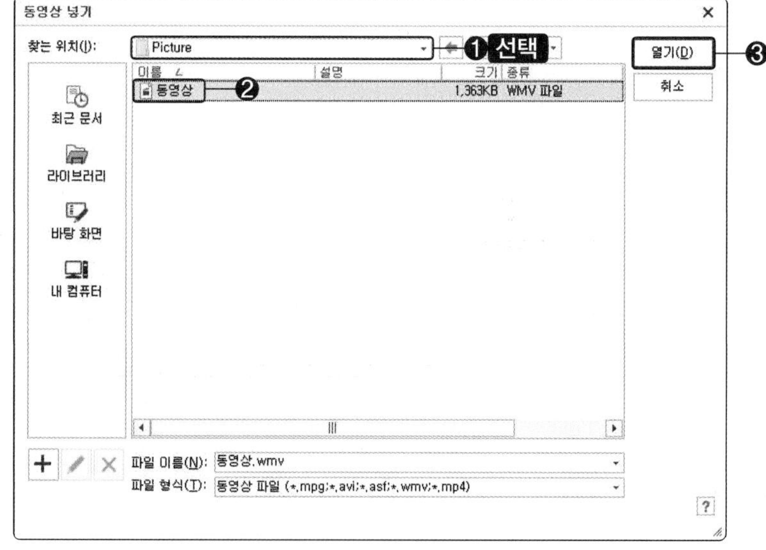

3 [미디어 삽입] 대화상자가 나타나면 **슬라이드 쇼 실행 시 미디어 시작(자동 실행)을 선택**한 후 **[링크 파일을 삽입하기]를 선택 해제**한 다음 **[확인]을 클릭**합니다.

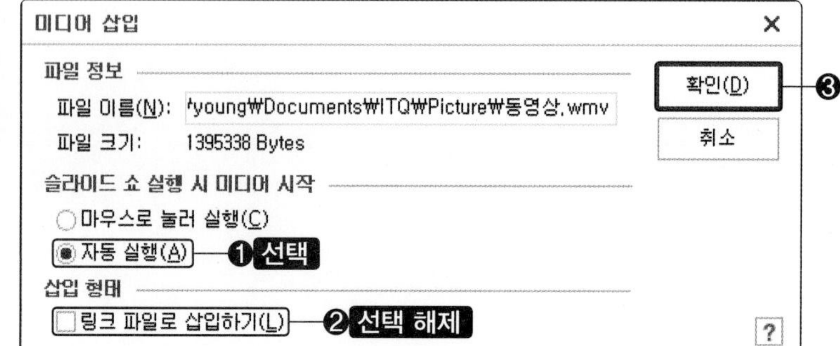

4 동영상이 삽입되면 **[작업 창 접기/펴기]를 클릭**하여 작업 창을 접습니다.

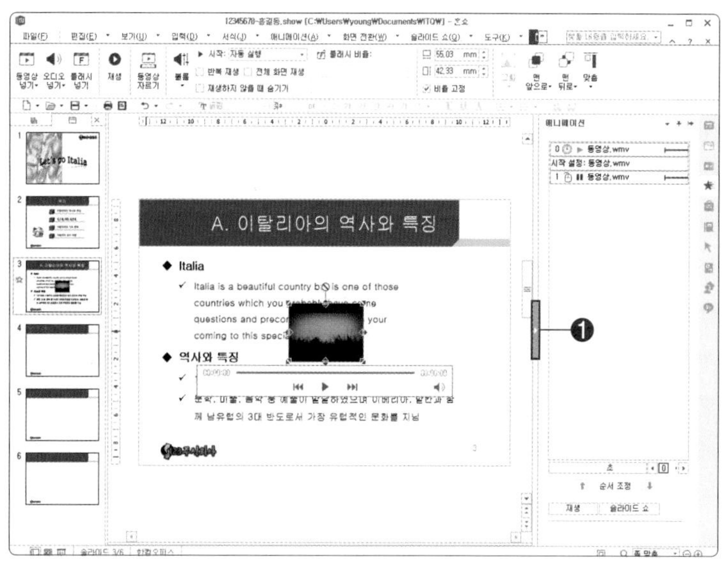

5 동영상을 **드래그하여 위치를 이동**합니다.

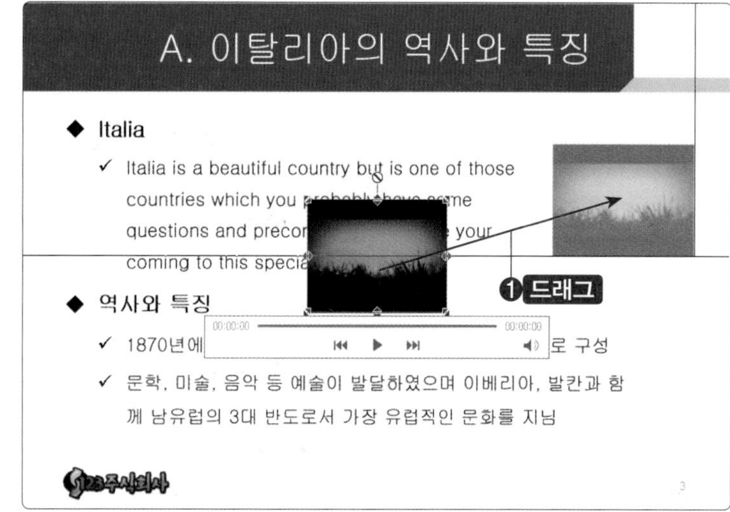

6 [멀티미디어] 정황탭에서 **[반복 재생]을 선택**합니다.

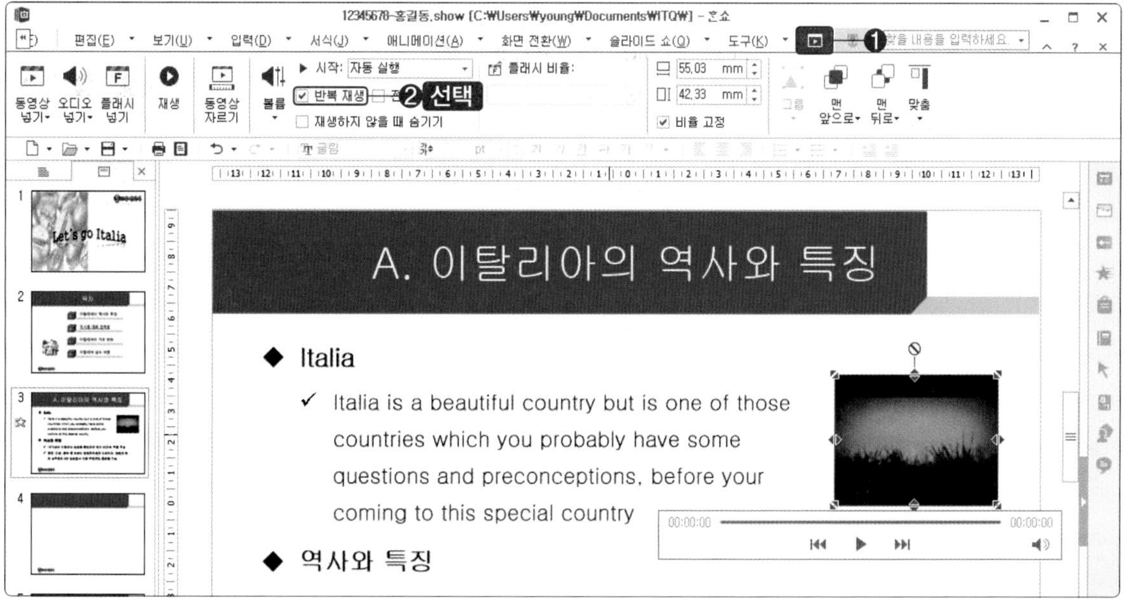

실전문제유형

문제유형 001 텍스트/동영상 슬라이드

Ch04_문제유형001.show

(1) 텍스트 작성 : 글머리 기호 사용(◆, ✓)
◆문단(굴림, 24pt, 굵게, 줄간격 : 1.5줄), ✓문단(굴림, 20pt, 줄간격 : 1.5줄)

세부조건

① 동영상 삽입 :
- 「내 PC₩문서₩ITQ₩Picture₩동영상.wmv」
- 자동실행, 반복재생 설정

Tab 또는 [서식] 도구 상자에서 [문단 오른쪽 이동]을 클릭하여 단락을 지정한 후 글꼴 및 글자 크기를 지정합니다.

1. 화장품/미용 박람회

◆ General Information
- ✓ General beauty expo is embracing professionalism and publicity
- ✓ Trend expo is presenting a variety of beauty markets in consideration of age, gender and generation beyond women-rocused industry

◆ 박람회 소개
- ✓ 전문성과 대중성을 모두 갖춘 화장품과 미용 산업 분야의 대표 전문 박람회로 출품업체와 참가자를 모두 만족시키며 출품업체의 니즈에 부합하는 타깃 바이어 모집

①

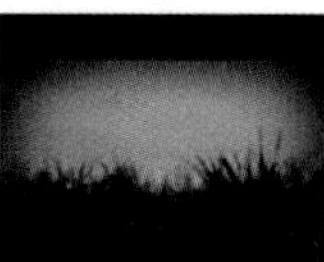

텍스트 상자를 작성한 후 복사한 다음 내용을 수정합니다.

3

문제유형 002 텍스트/동영상 슬라이드

Ch04_문제유형002.show

(1) 텍스트 작성 : 글머리 기호 사용(➢, ✓)
➢문단(굴림, 24pt, 굵게, 줄간격 : 1.5줄), ✓문단(굴림, 20pt, 줄간격 : 1.5줄)

세부조건

① 동영상 삽입 :
- 「내 PC₩문서₩ITQ₩Picture₩동영상.wmv」
- 자동실행, 반복재생 설정

동영상을 삽입한 후 자동 실행 및 반복재생을 선택합니다.

A. 옴부즈맨제도

➢ How to file grievances
- ✓ The Please contact a specialist counselor via phone, fax or e-mail
- ✓ Filed grievances will be processed confidentially and will not be disclosed without prior consent

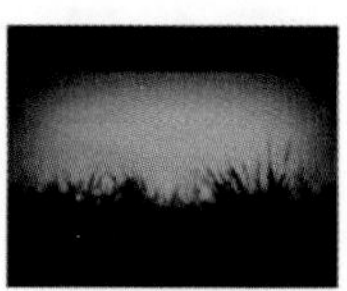

①

➢ 옴부즈맨제도의 유래
- ✓ 국회를 통해 임명된 조사관이 공무원의 권력 남용 등을 조사 및 감시하는 행정통제제도
- ✓ 행정 기능의 확대와 강화에 대한 입법부 및 사법부의 통제가 실효를 거두지 못하자 이에 대한 보완책으로 등장

3

실전문제유형

문제유형 003 텍스트/동영상 슬라이드

Ch04_문제유형003.show

(1) 텍스트 작성 : 글머리 기호 사용(❖, ✓)
❖문단(굴림, 24pt, 굵게, 줄간격 : 1.5줄), ✓문단(굴림, 20pt, 줄간격 : 1.5줄)

세부조건

① 동영상 삽입 :
- 「내 PC₩문서₩ITQ₩Picture₩동영상.wmv」
- 자동실행, 반복재생 설정

Ⅰ. 도서관 안내

❖ Collection Statistics

✓ National Library for Children and Young Adults, including myself, will make the utmost best to serve our children and young adults who will lead the knowledge and information society in the 21st century

❖ 독서 통장

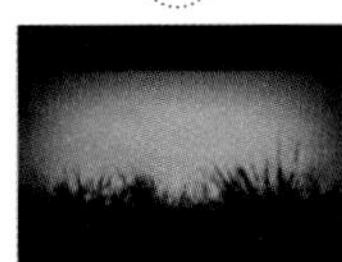

✓ 어린이와 청소년의 독서의욕을 높이고, 개인의 독서이력을 스스로 관리할 수 있도록 하기 위하여 어린이 및 중학생 이용자를 대상으로 독서통장 발급

✓ 독서통장의 분실 및 파손으로 인한 재발급 시 비용 발생

영문 텍스트 상자를 작성한 후 복사한 다음 내용을 수정합니다.

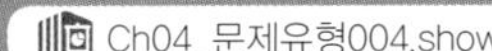

문제유형 004 텍스트/동영상 슬라이드

Ch04_문제유형004.show

(1) 텍스트 작성 : 글머리 기호 사용(◆, ✓)
◆문단(굴림, 24pt, 굵게, 줄간격 : 1.5줄), ✓문단(굴림, 20pt, 줄간격 : 1.5줄)

세부조건

① 동영상 삽입 :
- 「내 PC₩문서₩ITQ₩Picture₩동영상.wmv」
- 자동실행, 반복재생 설정

1. 고령화 사회의 개념과 정의

◆ Ageing societies

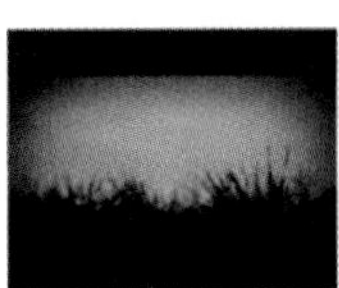

✓ The number of people aged 65 and over will double as a proportion of the global population, from 7% in 2000 to 16% in 205

1

◆ 고령화 사회

✓ 국제연합(UN)이 정한 바에 따라 65세 이상 노인 인구의 비율이 전체 인구의 7% 이상을 차지하는 사회

✓ 우리나라 : 2000년에 노령 인구가 7.1%에 달하여 이미 고령화 사회로 진입

3

실전문제유형

문제유형 005 텍스트/동영상 슬라이드

Ch04_문제유형005.show

(1) 텍스트 작성 : 글머리 기호 사용(➢, ✓)

➢문단(굴림, 24pt, 굵게, 줄간격 : 1.5줄), ✓문단(굴림, 20pt, 줄간격 : 1.5줄)

세부조건

① 동영상 삽입 :
- 「내 PC₩문서₩ITQ₩Picture₩동영상.wmv」
- 자동실행, 반복재생 설정

1. 유기농 및 유기가공식품

➢ Organic Farming

✓ Organic farming excludes or strictly limits the use of manufactured fertilizers and esticides, plant growth regulatiors

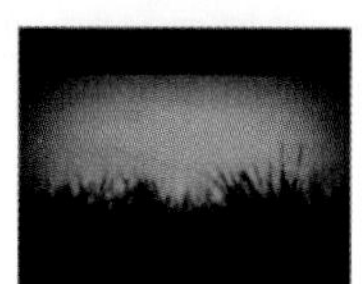

①

➢ 유기가공식품

✓ 유기농 및 축산물 원료 또는 재료로 하여 제조, 가공한 식품

✓ 유기농 콩으로 제조한 두부나 된장, 유기농 채소로 제조한 녹즙, 유기농 우유로 제조한 치즈, 발효유와 같은 가공식품을 말함

3

문제유형 006 텍스트/동영상 슬라이드

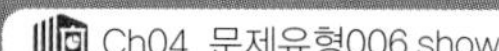

Ch04_문제유형006.show

(1) 텍스트 작성 : 글머리 기호 사용(❖, ✓)

❖문단(굴림, 24pt, 굵게, 줄간격 : 1.5줄), ✓문단(굴림, 20pt, 줄간격 : 1.5줄)

세부조건

① 동영상 삽입 :
- 「내 PC₩문서₩ITQ₩Picture₩동영상.wmv」
- 자동실행, 반복재생 설정

ⅰ. 국립현충원의 설립 의의

❖ Seoul National Cemetery

✓ Seoul National Cemetery is the nation's sanctuary where the patriotic martyrs and the souls of all the fallen heroes rest in peace who gave up their noble lives for the protection and the development of their homeland

❖ 국립현충원의 설립 의의

①

✓ 국가와 민족을 위하여 희생한 호국영령과 순국선열의 유해 및 유골 안장, 생전의 업적 추모

✓ 그 충의와 위훈을 후손들에게 영구히 보존, 계승시킬 수 있는 겨레의 성역

3

실전문제유형

문제유형 007 텍스트/동영상 슬라이드

Ch04_문제유형007.show

(1) 텍스트 작성 : 글머리 기호 사용(◆, ✓)
◆문단(굴림, 24pt, 굵게, 줄간격 : 1.5줄), ✓문단(굴림, 20pt, 줄간격 : 1.5줄)

세부조건

① 동영상 삽입 :
- 「내 PC₩문서₩ITQ₩Picture₩동영상.wmv」
- 자동실행, 반복재생 설정

A. 고교 다양화의 개요

◆ The Various Highschool Foundation Policy

✓ The various hightschool foundation policy of the new Korean government is the policy to guarantee the student's right to learn and the parent's right to choice the school.

◆ 고교다양화란?

✓ 다양하고 좋은 학교를 만들어 학생, 학부모 등 수요자의 선택권을 확대하고, 학교가 학생들의 다양한 적성과 능력에 맞는 교육과정을 제공함으로써 글로벌 시대가 요구하는 창의적인 인재를 육성하기 위한 교육시스템

①
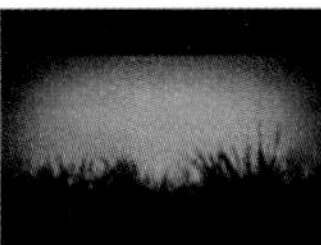

3

문제유형 008 텍스트/동영상 슬라이드

Ch04_문제유형008.show

(1) 텍스트 작성 : 글머리 기호 사용(❖, ✓)
❖문단(굴림, 24pt, 굵게, 줄간격 : 1.5줄), ✓문단(굴림, 20pt, 줄간격 : 1.5줄)

세부조건

① 동영상 삽입 :
- 「내 PC₩문서₩ITQ₩Picture₩동영상.wmv」
- 자동실행, 반복재생 설정

Ⅰ. 인공지능이란 무엇인가?

❖ Artificial Intelligence

✓ AI is the intelligence exhibited by machines or software just like human being

✓ AI research include reasoning, knowledge, planning, learning, natural language and perception

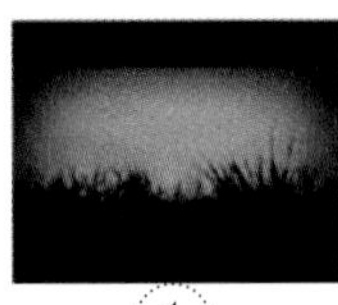
①

❖ 인공지능

✓ 인간의 지능이 가지는 학습, 추리, 적응, 논증 따위의 기능을 갖춘 컴퓨터 시스템으로 최근 구글이 개발한 인공지능 바둑 소프트웨어인 '알파고', 자율주행차, 외국어 자동번역 시스템 및 전문가 시스템 등이 그 활용 분야

3

Chapter 05 표 슬라이드

표 슬라이드는 표를 삽입하고 여러가지 효과를 지정하는 방법과 도형을 이용하여 표의 행/열에 제목을 작성하는 문제가 출제됩니다. 도형은 하나 이상의 도형을 겹쳐 새로운 모양으로 만드는 방법이 사용되므로 어떤 도형을 이용하는지 자주 연습해야 합니다.

[슬라이드 4] ≪표 슬라이드≫ (80점)

(1) 도형과 표 작성 기능을 이용하여 슬라이드를 작성한다(글꼴 : 맑은 고딕, 18pt).

세부조건

① 상단 도형 :
2개 도형의 조합으로 작성

② 좌측 도형 :
그라데이션 효과(선형 위쪽)

③ 표 스타일 :
보통 스타일 4 - 강조 4

B. 도시별 대표 건축물

②	① 위치	건축물	비교
로마	티베레강	콜로세움	검투사들의 대결과 호화로운 구경거리가 펼쳐지던 로마의 원형 경기장
밀라노	롬바르디아 주	스포르체스코 성	웅장하고 위험있는 다갈색 건물로 밀라노의 대표적인 르네상스 건축물
피사	토스카나 주	피사의 사탑	피사 대성당 동쪽의 흰 대리석으로 된 중심축으로부터 약5.5도 기울어진 8층의 둥근 원통형 종탑

S173주식회사 ③ 4

작업순서요약

① 표를 작성한 후 표 크기 및 내용을 입력합니다.
② 표 스타일을 지정한 후 글자/문단 모양을 지정합니다.
③ 도형을 이용하여 상단 도형을 작성한 후 채우기 색 및 글꼴 서식을 지정합니다.
④ 도형을 이용하여 좌측 도형을 작성한 후 그라데이션 및 글꼴 서식을 지정합니다.

STEP 01 표 작성하기

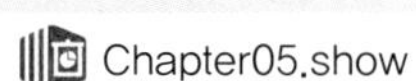

1 4번 슬라이드를 선택한 후 **슬라이드 제목(B. 도시별 대표 건축물)을 입력**합니다.

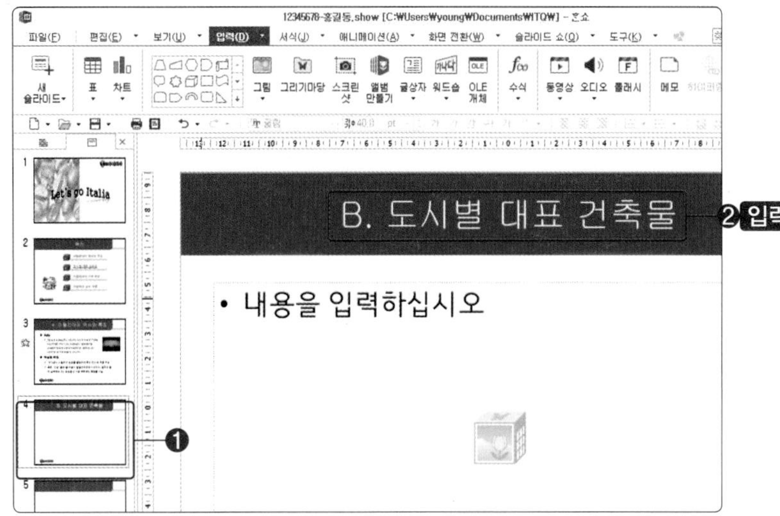

2 내용 텍스트 상자의 **[내용]을 클릭**한 후 **[표]를 클릭**합니다. 그런다음 [표 만들기] 대화상자가 나타나면 **줄 수(3)와 칸 수(3)를 입력**한 후 **[만들기]를 클릭**합니다.

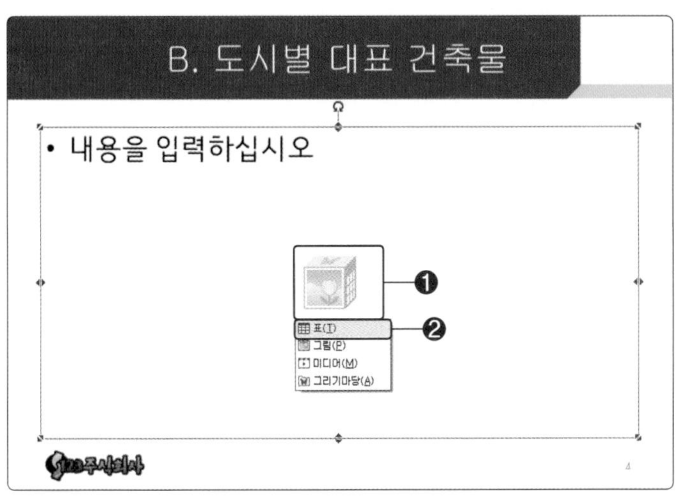

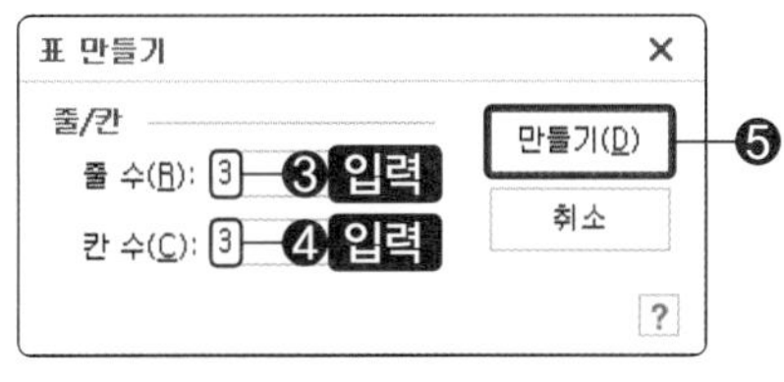

3 표가 삽입되면 **각 셀에 내용을 입력**합니다.

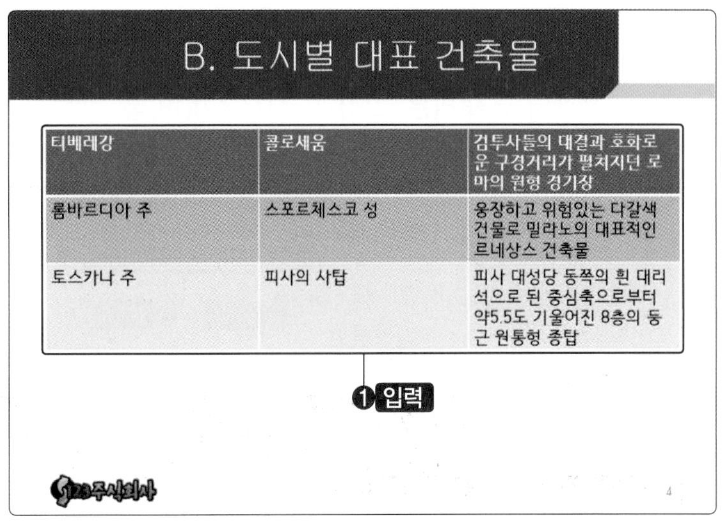

티베레강	콜로세움	검투사들의 대결과 호화로운 구경거리가 펼쳐지던 로마의 원형 경기장
롬바르디아 주	스포르체스코 성	웅장하고 위험있는 다갈색 건물로 밀라노의 대표적인 르네상스 건축물
토스카나 주	피사의 사탑	피사 대성당 동쪽의 흰 대리석으로 된 중심축으로부터 약5.5도 기울어진 8층의 둥근 원통형 종탑

STEP 02 표 스타일 지정하기

1 [표] 정황 탭에서 **[머리글 행]과 [줄무늬 행]을 선택 해제**합니다.

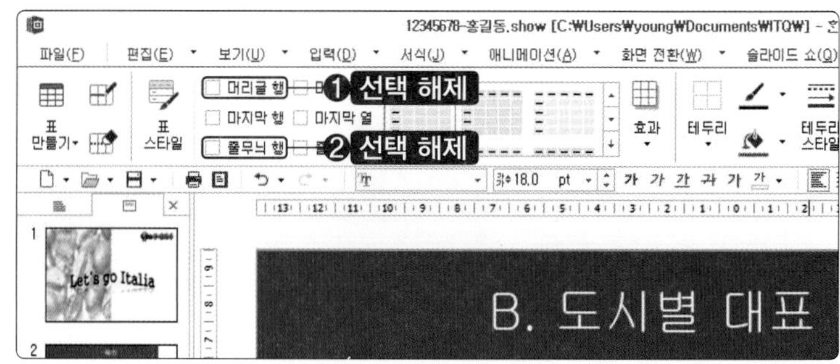

2 [표] 정황 탭에서 ⬇**[자세히]를 클릭**한 후 **[보통 스타일 4 – 강조 4]를 클릭**합니다.

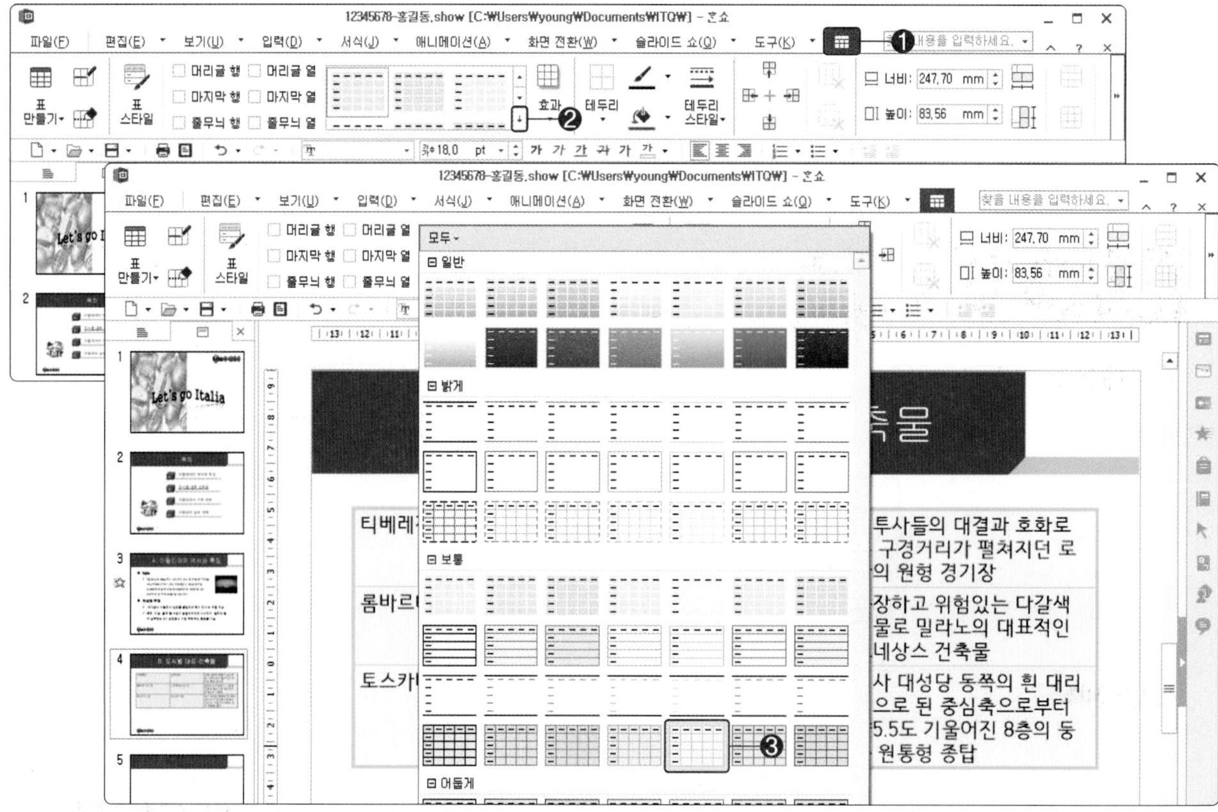

3 [서식] 탭에서 **글꼴(맑은 고딕)과 글자 크기(18)를 선택**한 후 **[가운데 정렬]과 [가운데 맞춤]을 선택**합니다.

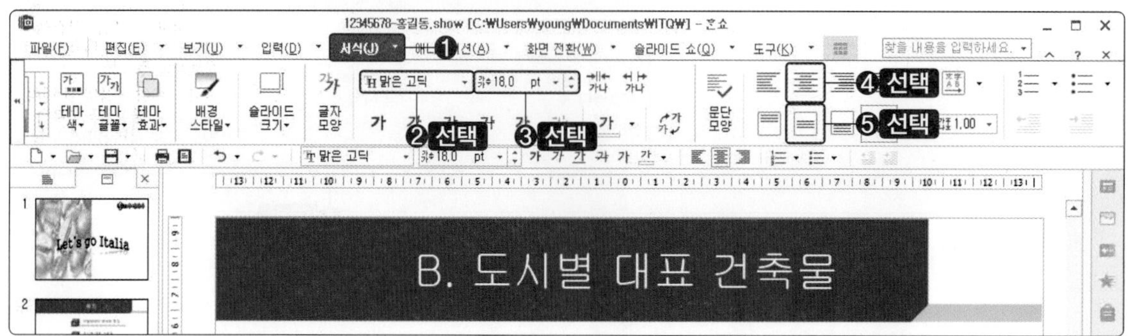

4 크기 조절점 및 셀 경계선을 드래그하여 **크기를 조절**한 후 **위치를 이동**합니다.

B. 도시별 대표 건축물

① 위치 및 크기 조절

티베레강	콜로세움	검투사들의 대결과 호화로운 구경거리가 펼쳐지던 로마의 원형 경기장
롬바르디아 주	스포르체스코 성	웅장하고 위험있는 다갈색 건물로 밀라노의 대표적인 르네상스 건축물
토스카나 주	피사의 사탑	피사 대성당 동쪽의 흰 대리석으로 된 중심축으로부터 약5.5도 기울어진 8층의 둥근 원통형 종탑

123주식회사 4

한가지 더!

표 크기 조절 / 셀 너비 조절 / 셀 높이 조절

• **표 크기 조절** : 크기 조절점을 드래그합니다.

• **셀 너비 조절** : 표 안의 세로 경계선을 드래그합니다.

• **셀 높이 조절** : 표 안의 가로 경계선을 드래그합니다.

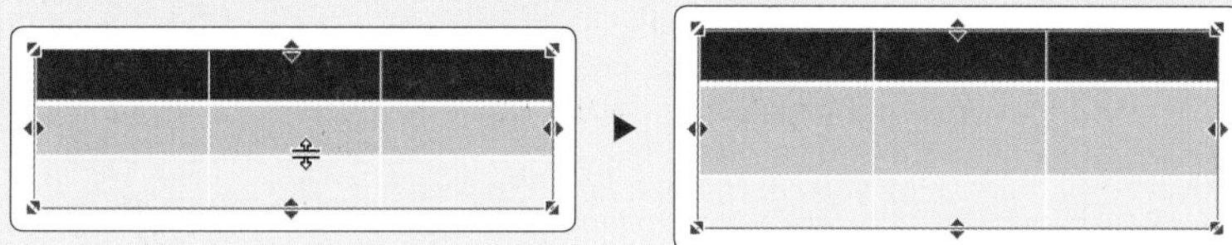

STEP 03 상단 도형 작성하기

1 도형을 작성하기 위해 [입력] 탭에서 [자세히]를 클릭한 후 [직사각형]을 클릭합니다.

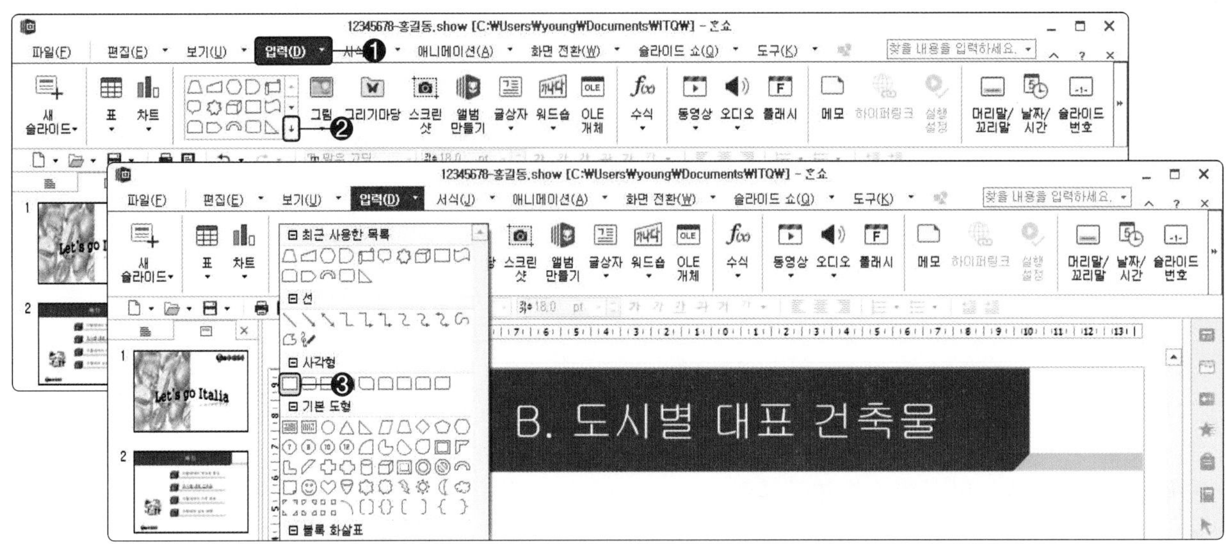

2 마우스 포인터 모양이 + 모양으로 변경되면 **드래그하여 도형을 작성**합니다.

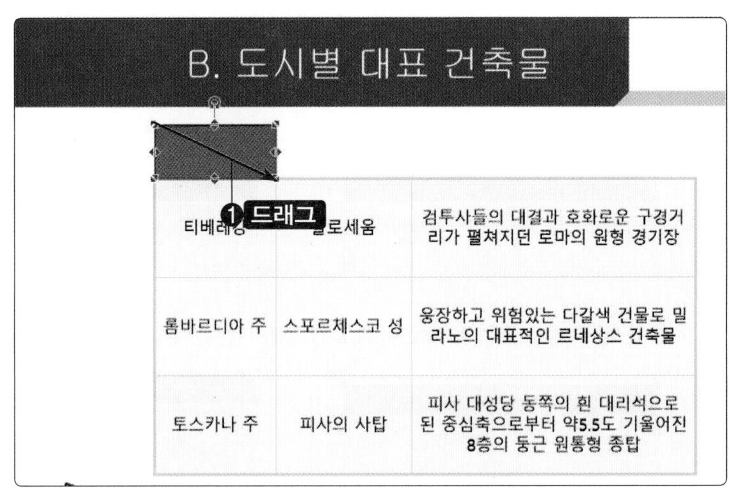

3 [도형] 정황 탭에서 **[채우기 색]의 [목록] 단추를 클릭**한 후 **임의의 색을 지정**합니다.

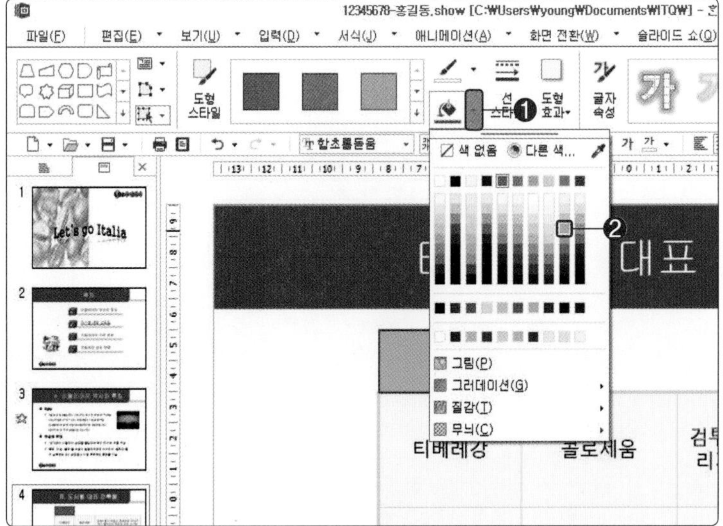

4 [입력] 탭에서 [자세히]를 클릭한 후 [사다리꼴]을 클릭합니다. 그런다음 마우스 포인터 모양이 + 모양으로 변경되면 **드래그하여 도형을 작성**합니다.

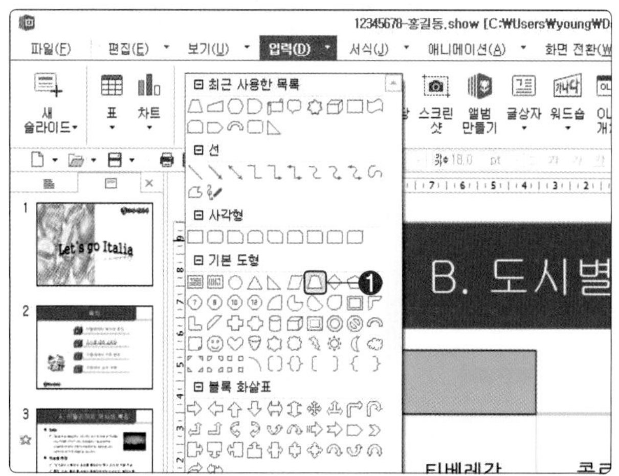

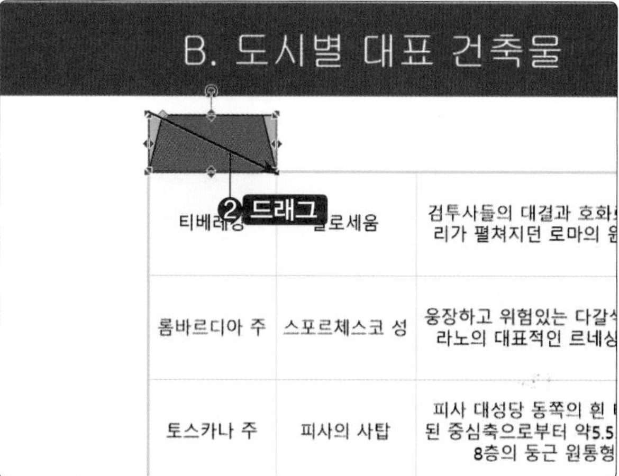

5 [도형] 정황 탭에서 **[채우기 색]의 [목록] 단추를 클릭**한 후 **임의의 색을 지정**합니다.

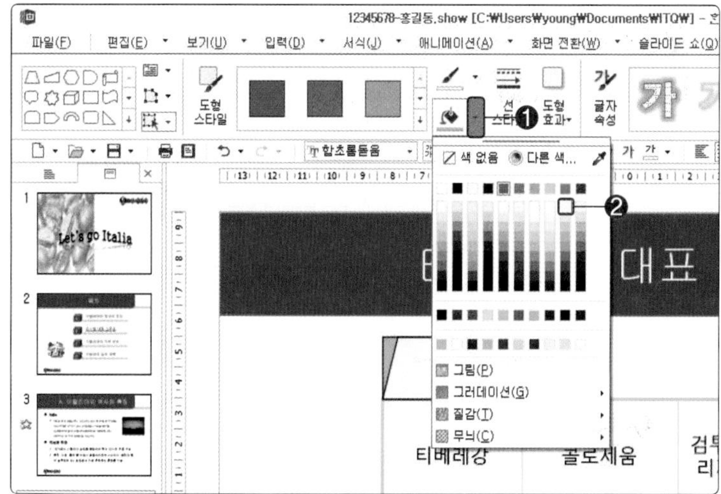

6 **상단 도형을 드래그하여 선택**한 후 Ctrl과 Shift를 **누른 상태에서 드래그하여 도형을 복사**합니다.

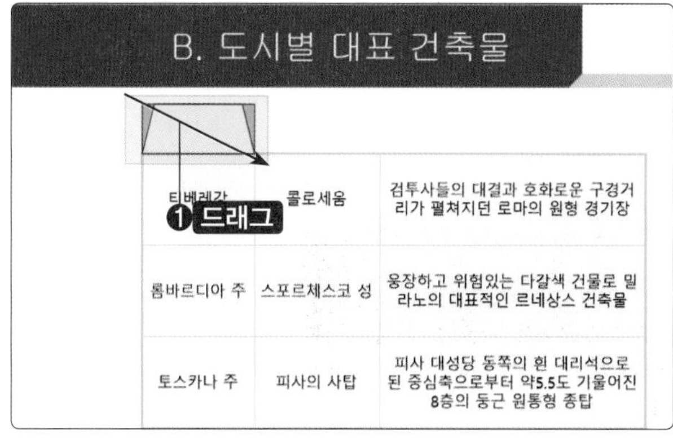

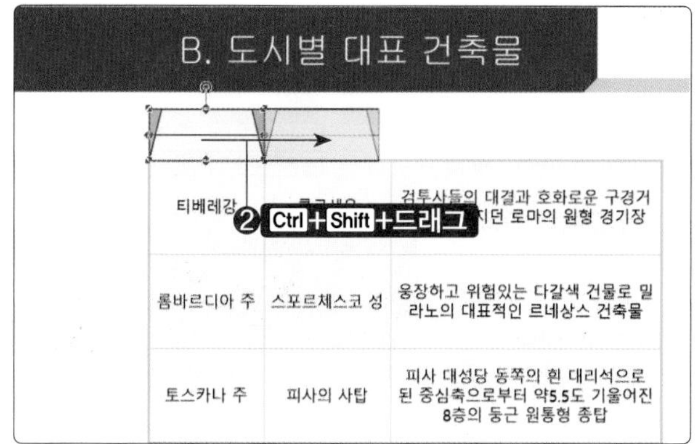

Tip

- 하나의 도형 선택하기 : 도형에 마우스 포인트를 가져가 마우스 포인터가 ✥ 모양으로 변경되면 클릭합니다.
- 여러개의 도형 선택하기 : 도형 보다 넓게 범위를 지정하여 도형을 선택하거나 도형을 선택한 후 Ctrl이나 Shift를 누른 상태에서 다른 도형들을 선택합니다.

7 도형이 복사되면 **크기 조절점을 드래그하여 크기를 조절**합니다.

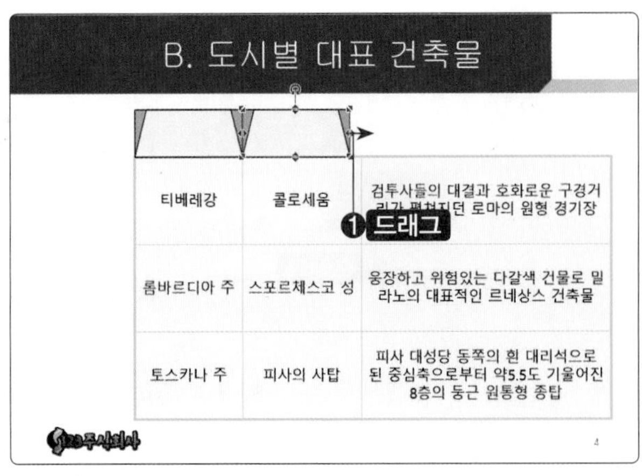

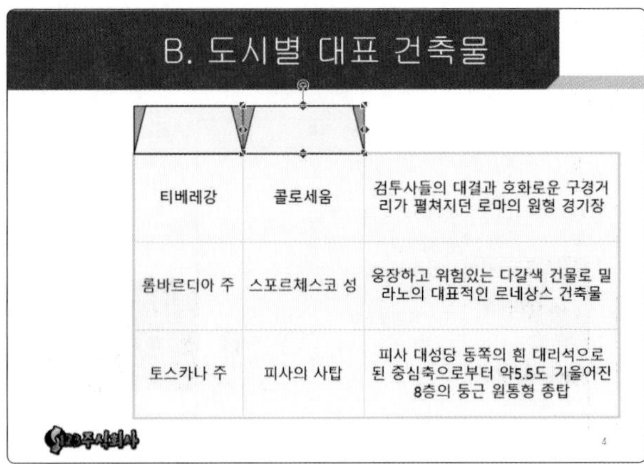

8 같은 방법으로 **도형을 복사**한 후 **크기를 조절**합니다. 그런다음 사다리꼴 도형에 **내용(위치, 건축물, 비고)을 입력**합니다.

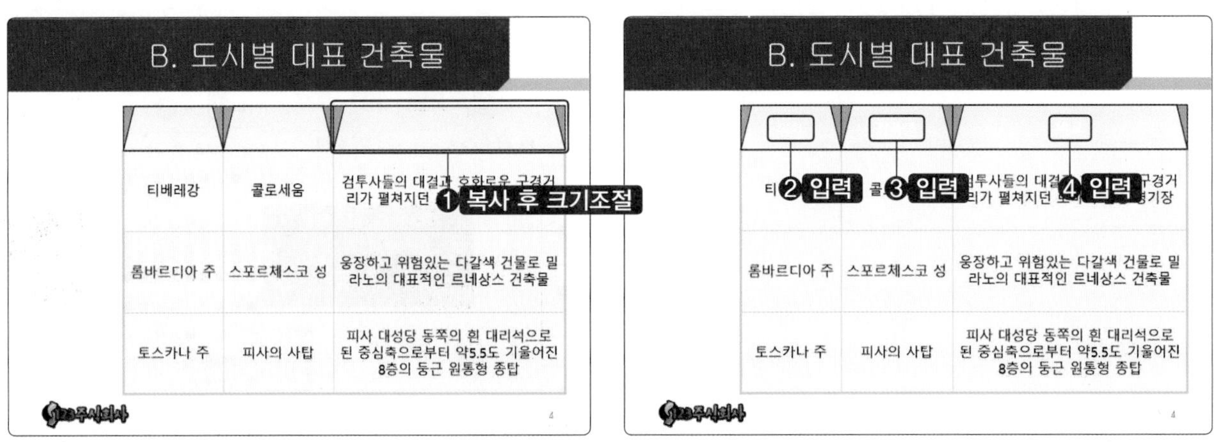

9 상단 도형을 **드래그하여 모두 선택**한 후 [서식] 도구 상자에서 **글꼴(맑은 고딕)과 글자 크기(18)를 선택**한 다음 **글자 색(본문/배경 – 어두운 색 1)을 선택**합니다.

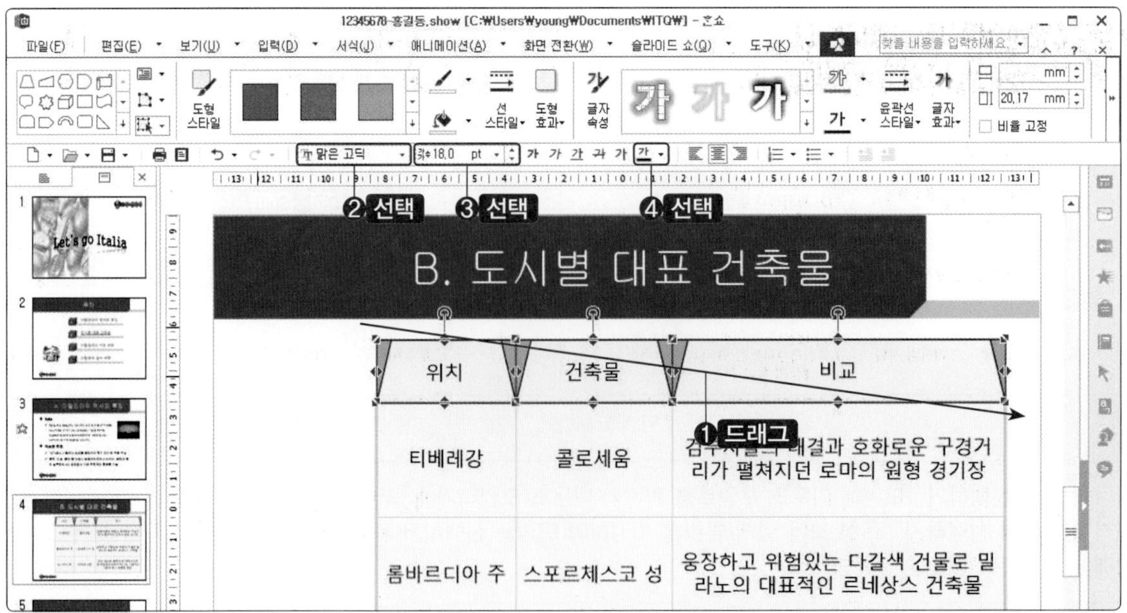

STEP 04 좌측 도형 작성하기

1 도형을 작성하기 위해 [입력] 탭에서 [자세히]를 클릭한 후 [순서도: 지연]을 클릭합니다.

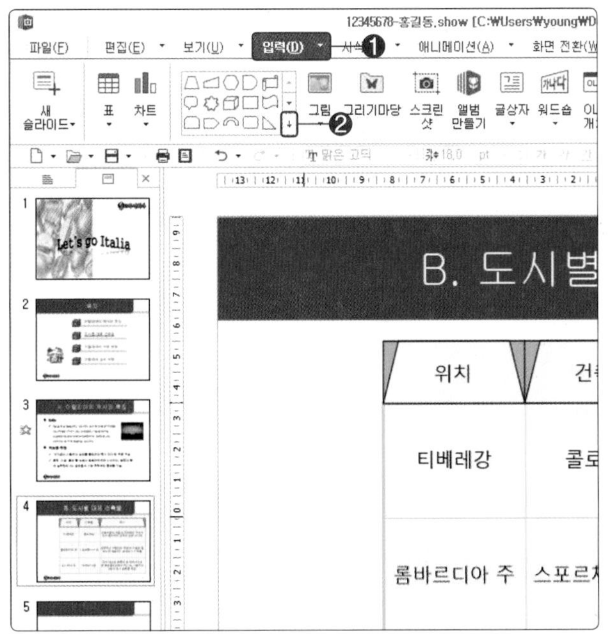

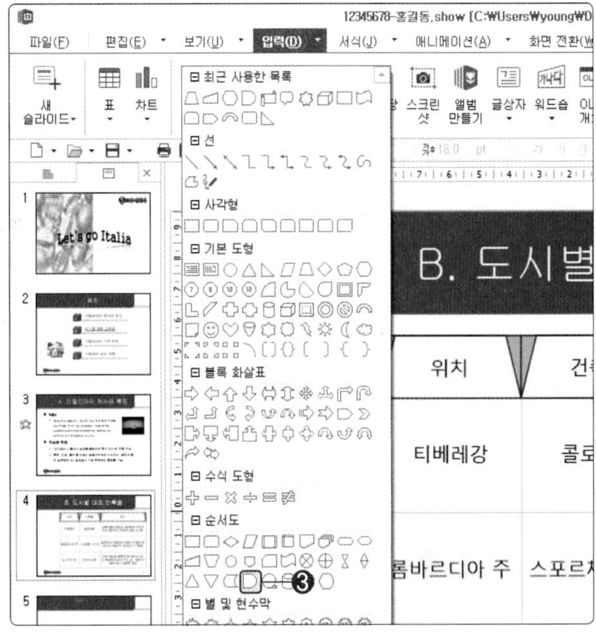

2 마우스 포인터 모양이 + 모양으로 변경되면 **드래그하여 도형을 작성**합니다.

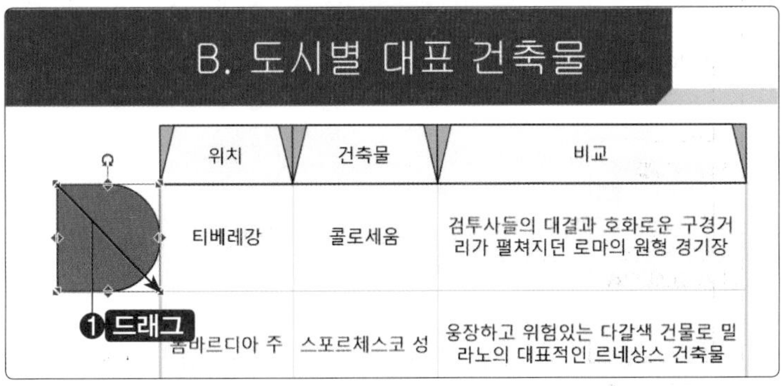

3 [도형] 정황 탭에서 **[회전]을 클릭**한 후 **[좌우 대칭]을 클릭**합니다.

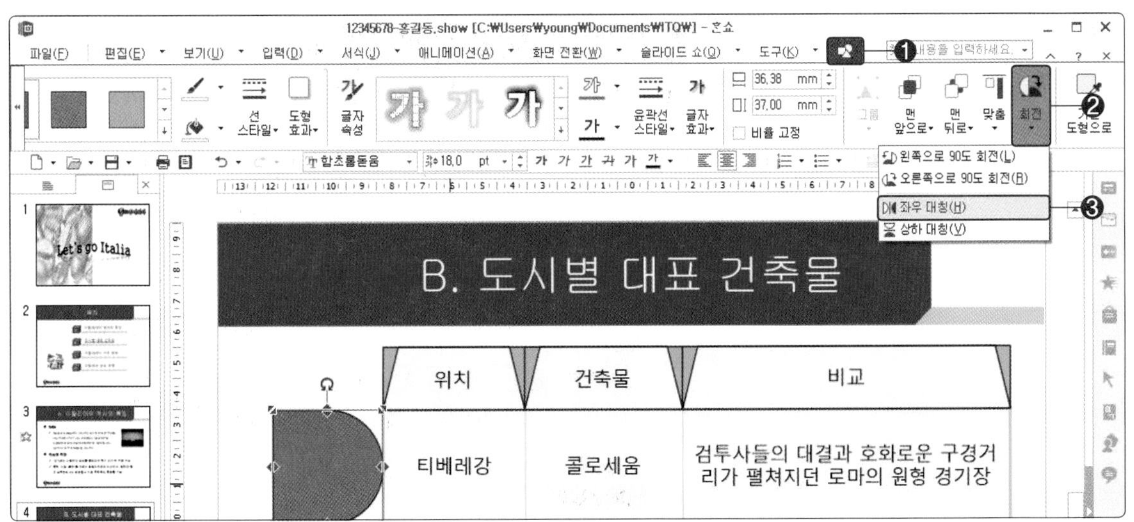

4 [도형] 정황 탭에서 **[채우기 색]**의 ·**[목록] 단추를 클릭**한 후 **임의의 색을 지정**합니다.

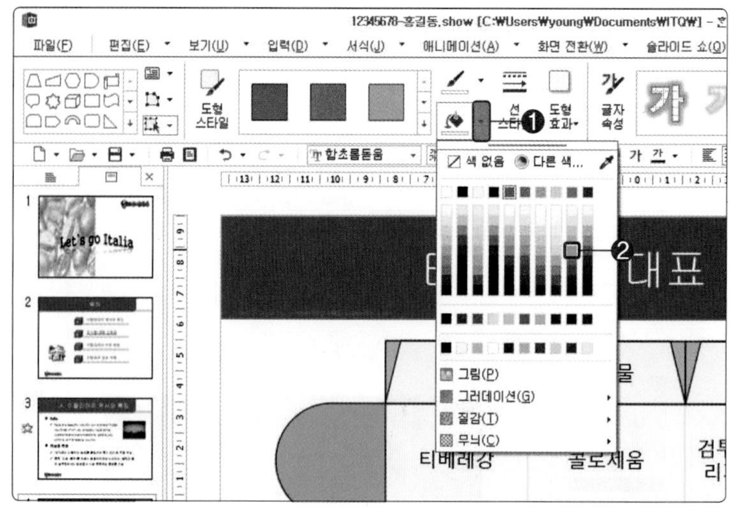

5 [도형] 정황 탭에서 **[채우기 색]의 ·[목록] 단추를 클릭**한 후 [그러데이션]–**[선형 위쪽]을 클릭**합니다.

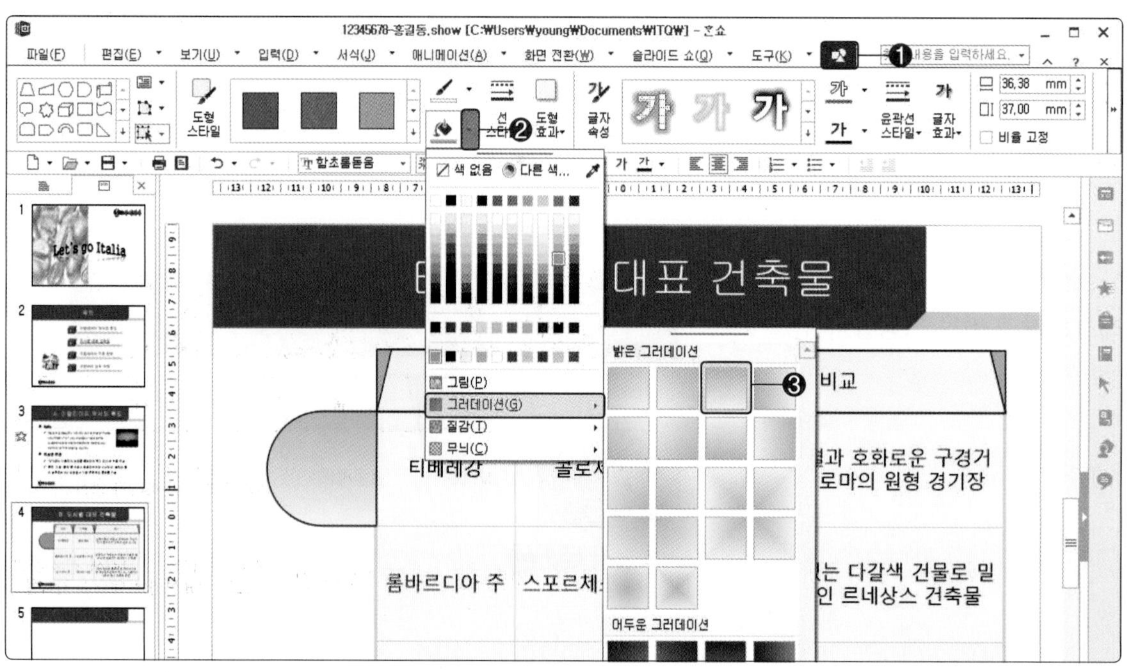

6 Ctrl과 Shift를 **누른 상태에서 드래그하여 도형을 복사**합니다.

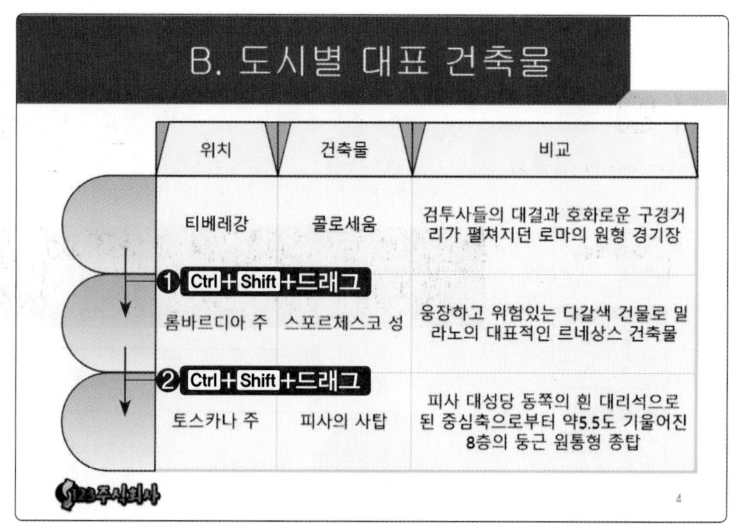

7 도형을 각각 선택한 후 내용(로마, 밀라노, 피사)을 입력합니다.

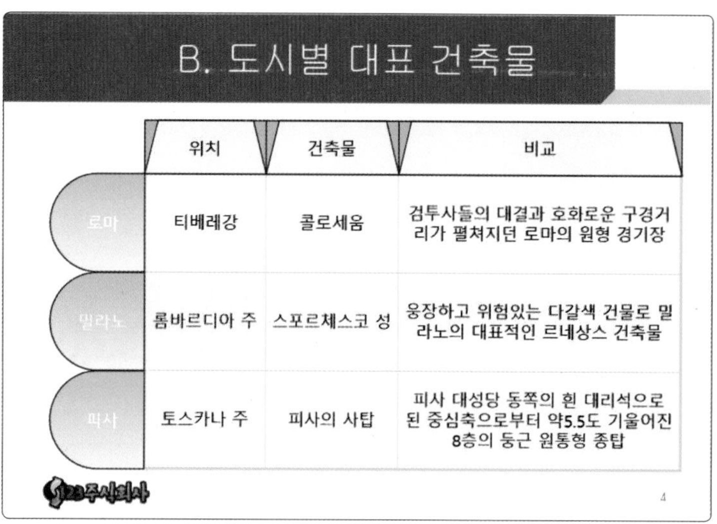

8 좌측 도형을 **드래그하여 모두 선택**한 후 [서식] 도구 상자에서 **글꼴(맑은 고딕)과 글자 크기(18)를 선택**한 다음 **글자 색(본문/배경 – 어두운 색 1)을 선택**합니다.

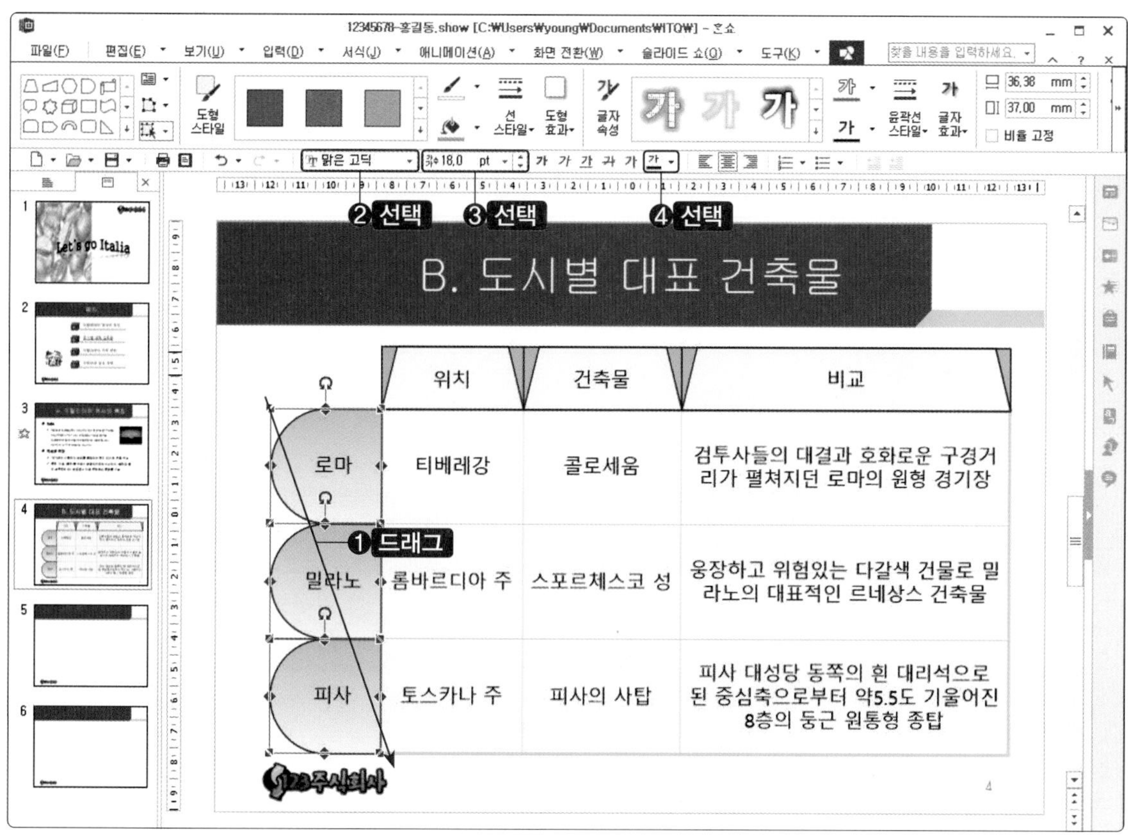

9 표 슬라이드 작성이 완료되면 [서식] 도구 상자에서 **[저장하기]를 클릭**합니다.

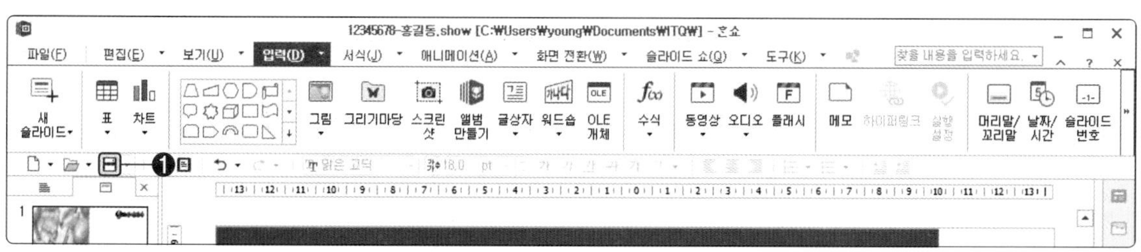

실전문제유형

문제유형 001 표 슬라이드

Ch05_문제유형001.show

(1) 도형과 표 작성 기능을 이용하여 슬라이드를 작성한다(글꼴 : 돋움, 18pt).

세부조건

① 상단 도형 :
2개 도형의 조합으로 작성

② 좌측 도형 :
그라데이션 효과(선형 위쪽)

③ 표 스타일 :
보통 스타일 4 - 강조 2

• 도형에 채우기 색을 지정한 후 채우기 색의 [목록] 단추를 클릭한 다음 [그러데이션]-[선형 위쪽]을 클릭합니다.

• 도형 : [양쪽 모서리가 잘린 사각형], [사다리꼴]

2. 뷰티(미용) 행사

	시간	내용	장소
4. 20(토)	10:00~12:00	트렌드 컬렉션 어워드	전시장 내 제2행사장
	13:00~15:00	전통머리 전시회 및 세미나	전시장 내 제1행사장
	15:00~17:00	국제 미용 대회	전시장 내 제2행사장
4. 20(토)	09:00~12:00	네일 페스티벌	3층 E홀 전관
	13:00~17:00	메이크업 및 헤어쇼	전시장 내 제1행사장

4

문제유형 002 표 슬라이드

Ch05_문제유형002.show

(1) 도형과 표 작성 기능을 이용하여 슬라이드를 작성한다(글꼴 : 굴림, 20pt).

세부조건

① 상단 도형 :
2개 도형의 조합으로 작성

② 좌측 도형 :
그라데이션 효과(선형 위쪽)

③ 표 스타일 :
보통 스타일 4 - 강조 6

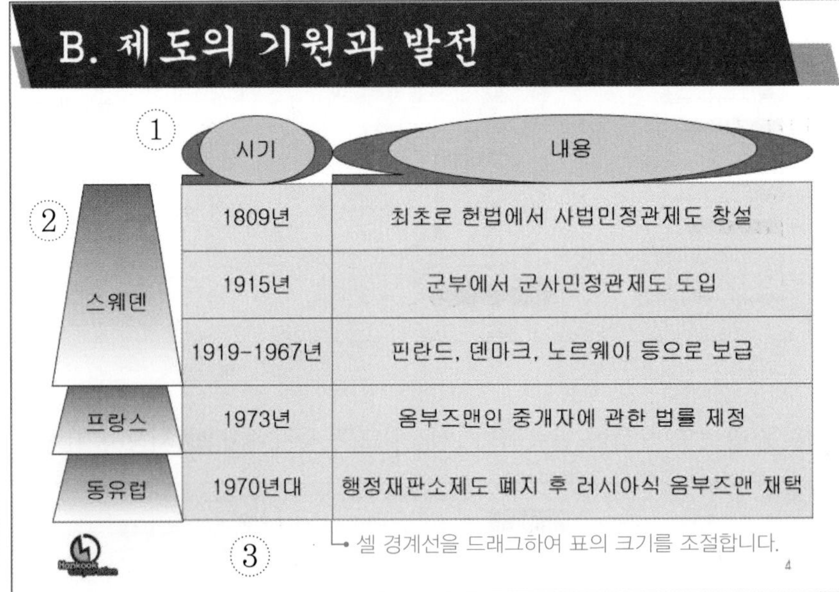

실전문제유형

문제유형 003 표 슬라이드

Ch05_문제유형003.show

(1) 도형과 표 작성 기능을 이용하여 슬라이드를 작성한다(글꼴 : 굴림, 18pt).

세부조건

① 상단 도형 :
2개 도형의 조합으로 작성

② 좌측 도형 :
그라데이션 효과(선형 위쪽)

③ 표 스타일 :
보통 스타일 4 - 강조 2

II. 자료신청 안내

	해당자료	신청방법	신청기간	이용일
도서관 내부	각 자료실 자료	자료실 내 자료이용기에서 관내 대출 처리	09:00-18:00	별도신청없이 1층에서 연장이용 (휴관일 제외)
	서고자료	검색 PC에서 당일 신청	09:00-17:00	
도서관 외부	국립도서관 홈페이지 자료 검색	인터넷 신청	09:00-17:00	예약대출기에서 자료인출 (주말, 휴관일 제외)

표 내용의 줄 간격은 지정하지 않고 기본 값을 사용합니다.

문제유형 004 표 슬라이드

Ch05_문제유형004.show

(1) 도형과 표 작성 기능을 이용하여 슬라이드를 작성한다(글꼴 : 굴림, 18pt).

세부조건

① 상단 도형 :
2개 도형의 조합으로 작성

② 좌측 도형 :
그라데이션 효과(선형 위쪽)

③ 표 스타일 :
보통 스타일 4 - 강조 1

2. 고령화 사회의 문제점

	문제	현황	해결책
노동인구 감소	건강한 사회	노동인구 70%	출산율 상승
	노령화 사회	6% 이내	정년의 연장, 임금피크제
과도한 부양책임	물리적인 노인부양	핵가족화로 인한 노인부양의 부담이 증가함	지속적인 출산율 상승 정책 국가 주도의 문제 해결 노인 관련 시설 확충
	경제적인 노인부양		
노인들의 경제적 어려움	노인의 일자리 부족	80%	실버산업 육성 고령자에 대한 고용지원
	국민 연금지원의 한계	기초생계비 수준	국민연금 개선

실전문제유형

문제유형 005 표 슬라이드

Ch05_문제유형005.show

(1) 도형과 표 작성 기능을 이용하여 슬라이드를 작성한다(글꼴 : 맑은 고딕, 18pt).

세부조건

① 상단 도형 :
2개 도형의 조합으로 작성

② 좌측 도형 :
그라데이션 효과(선형 위쪽)

③ 표 스타일 :
보통 스타일 4 - 강조 1

2. 친환경 농산물 인증번호의 내용

	예	내용
3자리	1-1-325	첫째 자리 1 : 인증기관 구분(한국 농식품 인증원)
		둘째 자리 1 : 인증 구분(유기농)
		셋째 자리 325 : 해당 기관에서 인증 받은 순서(325번째)
4자리	14-04-1-49	첫째 자리 + 둘째 자리 14-04 : 인증기관의 구분 (전북지원 정읍출장소)
		셋째 자리 1 : 인증 구분(유기농)
		넷째 자리 49 : 해당 기관에서 인증 받은 순서(49번째)

병합할 셀을 선택한 후 [표] 정황 탭에서 [셀 합치기]를 클릭합니다.

ABC주식회사 4

문제유형 006 표 슬라이드

Ch05_문제유형006.show

(1) 도형과 표 작성 기능을 이용하여 슬라이드를 작성한다(글꼴 : 굴림, 18pt).

세부조건

① 상단 도형 :
2개 도형의 조합으로 작성

② 좌측 도형 :
그라데이션 효과(선형 위쪽)

③ 표 스타일 :
보통 스타일 4 - 강조 4

ⅱ. 나라사랑 체험활동 안내

	활동 내용	시간/장소/준비물
사전활동	활동계획서 작성, 활동 중 유의사항 교육	60분/학교
주요 활동	현충선양광장 집결 : 출석 점검	20분/현충선양광장
	현충탑 참배	20분/현충탑(위패봉안관)
	묘역(해설) 순례 및 묘역환경정화 봉사	100분/해설 순례, 봉사 : 목장갑, 손걸레 준비
	유품전시관/사진전시관 관람	30분/유품, 사진전시관
	호국영화 감상	50분/현충관

ABC주식회사 4

실전문제유형

문제유형 007 표 슬라이드

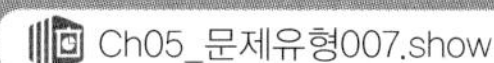

Ch05_문제유형007.show

(1) 도형과 표 작성 기능을 이용하여 슬라이드를 작성한다(글꼴 : 굴림, 18pt).

세부조건

① 상단 도형 : 2개 도형의 조합으로 작성

② 좌측 도형 : 그라데이션 효과(선형 위쪽)

③ 표 스타일 : 보통 스타일 4 - 강조 5

B. 고등학교 유형별 특징

	일반 공,사립고	자율형 사립고	자율형 공립고
현황	1,299개교	51개교	97개교
학생선발	평준화지역 : 추첨,배정 비평준화지역 : 내신+선발고사	자기주도 학습전형 (필기고사 금지) 일부 학교 (내신성적 반영)	평준화지역 : 선지원 후추첨 비평준화지역 : 학교자율
교육과정	초중등교육법 준수	필수 이수 단위 (58단위 이상) 교과군별 이수 단위 준수 의무 없음	필수 이수 단위 : 72단위 이상 교과군별 이수 단위의 50% 증감 운영

123주식회사 4

문제유형 008 표 슬라이드

Ch05_문제유형008.show

(1) 도형과 표 작성 기능을 이용하여 슬라이드를 작성한다(글꼴 : 맑은 고딕, 18pt).

세부조건

① 상단 도형 : 2개 도형의 조합으로 작성

② 좌측 도형 : 그라데이션 효과(선형 위쪽)

③ 표 스타일 : 보통 스타일 4 - 강조 1

Ⅱ. 글로벌 인공지능 프로젝트

	프로젝트	주요 기술	상세 내용
MS	아담 프로젝트	패턴인식 컴퓨터비전	영상인식 인공지능 프로젝트 시각장애인을 위한 프로젝트
구글	인공지능 맨해튼 프로젝트	딥러닝(심층학습) 인공신경망 클라우드 컴퓨팅	실리콘밸리 50여 개 기업 참여 영국의 기업 딥마인드 인수
	인공지능 바둑 프로그램		'알파고'란 이름으로 탄생됨 2016년 봄, 인간 대표 이세돌 씨와 대결해서 우승함

ABC주식회사 4

차트 슬라이드

차트 슬라이드에서는 차트의 종류와 특징에 따라 세부적인 사항을 변경하는 문제가 출제됩니다. 그러므로 다양한 차트를 작성해보고 세부사항을 변경하는 연습을 해야합니다. 또한 조건에 제시되지 않은 축 서식이나 범례 모양, 위치 등은 문제와 동일하게 구성하여 연습하는 것이 좋습니다.

[슬라이드 5] ≪차트 슬라이드≫ (100점)

(1) 차트 작성 기능을 이용하여 슬라이드를 작성한다.
(2) 차트 : 유형(묶은 세로 막대형), 글꼴(맑은 고딕, 16pt), 외곽선
(3) 표 : 차트 하단에 이미지와 같이 표 그리기

세부조건

※ 차트설명
- 차트제목 : 궁서, 20pt, 진하게, 채우기(하양), 테두리, 그림자(대각선 오른쪽 아래) 【그림자(2pt)】
- 범례 위치 : 아래쪽
- 전체 배경 : 채우기(노랑)
- 값 표시 : 평균기온(섭씨) 계열의 2월 요소만

① 도형 편집
- 스타일 : 밝은 계열 – 강조 5
- 글꼴 : 굴림, 18pt

C. 이탈리아의 기후 변화

이탈리아의 기후 변화

200
160
120
80
40
0

열대성 기후 ①

26.4

1월 2월 3월 4월 5월

■ 평균기온(섭씨) ■ 강수량(mm)

	1월	2월	3월	4월	5월
평균기온(섭씨)	26.5	26.4	25.9	24.6	22.4
강수량(mm)	154	130	144	61	80

123주식회사 5

작업순서요약

① 표를 작성한 후 표 스타일 및 셀 속성을 지정합니다.
② 차트를 선택한 후 차트 데이터를 입력한 다음 행/열 전환 및 크기를 조절합니다.
③ 차트 제목의 배경 및 테두리, 그림자, 글자 서식을 지정합니다.
④ 범례의 위치를 지정합니다.
⑤ 차트 전체 테두리 및 배경을 지정합니다.
⑥ 차트의 특정 계열 및 요소에 값을 표시합니다.
⑦ Y(값)축, X(항목)축, 데이터 레이블, 범례 등에 글자 서식을 지정합니다.
⑧ Y(값)축에 속성을 지정합니다.
⑨ 도형을 작성한 후 도형 스타일을 지정한 다음 글자 서식을 지정합니다.

STEP 01 표 작성하기

1 5번 슬라이드를 선택한 후 슬라이드 제목(C. 이탈리아의 기후 변화)을 입력합니다.

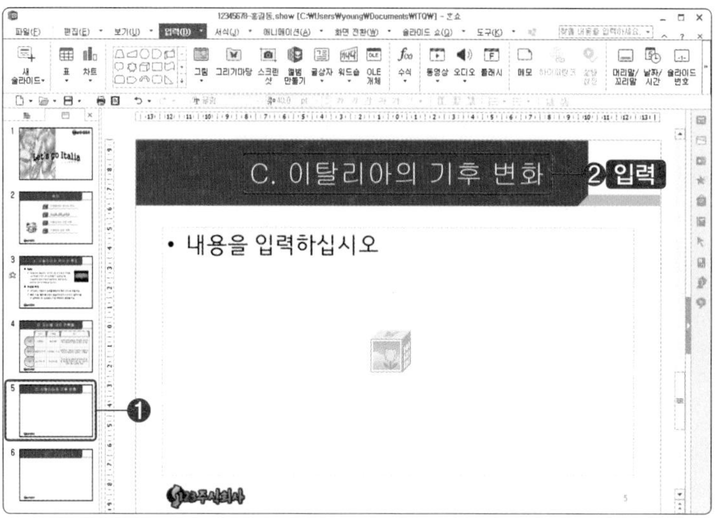

2 내용 텍스트 상자의 [내용]을 클릭한 후 [표]를 클릭합니다. 그런다음 [표 만들기] 대화상자가 나타나면 줄 수(3)와 칸 수(6)를 입력한 후 [만들기]를 클릭합니다.

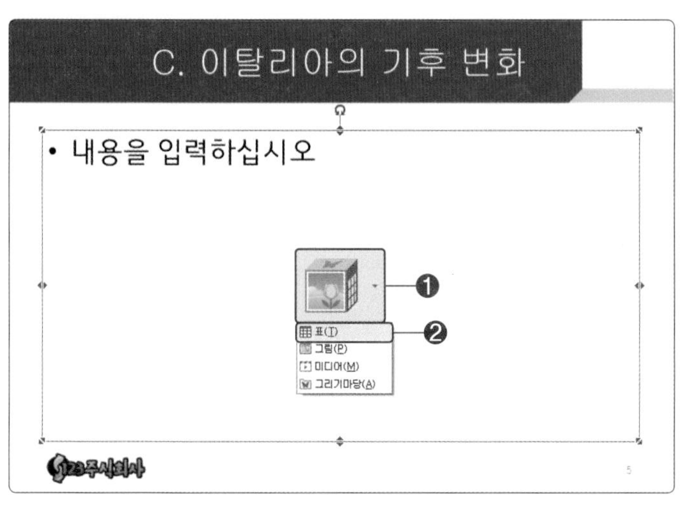

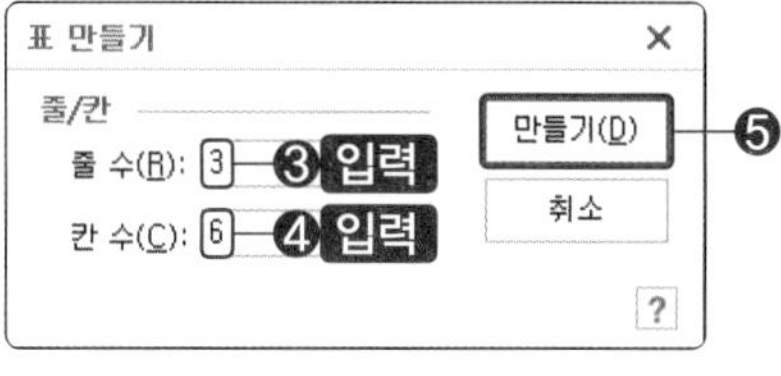

3 표가 삽입되면 각 셀에 내용을 입력합니다.

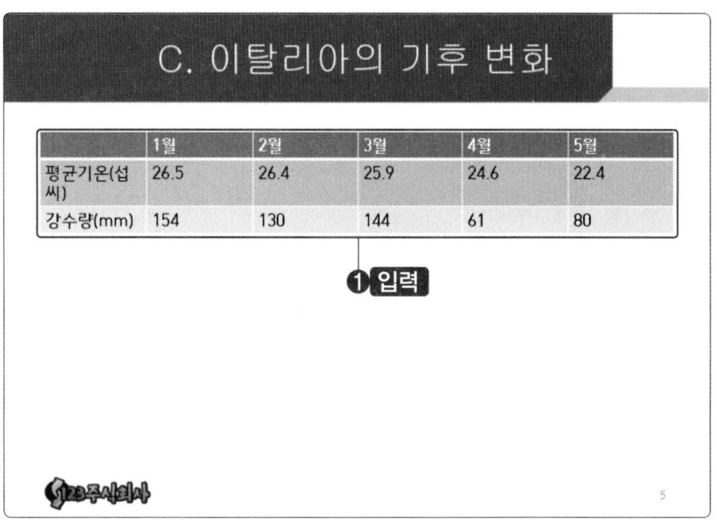

	1월	2월	3월	4월	5월
평균기온(섭씨)	26.5	26.4	25.9	24.6	22.4
강수량(mm)	154	130	144	61	80

4 [표] 정황 탭에서 [자세히]를 클릭한 후 [표 스타일 지우기]를 클릭합니다.

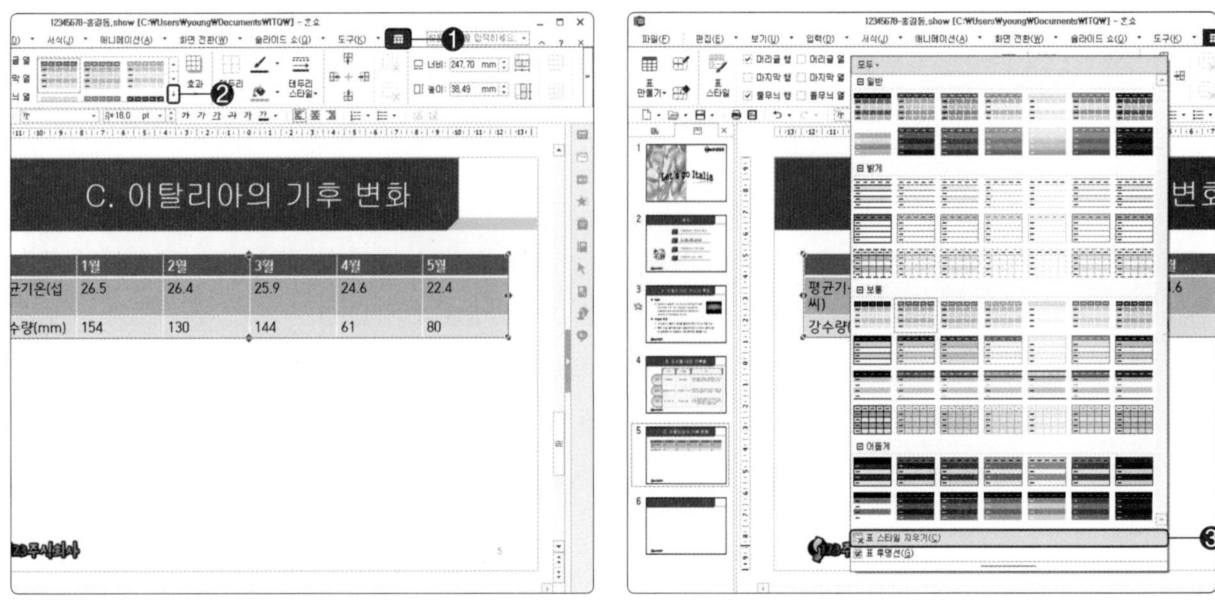

5 표를 선택한 후 [서식] 도구 상자에서 글꼴(맑은 고딕)과 글자 크기(16)를 선택한 다음 [가운데 정렬]을 선택합니다.

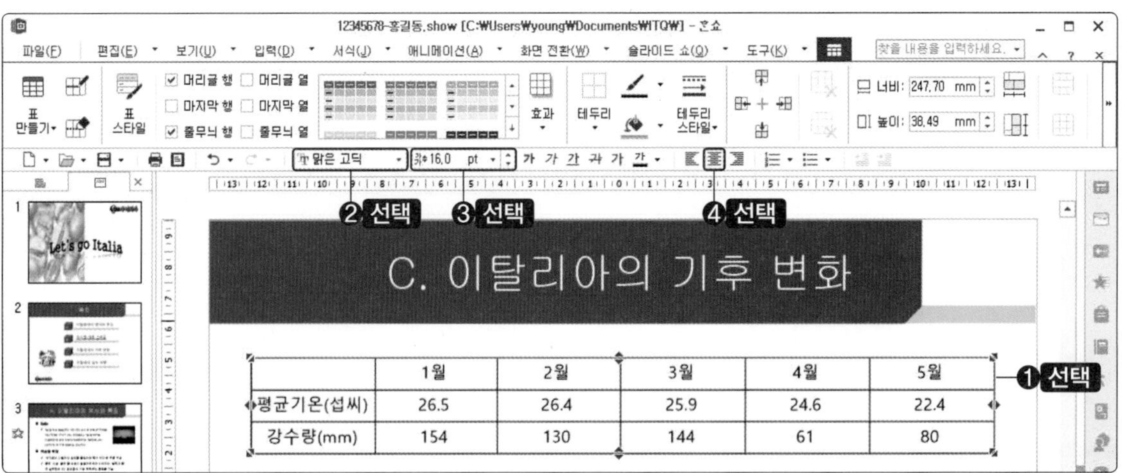

6 [표] 정황 탭에서 [내용 정렬]을 클릭한 후 [가운데 맞춤]을 클릭합니다.

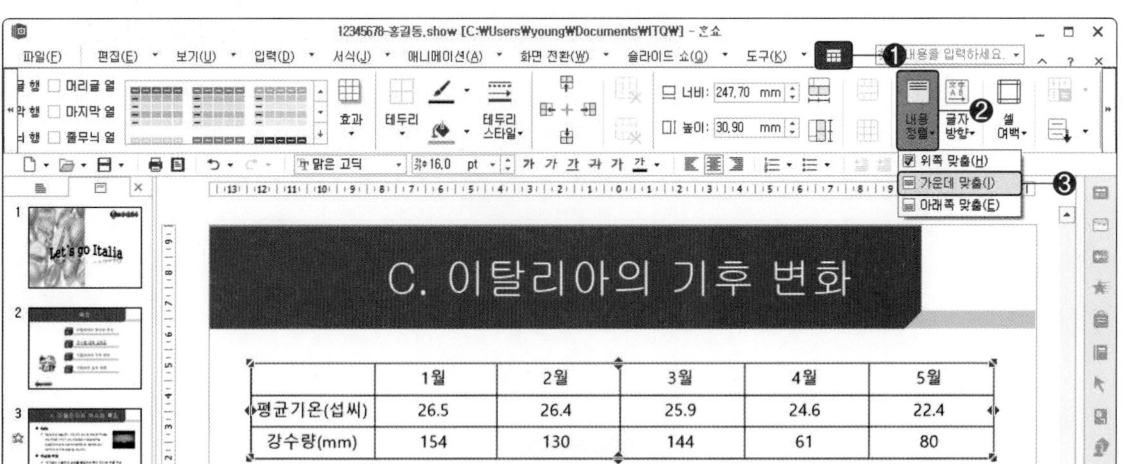

7 **셀 경계선을 드래그**하여 셀 너비를 조절합니다.

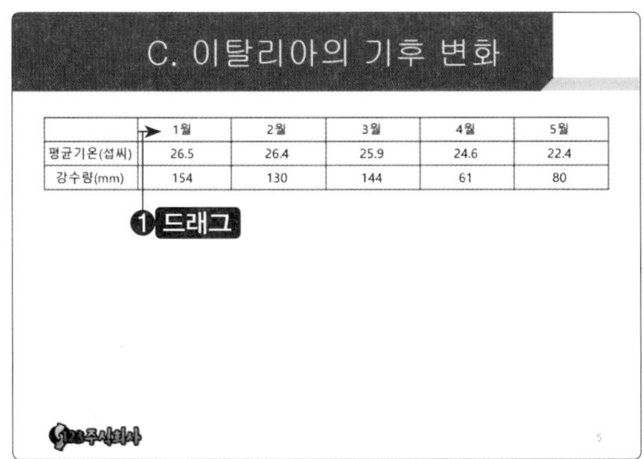

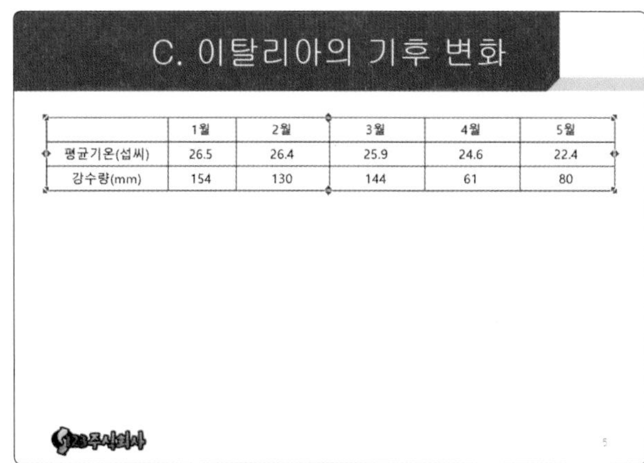

	1월	2월	3월	4월	5월
평균기온(섭씨)	26.5	26.4	25.9	24.6	22.4
강수량(mm)	154	130	144	61	80

8 **1줄2칸~3줄6칸을 드래그하여 셀 블록을 지정**한 후 [표] 정황 탭에서 **[셀 너비를 같게]를 클릭**합니다.

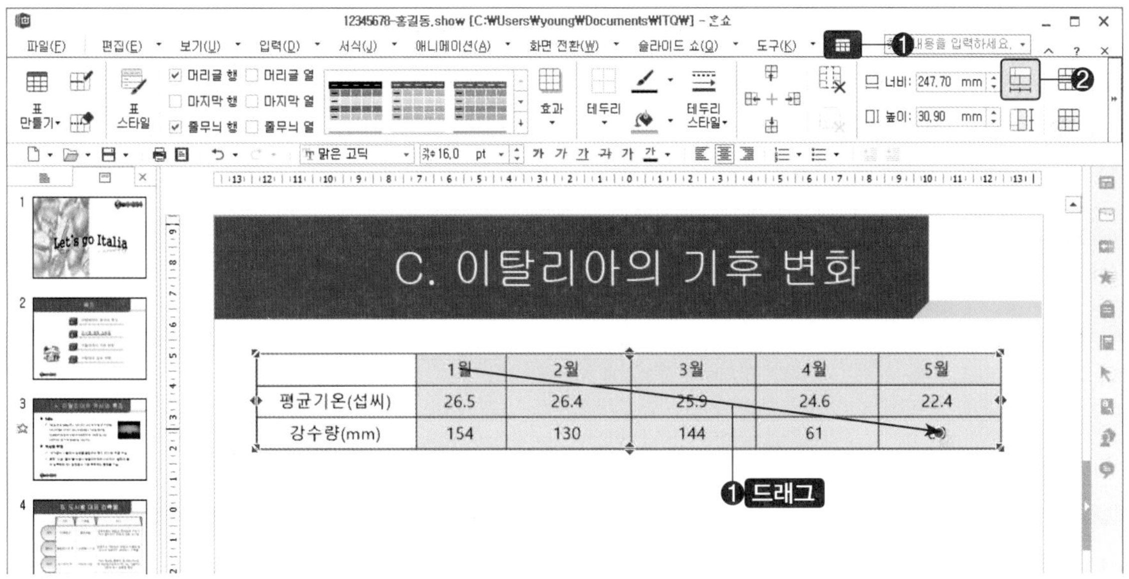

9 표의 테두리 선을 드래그하여 **위치를 이동**합니다.

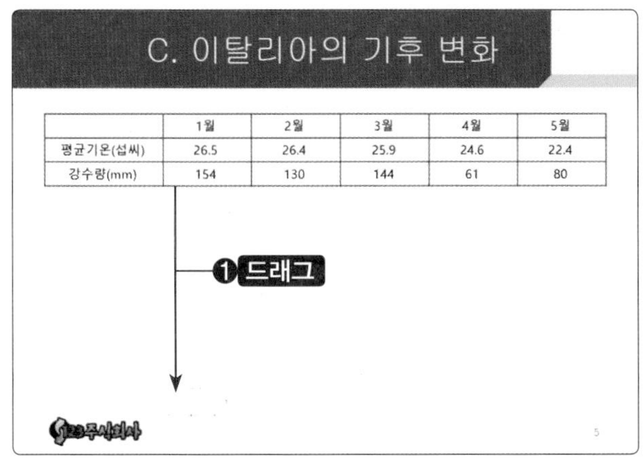

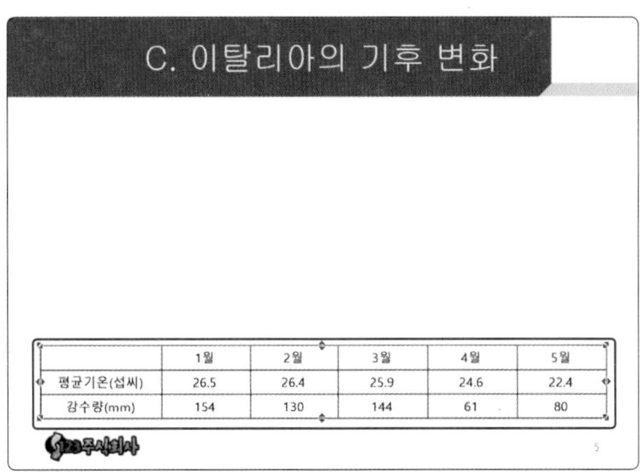

STEP 02 차트 작성하기

1 [입력] 탭에서 **[차트]를 클릭**한 후 [묶은 세로 막대형]을 **클릭**합니다.

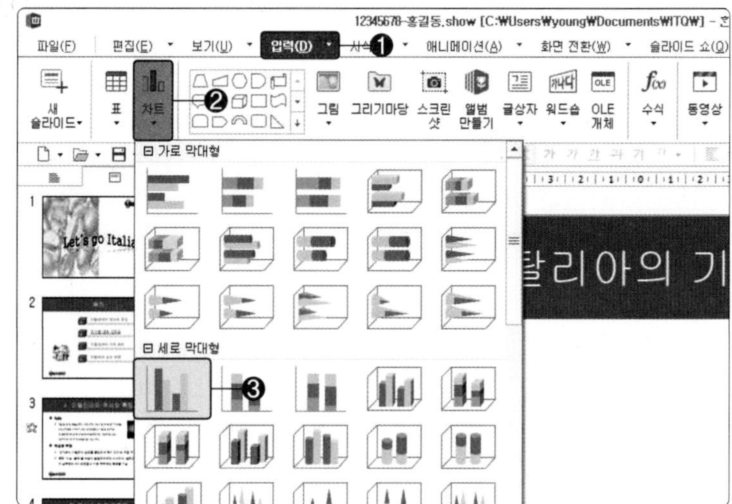

한가지 더!

차트의 종류

- **가로 막대형** : 항목을 비교하는 경우에 주로 사용합니다. 항목 이름이 길거나 값이 기간인 경우에도 사용합니다.
- **세로 막대형** : 시간 경과에 따른 데이터 변화를 표시하거나 항목을 비교하는 경우에 사용합니다.
- **꺾은선형** : 분기나 월과 같이 일정한 기간 동안의 데이터 추세를 표시하는 경우에 사용합니다.
- **영역형** : 시간 경과에 따른 데이터 변화량을 강조하는 경우에 사용합니다.
- **원형** : 전체 항목에 대한 각 항목의 비율을 표시하는 경우에 사용합니다.
- **분산형** : 여러 데이터 계열 사이의 관계를 표시하는 경우에 사용합니다.

2 [차트 데이터 편집] 대화상자가 나타나면 **[열 추가하기]를 2번 클릭**한 후 **[선택한 행 지우기]를 2번 클릭**합니다.

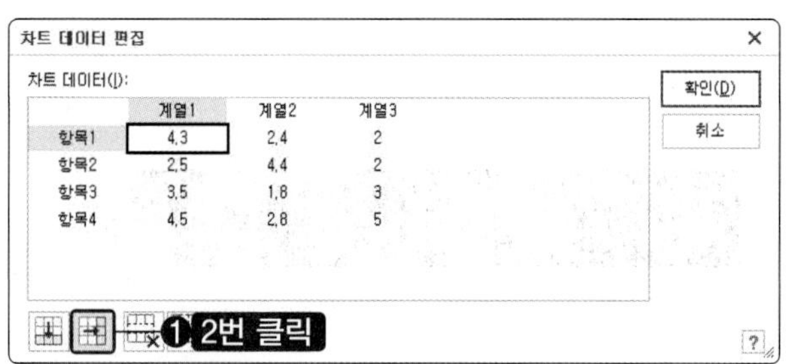

3 차트 데이터를 입력한 후 **[확인]을 클릭**합니다.

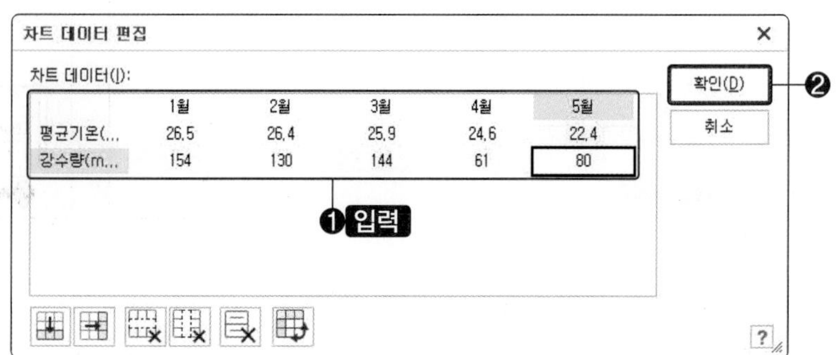

4 차트가 삽입되면 크기 조절점을 드래그하여 **크기를 조절**합니다.

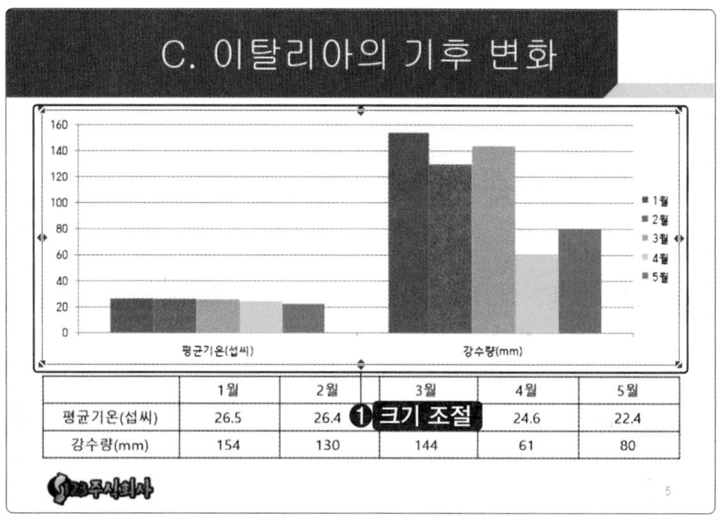

5 [차트 디자인] 정황 탭에서 **[행/열 전환]을 클릭**합니다.

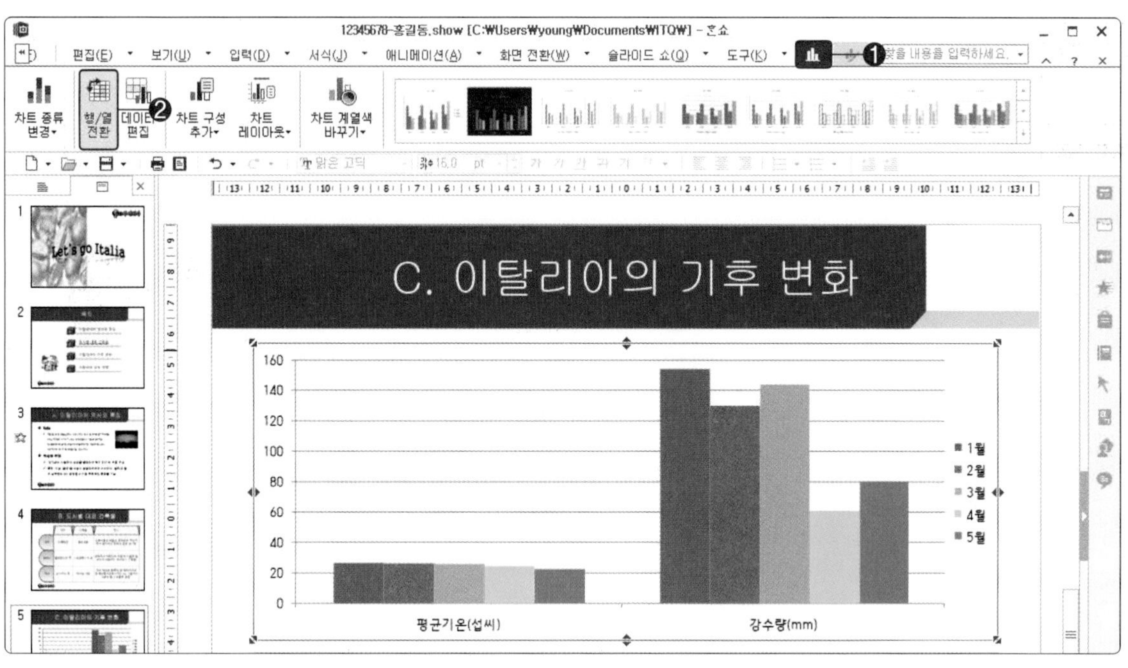

6 다음과 같이 차트의 행/열이 전환됩니다.

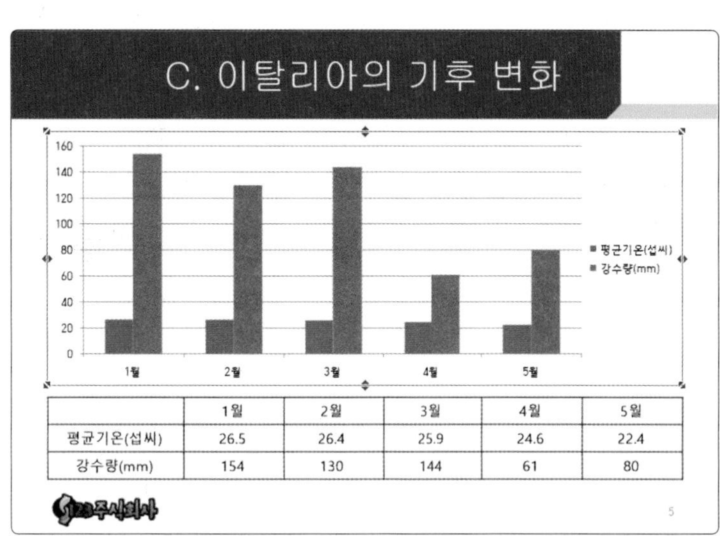

STEP 03 차트 제목 작성하기

1 [차트 디자인] 정황 탭에서 **[차트 구성 추가]를 클릭**한 후 [차트 제목]-**[위쪽]을 클릭**합니다.

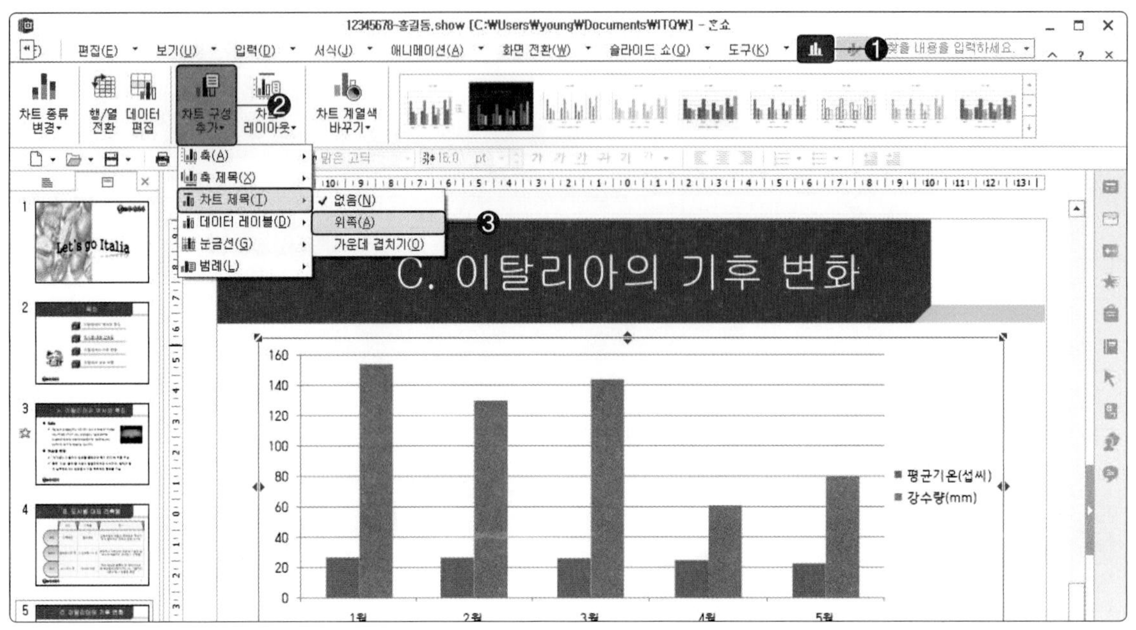

2 차트 제목에서 바로가기 메뉴의 **[제목 편집]을 클릭**합니다.

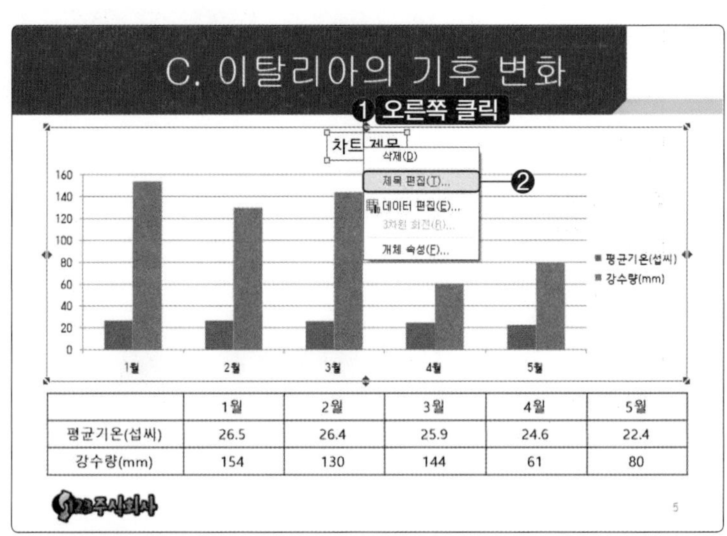

3 [제목 편집] 대화상자가 나타나면 **내용(이탈리아의 기후 변화)을 입력**한 후 **글꼴(궁서), 크기(20), 속성(가[진하게])를 선택**한 다음 **[설정]을 클릭**합니다.

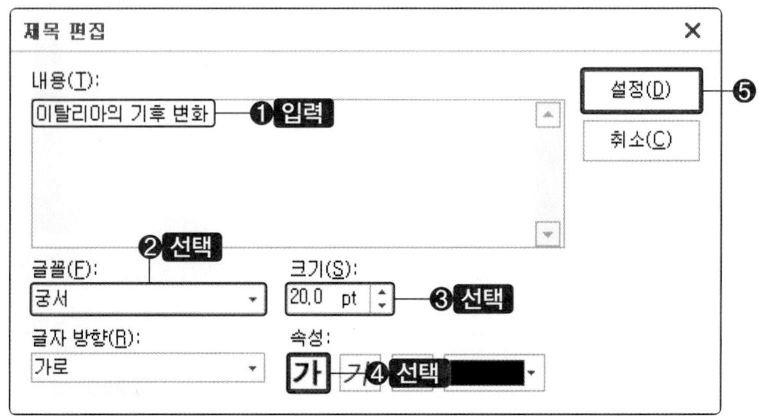

4 [차트 도형] 정황 탭에서 **[선 색]**를 **클릭**한 후 **[본문/배경 – 어두운 색 1]**을 **클릭**합니다.

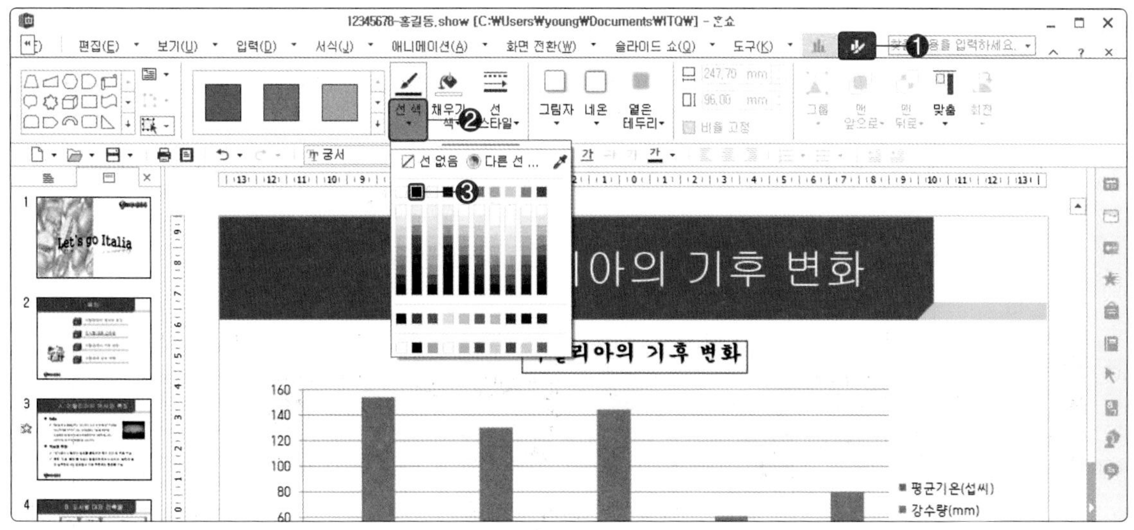

5 [차트 도형] 정황 탭에서 **[채우기 색]**를 **클릭**한 후 **[본문/배경 – 밝은 색 1]**을 **클릭**합니다.

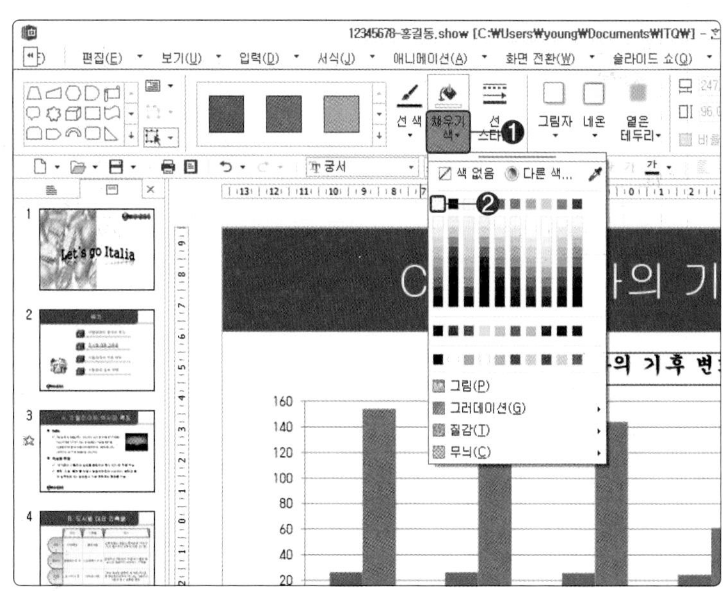

6 [차트 도형] 정황 탭에서 **[그림자]**를 **클릭**한 후 **[대각선 오른쪽 아래]**를 **클릭**합니다.

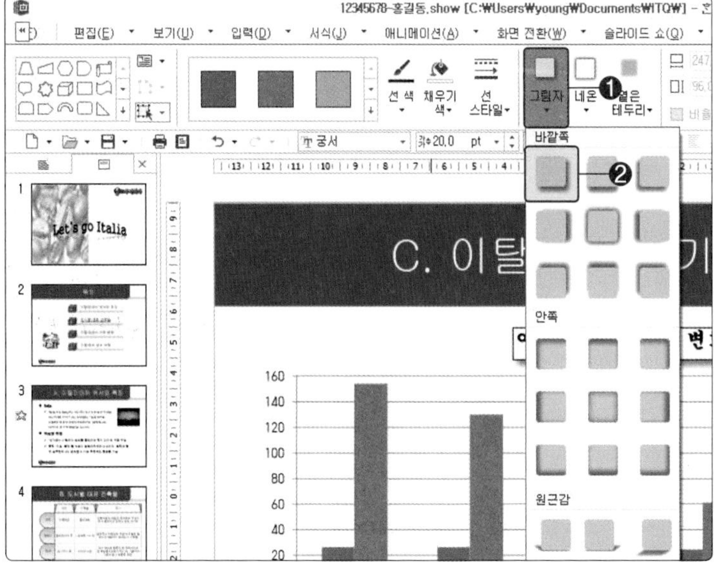

STEP 04 범례 지정하기

1 **차트를 선택**한 후 [차트 디자인] 정황 탭에서 **[차트 구성 추가]를 클릭**한 다음 [범례]–**[아래쪽]을 클릭**합니다.

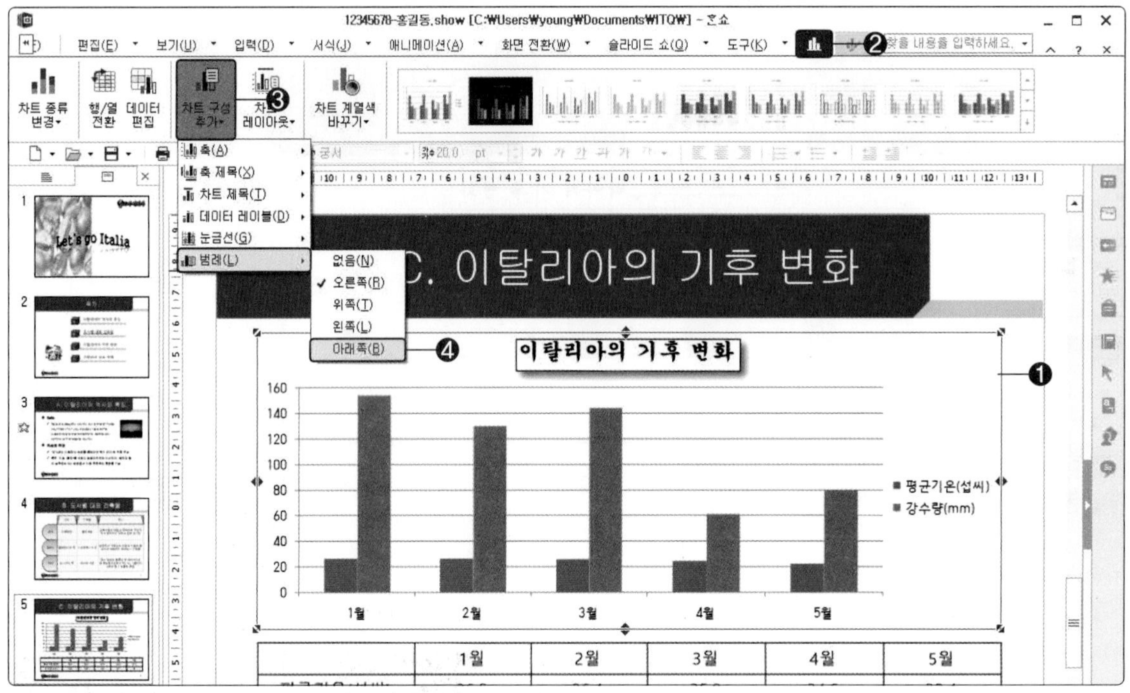

Tip

범례 위치 지정하기

범례의 기본 위치는 오른쪽입니다. 문제의 범례 위치가 오른쪽일 경우 지정하지 않아도 됩니다.

2 다음과 같이 범례의 위치가 아래쪽으로 이동합니다.

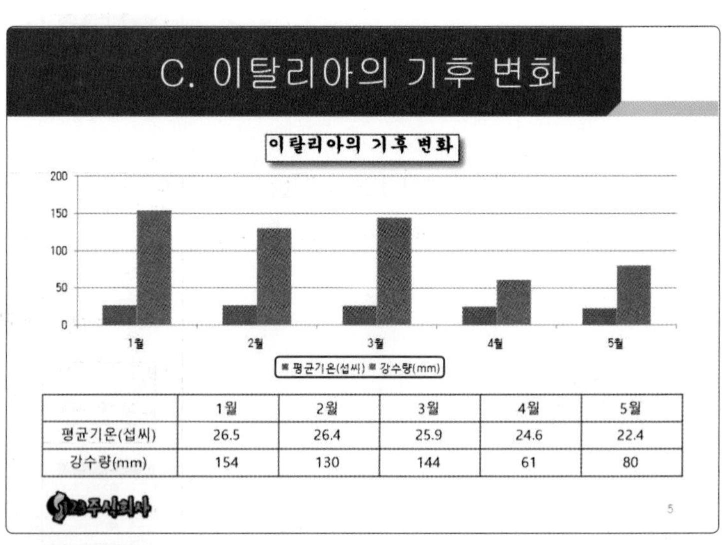

	1월	2월	3월	4월	5월
평균기온(섭씨)	26.5	26.4	25.9	24.6	22.4
강수량(mm)	154	130	144	61	80

STEP 05 전체 배경 지정하기

1 [차트 도형] 정황 탭에서 **[선 색]를 클릭**한 후 **[본문/배경 – 어두운 색 1]을 클릭**합니다.

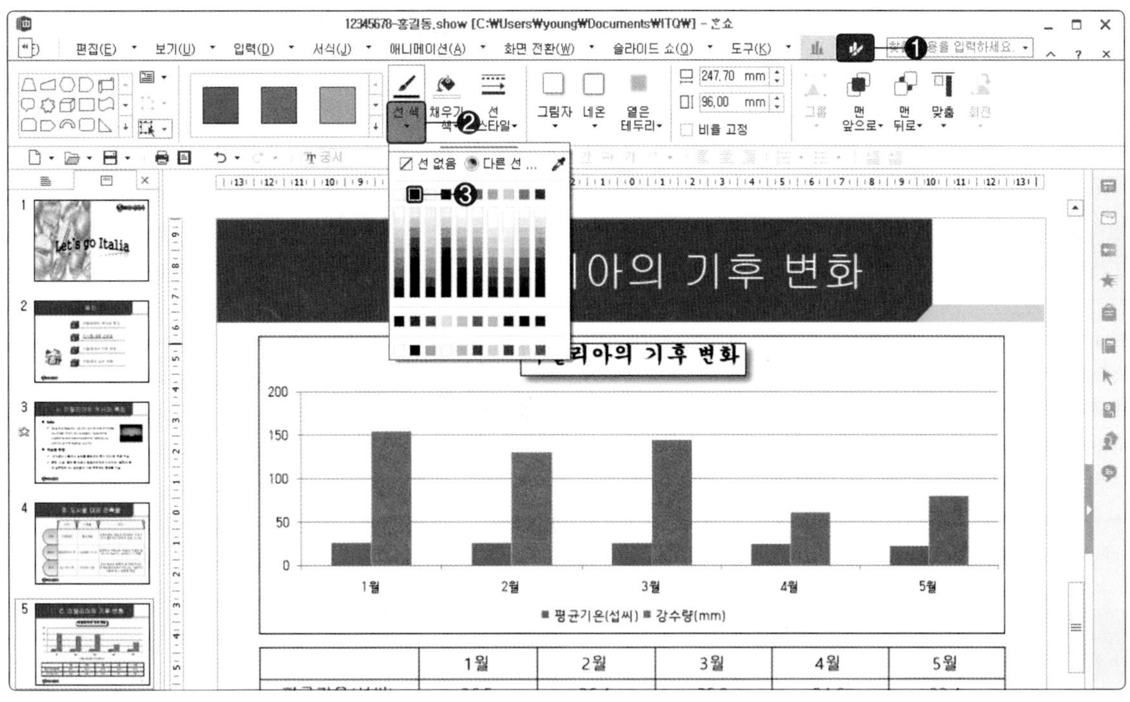

Tip

차트의 전체 테두리 지정은 지시사항에 없지만 출력형태를 참조하여 전체 테두리를 지정합니다.

2 [차트 도형] 정황 탭에서 **[채우기 색]를 클릭**한 후 **[노랑(RGB: 255,255,0)]을 클릭**합니다.

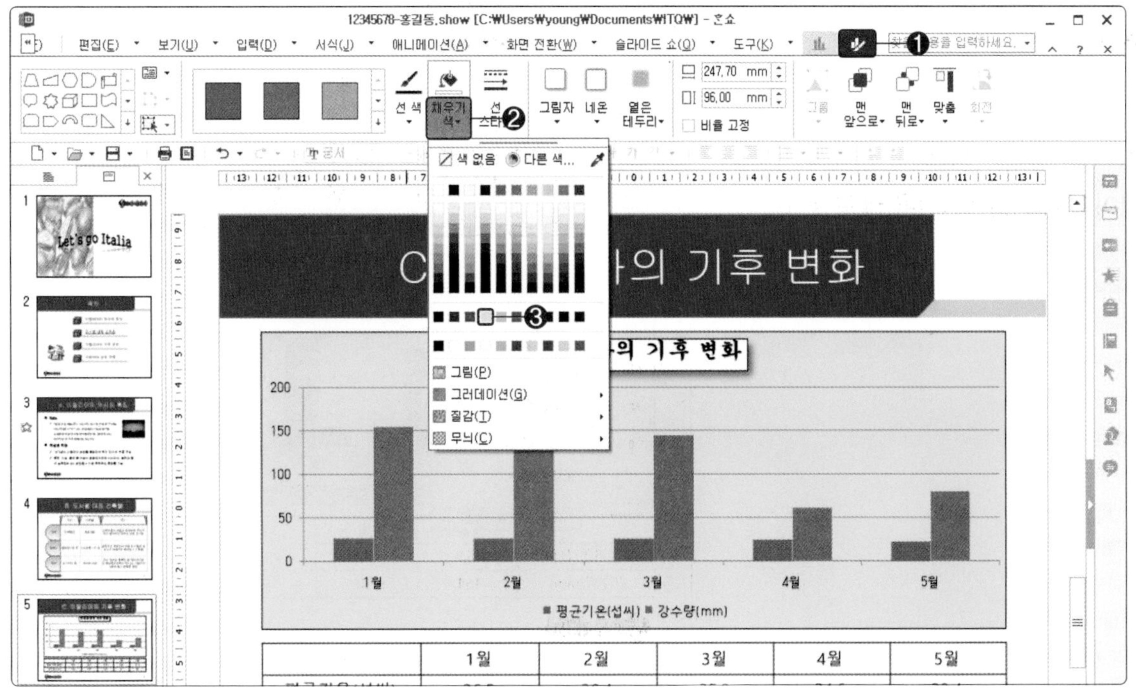

STEP 06 값 표시하기

1 차트의 **[평균기온(섭씨)] 계열을 클릭**한 후 바로가기 메뉴의 **[데이터 레이블 추가]를 클릭**합니다.

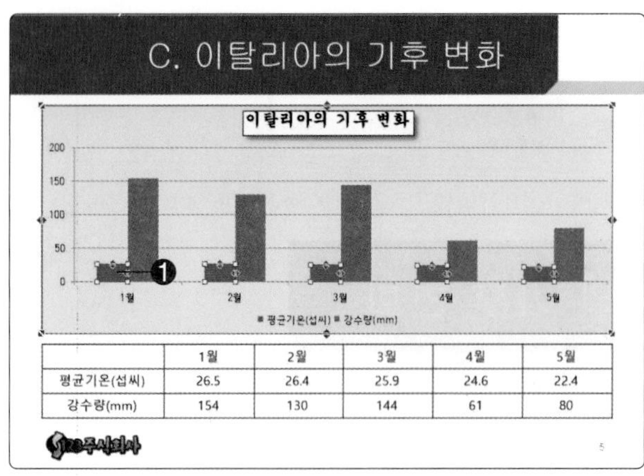

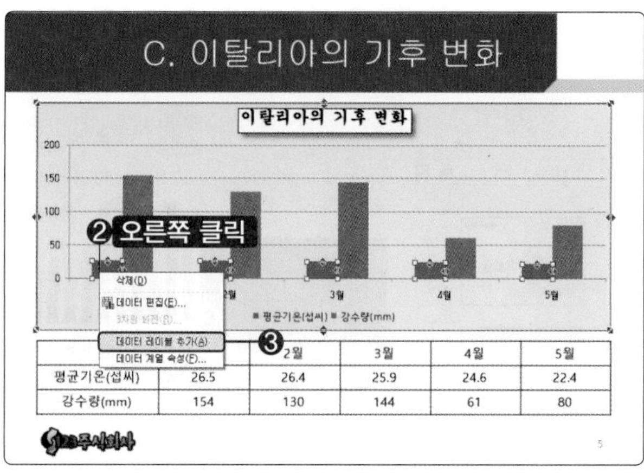

2 레이블이 추가되면 **레이블 값을 선택**합니다. 그런다음 **제거할 레이블 값을 선택**하여 한개의 레이블만 선택되도록 합니다.

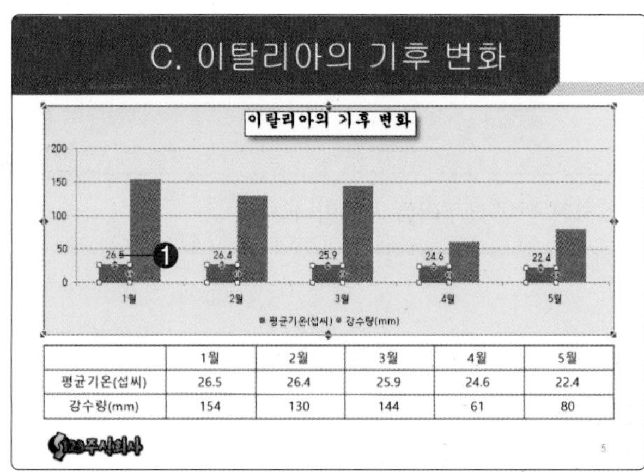

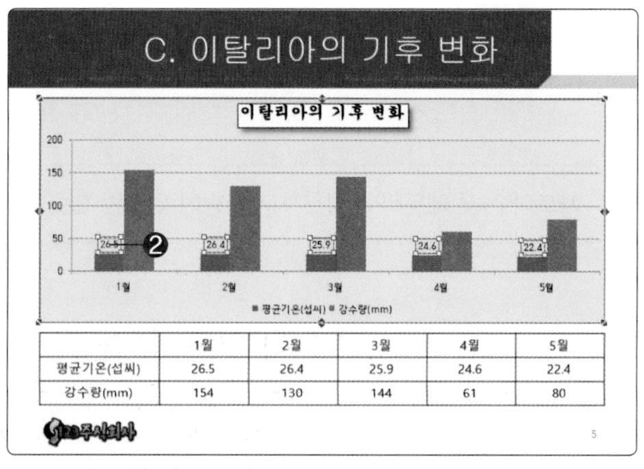

3 하나의 레이블만 선택되면 바로가기 메뉴의 **[데이터 레이블 속성]을 클릭**합니다.

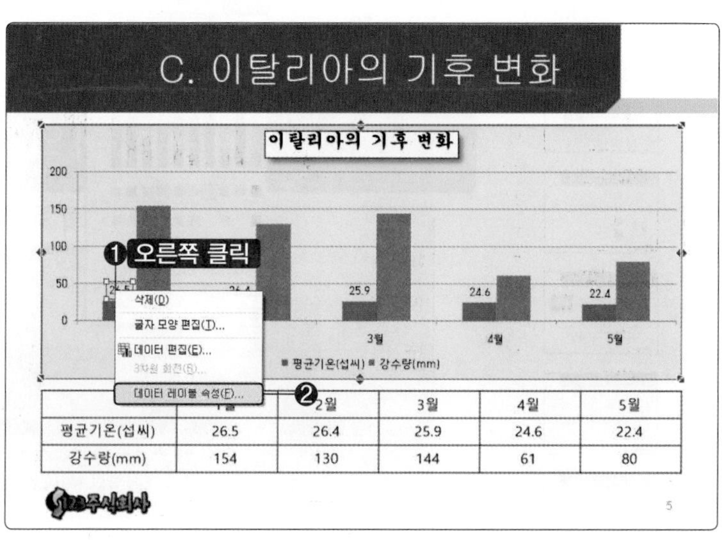

4 [개체 속성] 대화상자가 나타나면 **[값]을 선택 해제**한 후 **[설정]을 클릭**합니다.

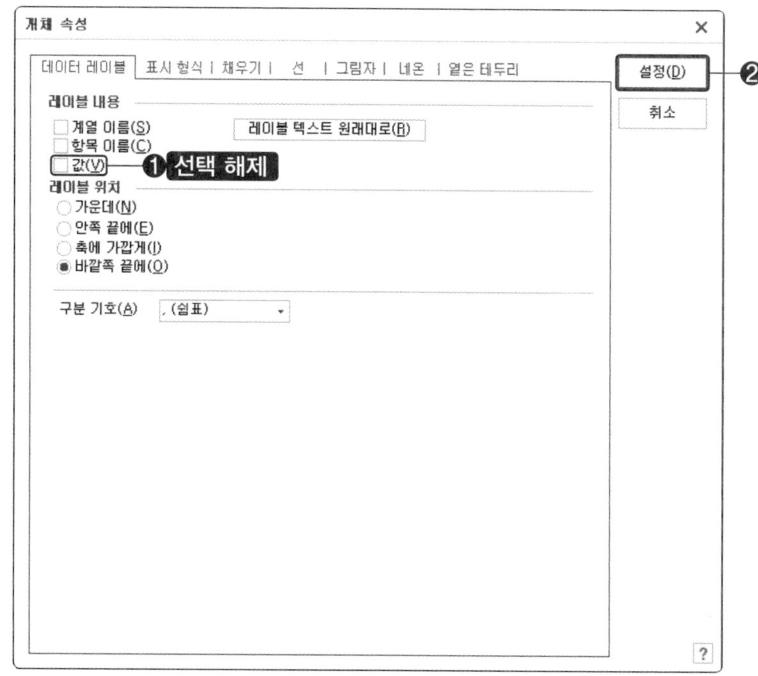

5 같은 방법으로 다음과 같이 **레이블을 선택 해제**합니다.

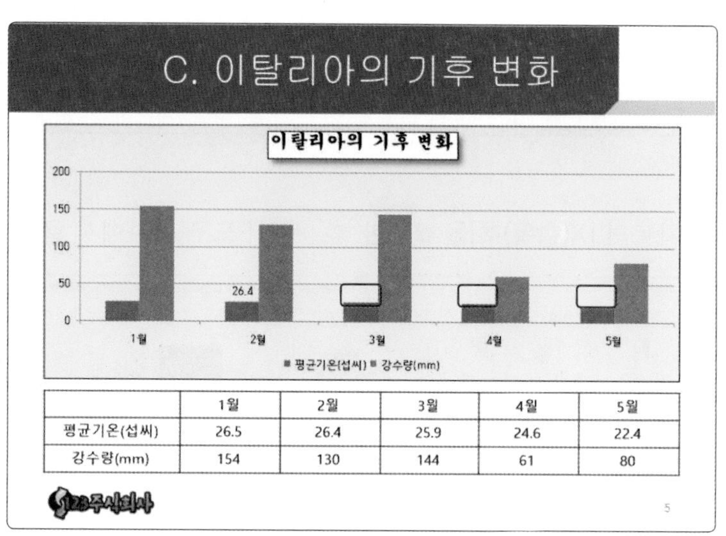

	1월	2월	3월	4월	5월
평균기온(섭씨)	26.5	26.4	25.9	24.6	22.4
강수량(mm)	154	130	144	61	80

Tip

레이블 값을 선택한 후 Delete를 눌러 삭제한 경우 한쇼 프로그램을 종료한 다음 다시 실행하면 삭제한 레이블 값이 표시되는 경우가 있어 개체 속성을 이용하여 레이블 값을 선택 해제합니다.

STEP 07 글꼴 서식 지정하기

1 차트의 **[Y(값)축]을 클릭**한 후 [서식] 도구 상자에서 **글꼴(맑은 고딕)과 글자 크기(16)를 선택**합니다.

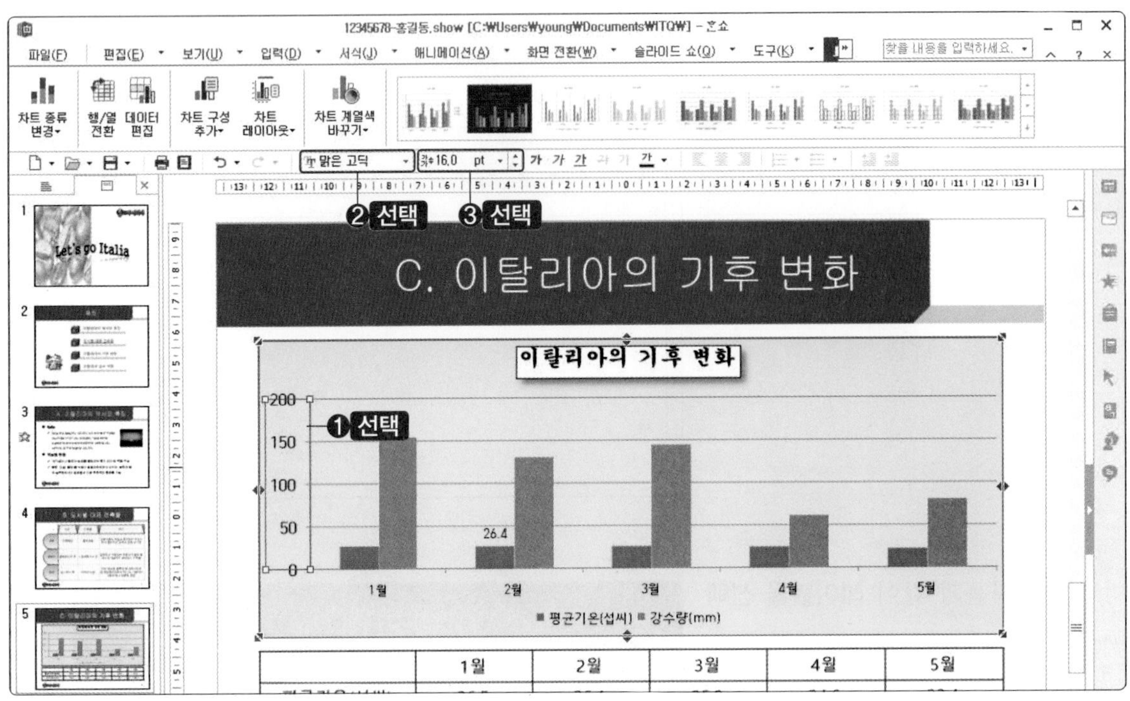

2 차트의 **[X(항목)축]을 클릭**한 후 [서식] 도구 상자에서 **글꼴(맑은 고딕)과 글자 크기(16)를 선택**합니다.

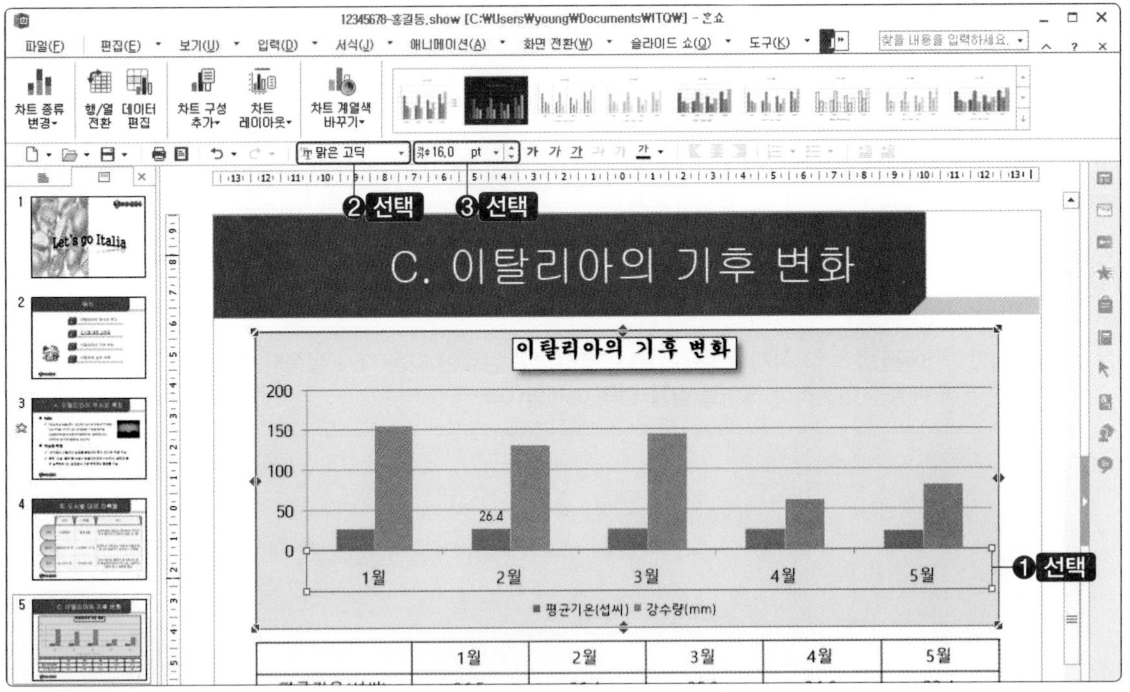

3 같은 방법으로 **데이터 레이블 값과 범례를 각각 선택**한 후 [서식] 도구 상자에서 **글꼴(맑은 고딕)과 글자 크기(16)를 선택**합니다.

STEP 08 축 서식 지정하기

1 [Y(값) 축]을 **선택**한 후 바로가기 메뉴의 [축 속성]을 **클릭**합니다.

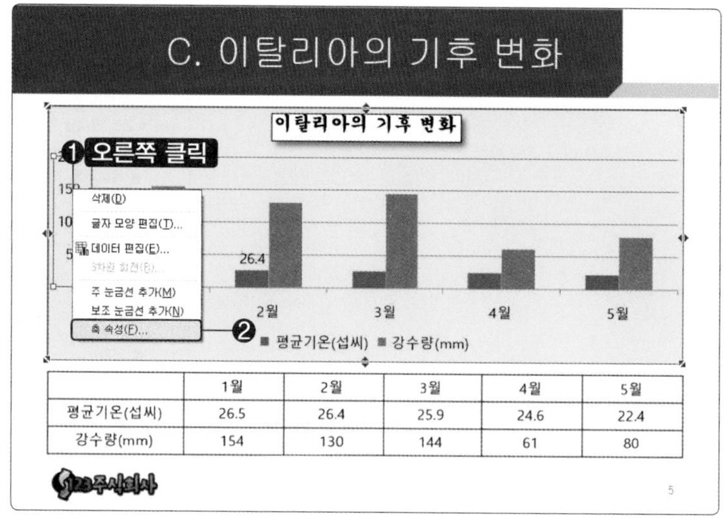

2 [개체 속성] 대화상자가 나타나면 **최댓값과 주 단위 고정을 선택**합니다. 그런다음 **최댓값(200)과 주 단위(40)를 입력**한 후 **주 눈금(없음)을 선택**한 다음 **[설정]을 클릭**합니다.

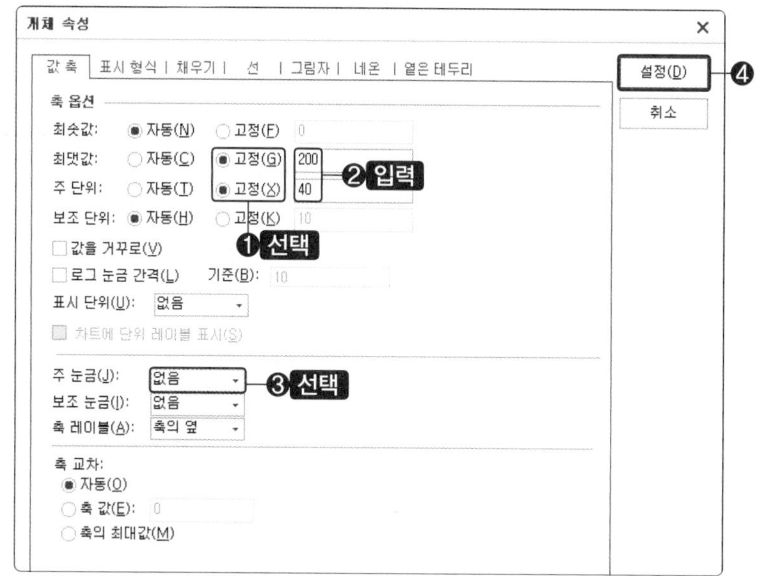

3 [X(항목) 축]을 **선택**한 후 바로가기 메뉴의 [축 속성]을 **클릭**합니다.

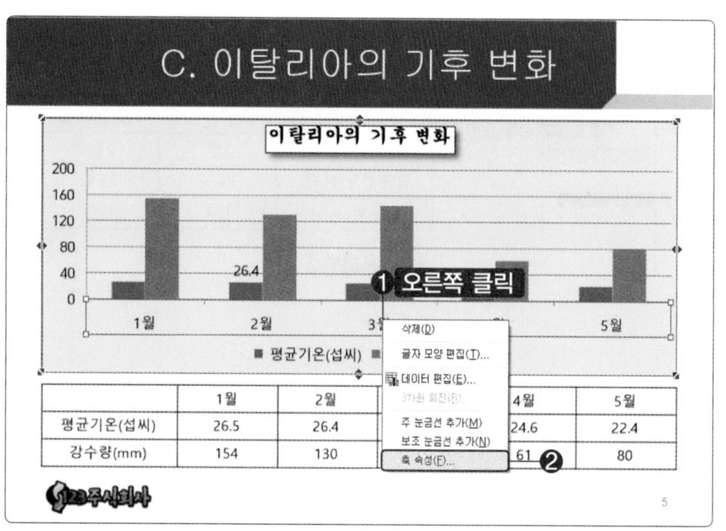

4 [개체 속성] 대화상자가 나타나면 **주 눈금(없음)을 선택**한 후 **[설정]을 클릭**합니다.

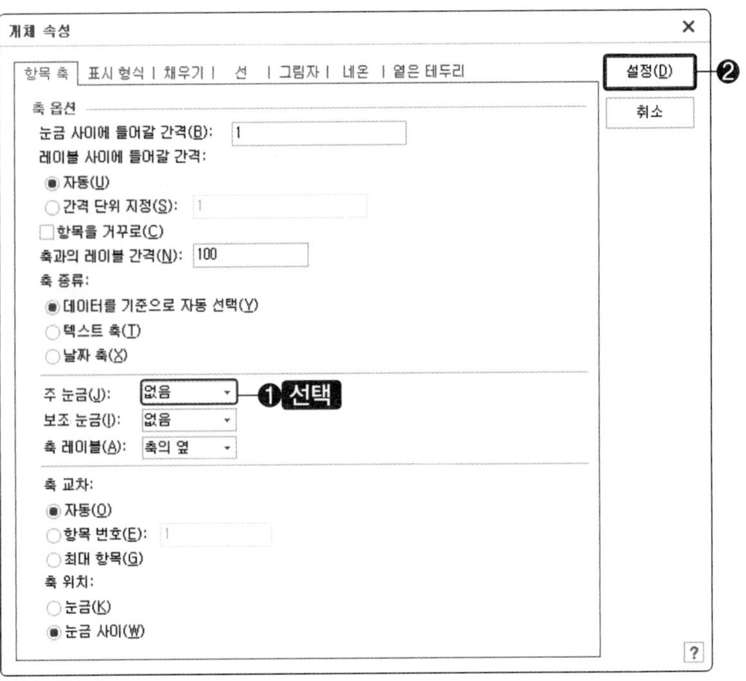

5 주 단위 눈금을 제거하기 위해 [차트 디자인] 정황 탭에서 **[차트 구성 추가]를 클릭**한 후 [눈금선]-**[주 가로]를 클릭**합니다.

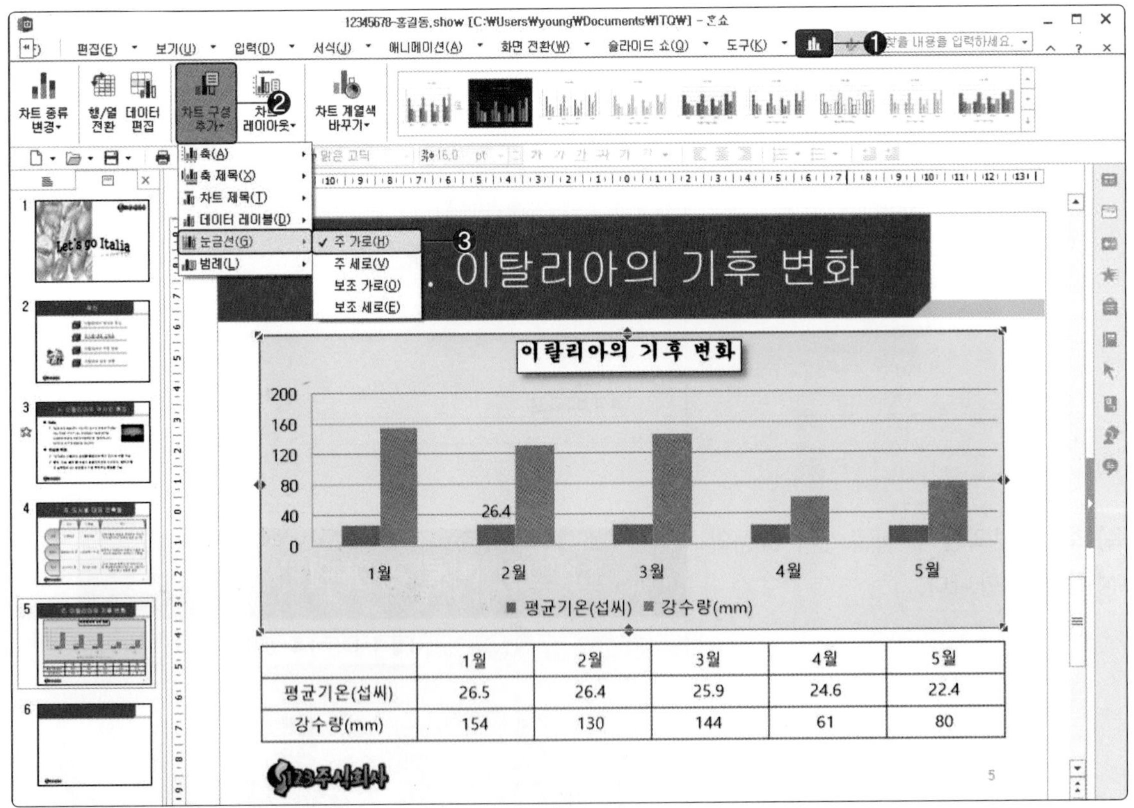

	1월	2월	3월	4월	5월
평균기온(섭씨)	26.5	26.4	25.9	24.6	22.4
강수량(mm)	154	130	144	61	80

STEP 09 도형 작성하기

1 도형을 작성하기 위해 [입력] 탭에서 [자세히]를 클릭한 후 [오각형]을 클릭합니다.

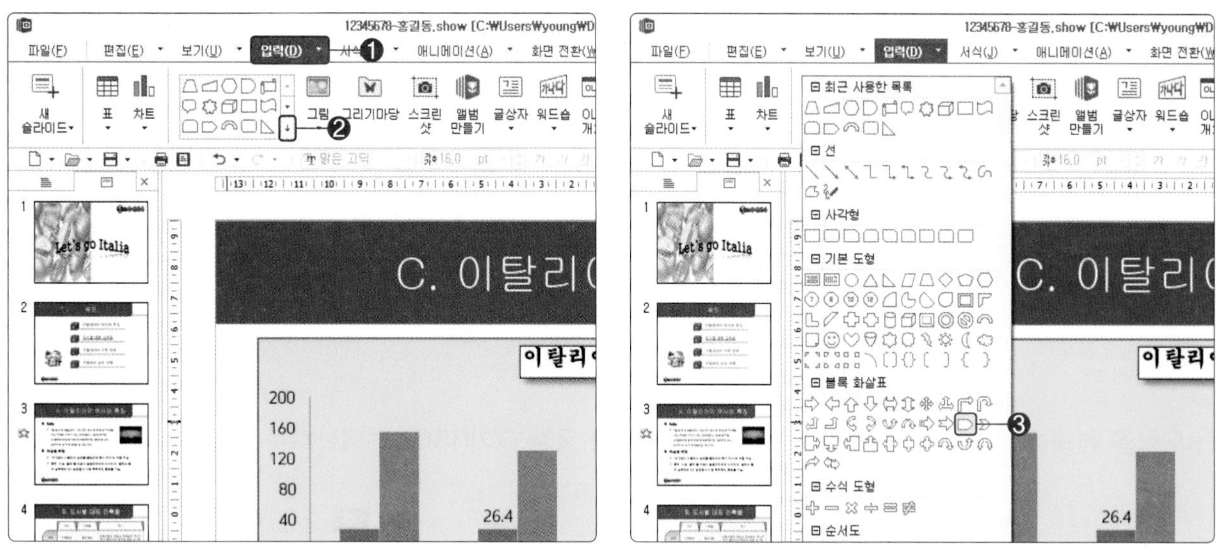

2 마우스 포인터 모양이 + 모양으로 변경되면 **드래그하여 도형을 작성**합니다.

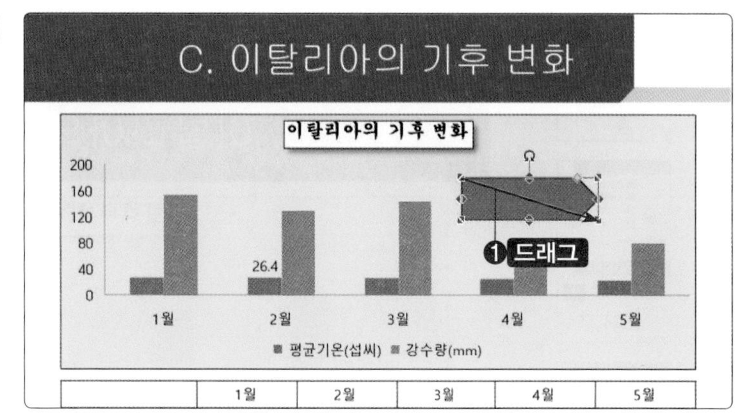

3 [도형] 정황 탭에서 [자세히]를 클릭한 후 [밝은 계열 – 강조 5]를 클릭합니다.

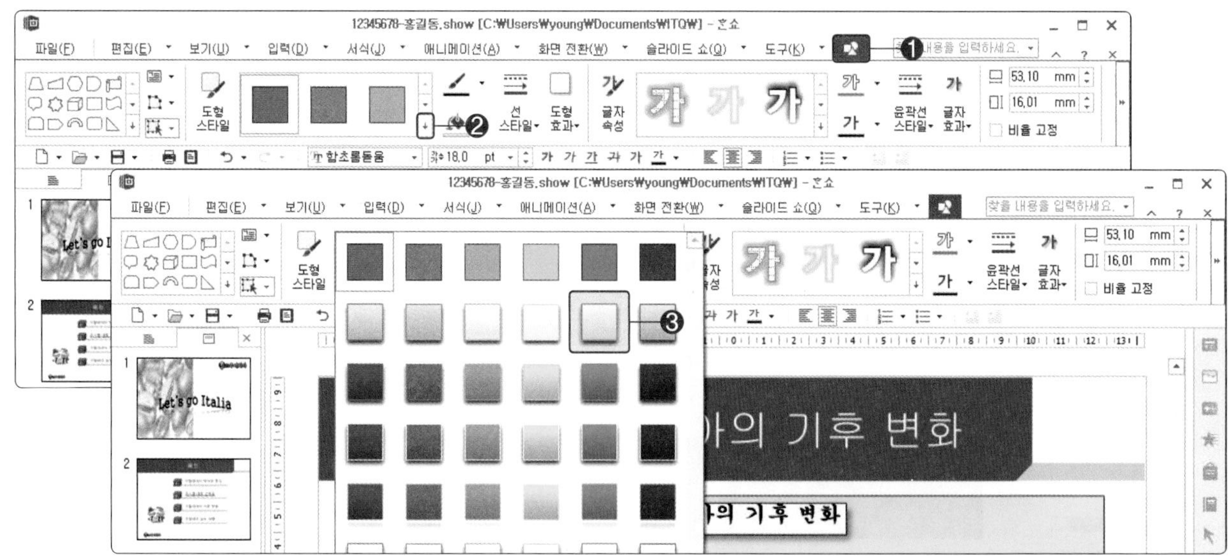

4 도형에 **텍스트(열대성 기후)를 입력**합니다.

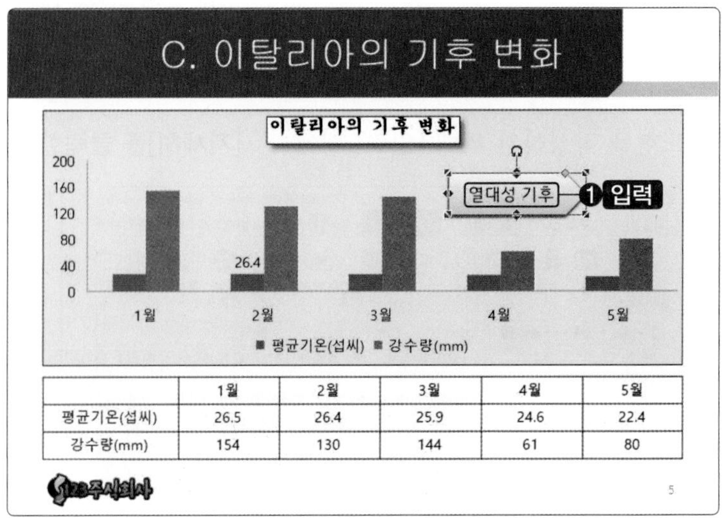

5 **도형을 선택**한 후 [서식] 도구 상자에서 **글꼴(굴림)과 글자 크기(18)를 선택**합니다.

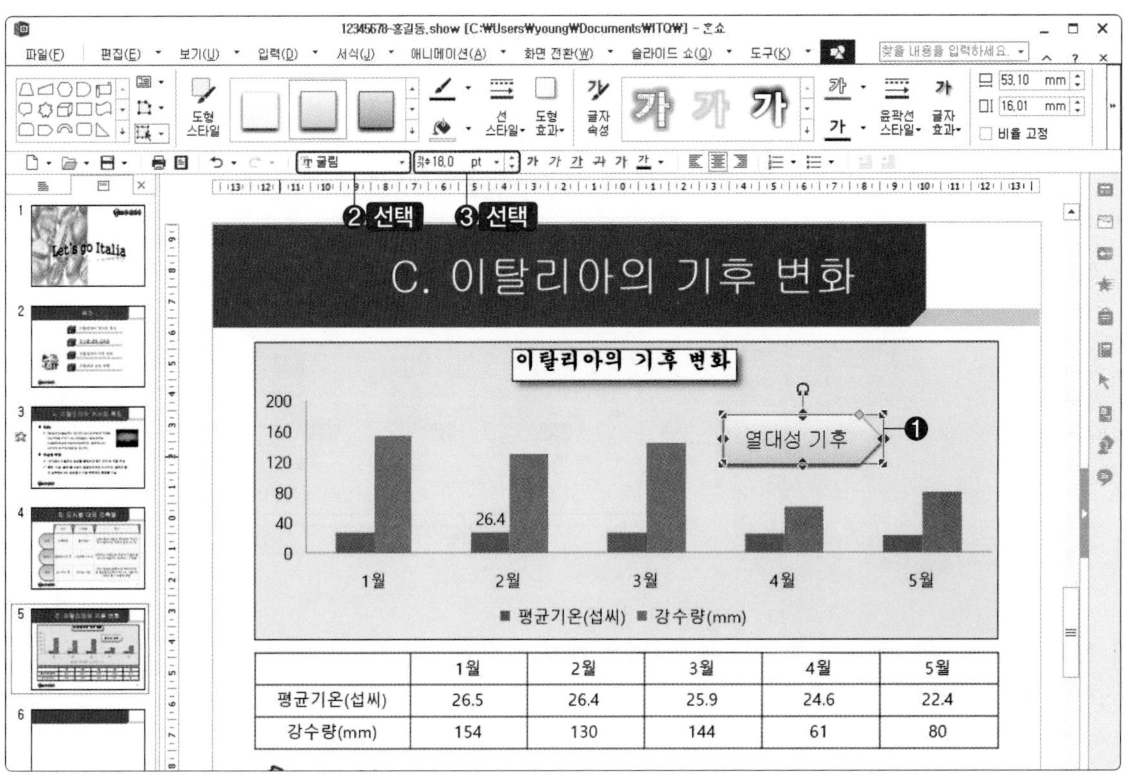

6 차트 슬라이드 작성이 완료되면 [서식] 도구 상자에서 **[저장하기]를 클릭**합니다.

실전문제유형

문제유형 001 차트 슬라이드

Ch06_문제유형001.show

(1) 차트 작성 기능을 이용하여 슬라이드를 작성한다.
(2) 차트 : 유형(묶은 세로 막대형), 글꼴(돋움, 16pt), 외곽선
(3) 표 : 차트 하단에 이미지와 같이 표 그리기

세부조건

※ 차트설명
- 차트제목 : 궁서, 20pt, 진하게, 채우기(하양), 테두리, 그림자(대각선 오른쪽 아래) 【그림자(2pt)】
- 범례 위치 : 오른쪽
- 전체 배경 : 채우기(노랑)
- 값 표시 : 수입 계열의 2019년 요소만

① 도형 편집
- 스타일 : 밝은 계열 – 강조 5
- 글꼴 : 굴림, 16pt

차트 레이블을 추가한 후 [개체 속성] 대화상자의 [표시 형식] 탭에서 구분(숫자)을 선택한 다음 소수 자릿수(0)를 입력하고 [설정]을 클릭합니다.

3. 화장품 산업 시장 현황

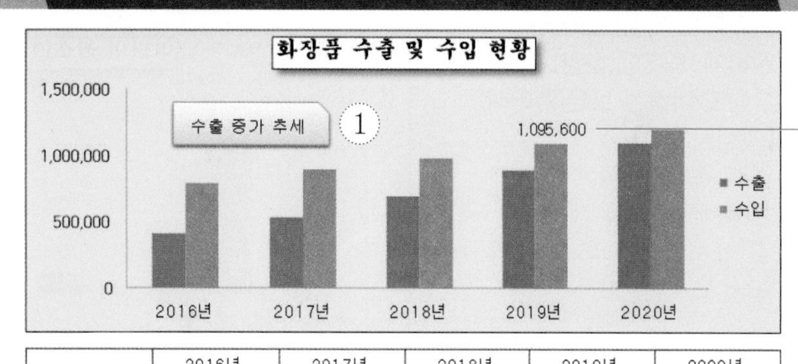

	2016년	2017년	2018년	2019년	2020년
수출	409,200	530,900	690,200	891,400	1,096,600
수입	793,700	896,500	984,000	1,095,600	1,207,800

5

문제유형 002 차트 슬라이드

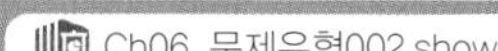

(1) 차트 작성 기능을 이용하여 슬라이드를 작성한다.
(2) 차트 : 유형(표식이 있는 꺾은선형), 글꼴(굴림, 16pt), 외곽선
(3) 표 : 차트 하단에 이미지와 같이 표 그리기

세부조건

※ 차트설명
- 차트제목 : 궁서, 20pt, 진하게, 채우기(하양), 테두리, 그림자(대각선 오른쪽 아래) 【그림자(2pt)】
- 범례 위치 : 오른쪽
- 전체 배경 : 채우기(노랑)
- 값 표시 : 신문사 계열

① 도형 편집
- 스타일 : 밝은 계열 – 강조 5
- 글꼴 : 돋움, 16pt

도형을 삽입한 후 [도형] 정황 탭에서 [자세히]를 클릭한 후 [밝은 계열 – 강조 5]를 클릭합니다.

C. 옴부즈맨제도 현황

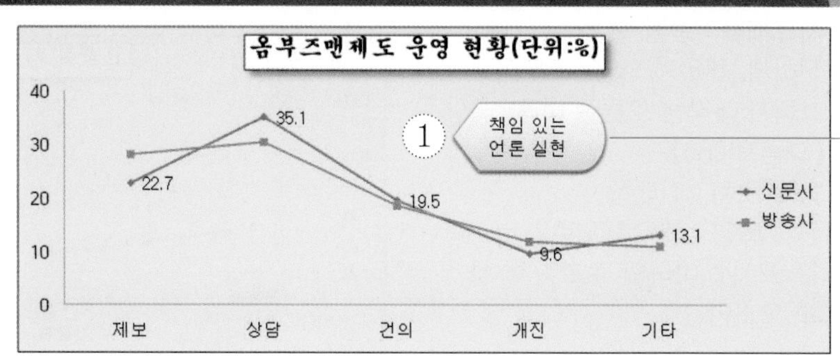

	제보	상담	건의	개진	기타
신문사	22.7	35.1	19.5	9.6	13.1
방송사	28.1	30.4	18.6	11.9	11.0

5

실전문제유형

문제유형 003 차트 슬라이드

Ch06_문제유형003.show

(1) 차트 작성 기능을 이용하여 슬라이드를 작성한다.
(2) 차트 : 유형(묶은 세로 막대형), 글꼴(굴림, 14pt), 외곽선
(3) 표 : 차트 하단에 이미지와 같이 표 그리기

세부조건

※ 차트설명
- 차트제목 : 굴림, 20pt, 진하게, 채우기(하양), 테두리, 그림자(대각선 오른쪽 아래) 【그림자(2pt)】
- 범례 위치 : 위쪽
- 전체 배경 : 채우기(노랑)
- 값 표시 : 인문과학 계열의 비도서 요소만

① 도형 편집
- 스타일 : 밝은 계열 – 강조 5
- 글꼴 : 돋움, 16pt

Y(값)축을 선택한 후 [개체 속성] 대화상자의 [표시 형식] 탭에서 구분(숫자)를 선택한 다음 소수 자릿수(0)를 입력하고 [설정]을 클릭합니다.

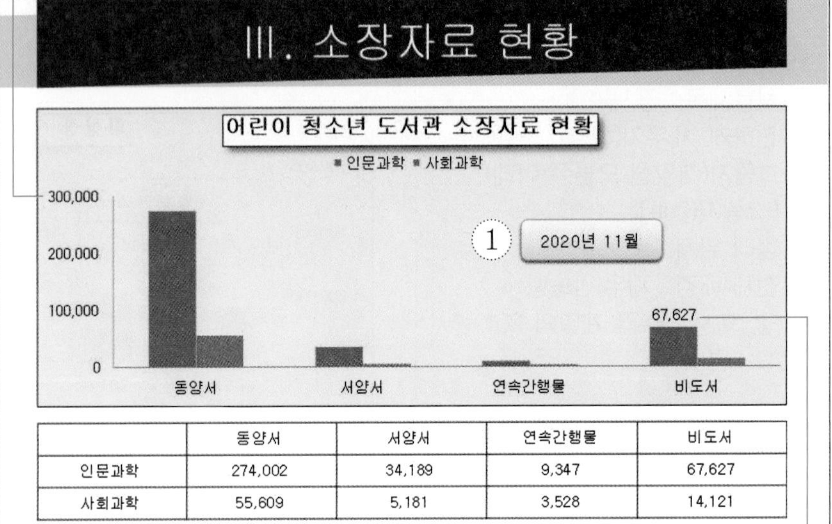

	동양서	서양서	연속간행물	비도서
인문과학	274,002	34,189	9,347	67,627
사회과학	55,609	5,181	3,528	14,121

레이블을 추가한 후 [개체 속성] 대화상자에서 비도서의 사회과학 요소만 남기고 [값]을 선택 해제합니다.

문제유형 004 차트 슬라이드

Ch06_문제유형004.show

(1) 차트 작성 기능을 이용하여 슬라이드를 작성한다.
(2) 차트 : 유형(표식이 있는 꺾은선형), 글꼴(굴림, 16pt), 외곽선
(3) 표 : 차트 하단에 이미지와 같이 표 그리기

세부조건

※ 차트설명
- 차트제목 : 굴림, 20pt, 진하게, 채우기(하양), 테두리, 그림자(대각선 오른쪽 아래) 【그림자(2pt)】
- 범례 위치 : 아래쪽
- 전체 배경 : 채우기(노랑)
- 값 표시 : 미국의 초고령화 사회 요소만

① 도형 편집
- 스타일 : 밝은 계열 – 강조 6
- 글꼴 : 돋움, 16pt

- 차트 제목에서 바로가기 메뉴의 [제목 편집]을 클릭합니다.
- [제목 편집] 대화상자에서 내용, 글꼴, 크기, 속성을 지정합니다.

3. 고령화 사회 진입 소요 연수

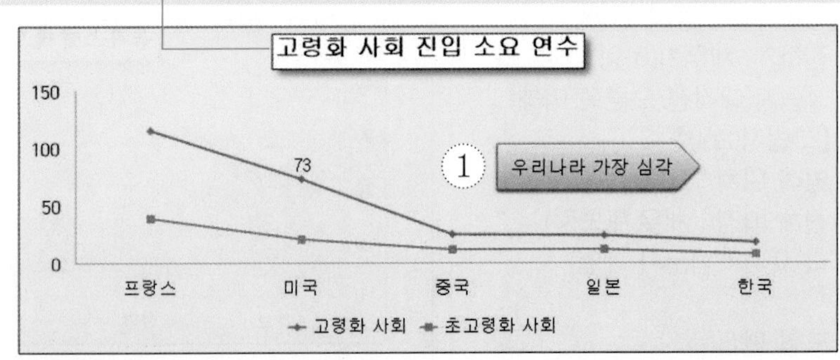

	프랑스	미국	중국	일본	한국
고령화 사회	115	73	25	24	18
초고령화 사회	39	21	12	12	8

123주식회사 5

실전문제유형

문제유형 005 차트 슬라이드

Ch06_문제유형005.show

(1) 차트 작성 기능을 이용하여 슬라이드를 작성한다.
(2) 차트 : 유형(묶은 세로 막대형), 글꼴(맑은 고딕, 16pt), 외곽선
(3) 표 : 차트 하단에 이미지와 같이 표 그리기

세부조건

※ 차트설명
- 차트제목 : 궁서, 20pt, 진하게, 채우기(하양), 테두리, 그림자(대각선 오른쪽 아래)【그림자(2pt)】
- 범례 위치 : 오른쪽
- 전체 배경 : 채우기(노랑)
- 값 표시 : 곡류 계열

① 도형 편집
- 스타일 : 밝은 계열 – 강조 5
- 글꼴 : 돋움, 16pt

3. 친환경 농산물 인증 현황

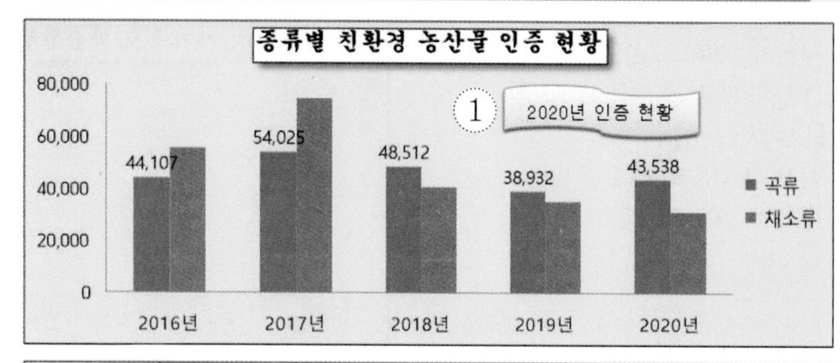

	2016년	2017년	2018년	2019년	2020년
곡류	44,107	54,025	48,512	38,932	43,538
채소류	55,685	74,750	40,623	35,219	31,278

5

문제유형 006 차트 슬라이드

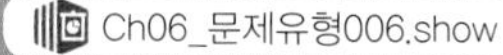
Ch06_문제유형006.show

(1) 차트 작성 기능을 이용하여 슬라이드를 작성한다.
(2) 차트 : 유형(묶은 세로 막대형), 글꼴(굴림, 16pt), 외곽선
(3) 표 : 차트 하단에 이미지와 같이 표 그리기

세부조건

※ 차트설명
- 차트제목 : 궁서, 20pt, 진하게, 채우기(하양), 테두리, 그림자(대각선 오른쪽 아래)【그림자(2pt)】
- 범례 위치 : 오른쪽
- 전체 배경 : 채우기(노랑)
- 값 표시 : 서울 계열의 2015년 요소만

① 도형 편집
- 스타일 : 밝은 계열 – 강조 5
- 글꼴 : 돋움, 16pt

iii. 연도별 현충원 참배객 현황

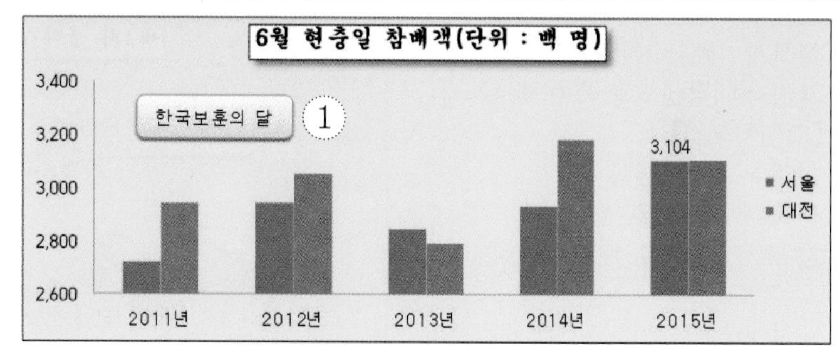

	2011년	2012년	2013년	2014년	2015년
서울	2,720	2,943	2,846	2,931	3,104
대전	2,943	3,053	2,793	3,183	3,107

5

실전문제유형

문제유형 007 차트 슬라이드

Ch06_문제유형007.show

(1) 차트 작성 기능을 이용하여 슬라이드를 작성한다.
(2) 차트 : 유형(표식이 있는 꺾은선형), 글꼴(굴림, 16pt), 외곽선
(3) 표 : 차트 하단에 이미지와 같이 표 그리기

세부조건

※ 차트설명
- 차트제목 : 궁서, 20pt, 진하게, 채우기(하양), 테두리, 그림자(대각선 오른쪽 아래) 【그림자(2pt)】
- 범례 위치 : 오른쪽
- 전체 배경 : 채우기(노랑)
- 값 표시 : 2019학년도 계열

① 도형 편집
- 스타일 : 밝은 계열 – 강조 5
- 글꼴 : 굴림, 16pt

C. 자기주도 학습전형 시행 학교 현황

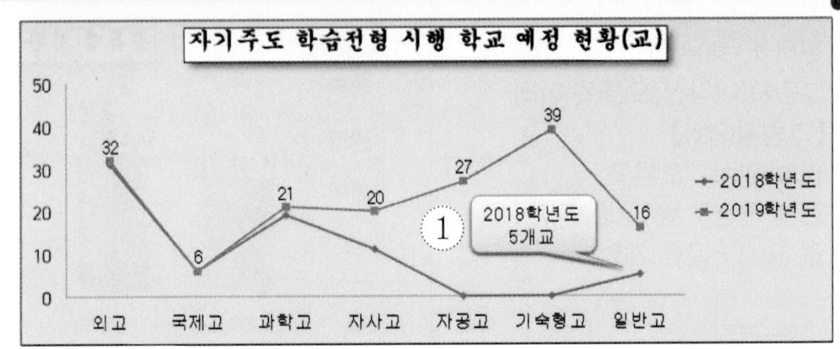

	외고	국제고	과학고	자사고	자공고	기숙형고	일반고
2018학년도	31	6	19	11	0	0	5
2019학년도	32	6	21	20	27	39	16

123주식회사 5

문제유형 008 차트 슬라이드

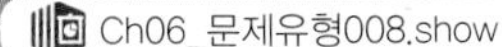
Ch06_문제유형008.show

(1) 차트 작성 기능을 이용하여 슬라이드를 작성한다.
(2) 차트 : 유형(묶은 세로 막대형), 글꼴(맑은 고딕, 16pt), 외곽선
(3) 표 : 차트 하단에 이미지와 같이 표 그리기

세부조건

※ 차트설명
- 차트제목 : 궁서, 20pt, 진하게, 채우기(하양), 테두리, 그림자(대각선 오른쪽 아래) 【그림자(2pt)】
- 범례 위치 : 오른쪽
- 전체 배경 : 채우기(노랑)
- 값 표시 : 업체수 계열

① 도형 편집
- 스타일 : 밝은 계열 – 강조 5
- 글꼴 : 돋움, 18pt

Ⅲ. 클라우드 컴퓨팅 발전 계획

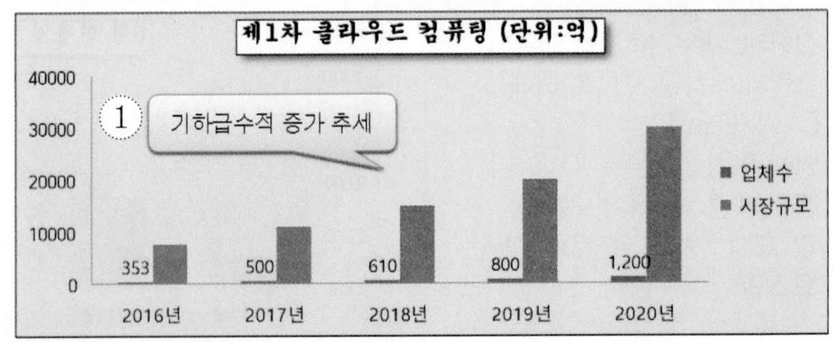

	2016년	2017년	2018년	2019년	2020년
업체수	353	500	610	800	1,200
시장규모	7,664	11,000	15,000	20,000	30,000

ABC주식회사 5

실전문제유형

문제유형 009 차트 슬라이드

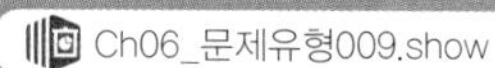

(1) 차트 작성 기능을 이용하여 슬라이드를 작성한다.
(2) 차트 : 유형(표식이 있는 꺾은선형), 글꼴(굴림, 16pt), 외곽선
(3) 표 : 차트 하단에 이미지와 같이 표 그리기

세부조건

※ 차트설명
- 차트제목 : 궁서, 20pt, 진하게, 채우기(하양), 테두리, 그림자(대각선 오른쪽 아래) 【그림자(2pt)】
- 범례 위치 : 아래쪽
- 전체 배경 : 채우기(노랑)
- 값 표시 : 카페인 함량(mg) 계열의 캔콜라 요소만

① 도형 편집
- 스타일 : 밝은 계열 – 강조 5
- 글꼴 : 돋움, 18pt

c. 음료별 카페인 함유량

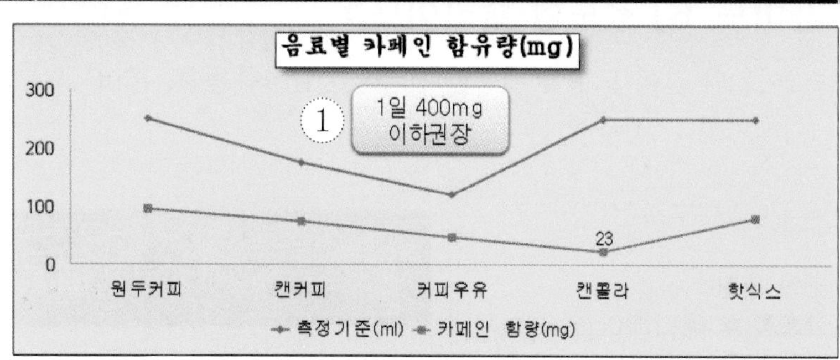

	원두커피	캔커피	커피우유	캔콜라	핫식스
측정기준(ml)	250	175	120	250	250
카페인 함량(mg)	95	74	47	23	80

5

문제유형 010 차트 슬라이드

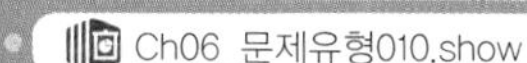

(1) 차트 작성 기능을 이용하여 슬라이드를 작성한다.
(2) 차트 : 유형(묶은 세로 막대형), 글꼴(돋움, 16pt), 외곽선
(3) 표 : 차트 하단에 이미지와 같이 표 그리기

세부조건

※ 차트설명
- 차트제목 : 궁서, 20pt, 진하게, 채우기(하양), 테두리, 그림자(대각선 오른쪽 아래) 【그림자(2pt)】
- 범례 위치 : 아래쪽
- 전체 배경 : 채우기(노랑)
- 값 표시 : 업체수 계열

① 도형 편집
- 스타일 : 밝은 계열 – 강조 5
- 글꼴 : 돋움, 16pt

iii. 펀드 관련 자격시험 응시 현황

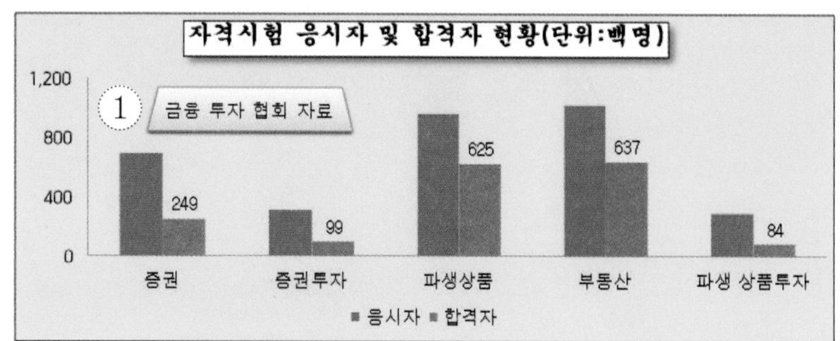

	증권	증권투자	파생상품	부동산	파생상품투자
응시자	689	310	959	1,019	291
합격자	249	99	625	637	84

123주식회사

5

도형 슬라이드

도형 슬라이드에서는 앞에서 공부한 다양한 기능을 이용하여 도형을 삽입하고 수정하는 방법과 개체의 그룹 지정 및 애니메이션 효과를 지정하는 문제가 출제됩니다. 도형 작성은 시간이 많이 소요되므로 반복해서 연습하는 것이 좋습니다.

[슬라이드 6] ≪도형 슬라이드≫ (100점)

(1) 슬라이드와 같이 도형을 배치한다(글꼴 : 함초롬돋움, 18pt).

(2) 애니메이션 : ① ⇒ ②

세부조건

① 도형 편집 :
- 그룹화 후 애니메이션 효과 : 밝기 변화

② 도형 편집 :
- 그룹화 후 애니메이션 효과 : 날아오기(아래로)

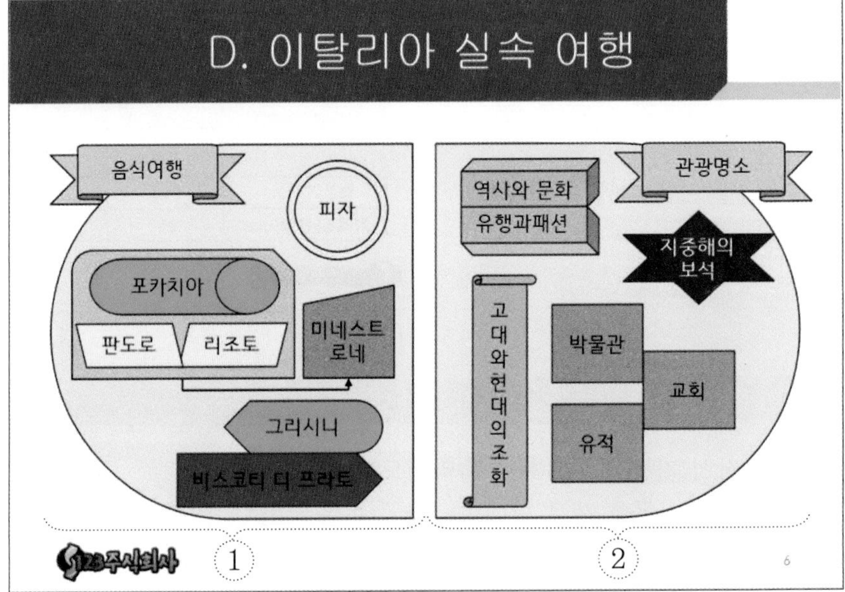

작업순서요약

① 도형을 작성한 후 채우기 색 및 글자/문단 모양을 지정합니다.
② 도형을 그룹화한 후 애니메이션을 지정합니다.

STEP 01 도형 작성하기

Chapter07.show

1 6번 **슬라이드를 선택**한 후 **슬라이드 제목(D. 이탈리아 실속 여행)을 입력**한 다음 **내용 개체를 선택**하고 Delete**를 눌러 삭제**합니다.

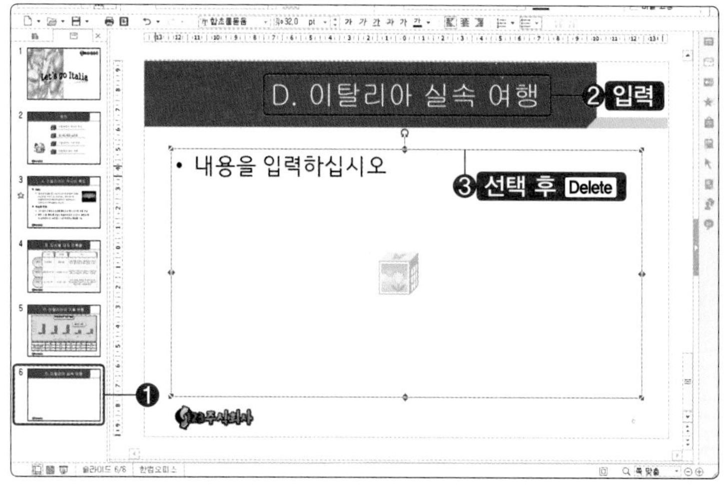

2 도형을 작성하기 위해 [입력] 탭에서 **[자세히]를 클릭**한 후 **[순서도: 지연]을 클릭**합니다.

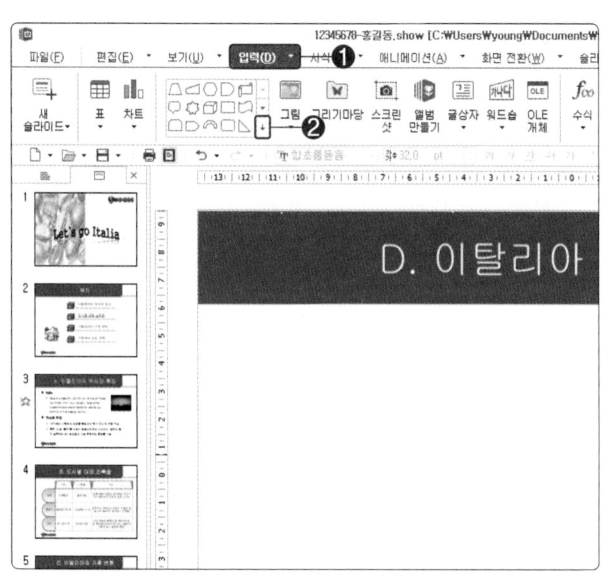

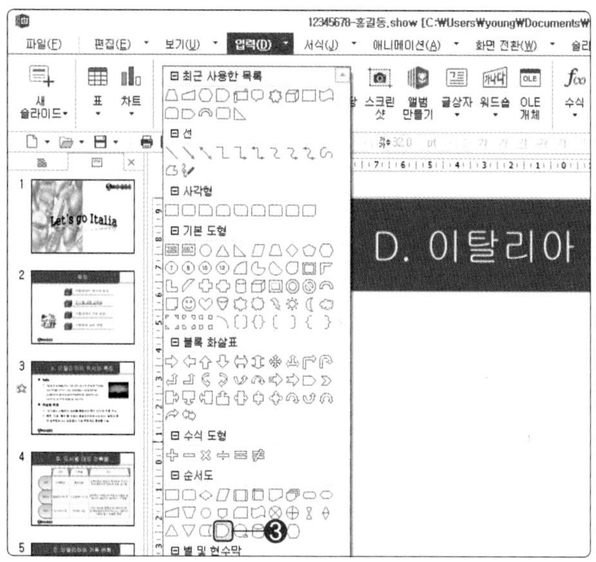

3 마우스 포인터 모양이 + 모양으로 변경되면 **드래그하여 도형을 작성**합니다.

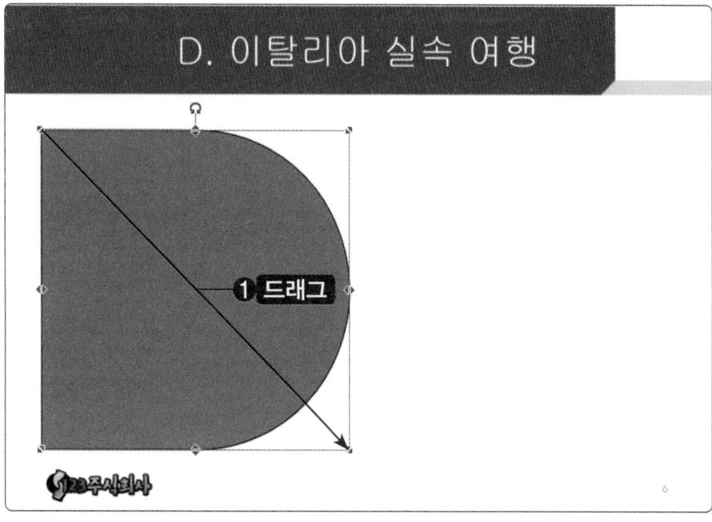

4 [도형] 정황 탭에서 **[채우기 색]**의 ▾**[목록] 단추를 클릭**한 후 **임의의 색을 지정**합니다.

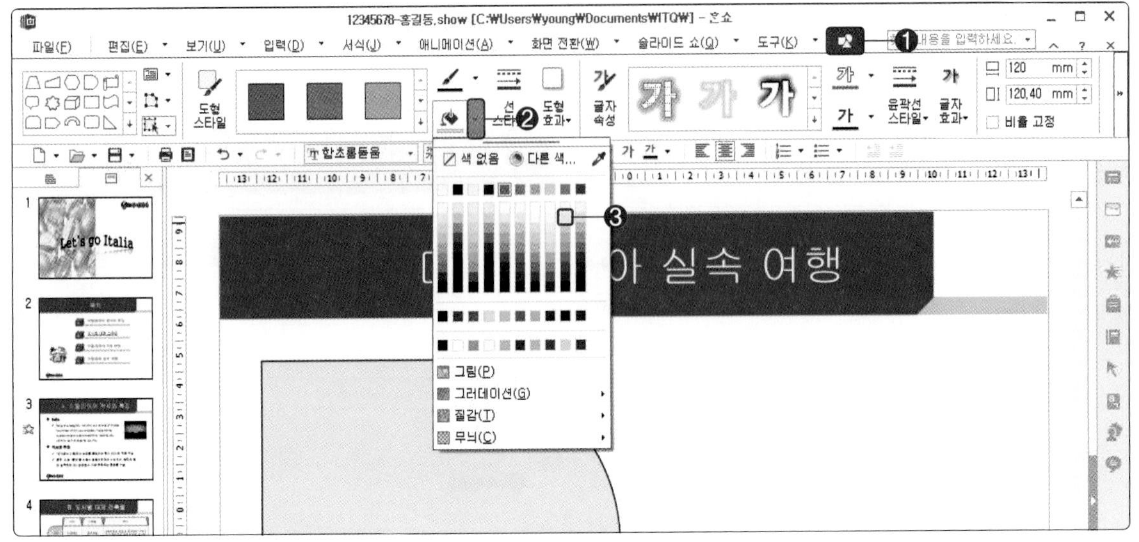

5 도형을 선택한 후 Ctrl과 Shift를 누른 **상태에서 드래그하여 도형을 복사**합니다. 그런다음 **왼쪽 도형을 선택**한 후 [도형] 정황 탭에서 **[회전]을 클릭**한 후 **[좌우 대칭]을 클릭**합니다.

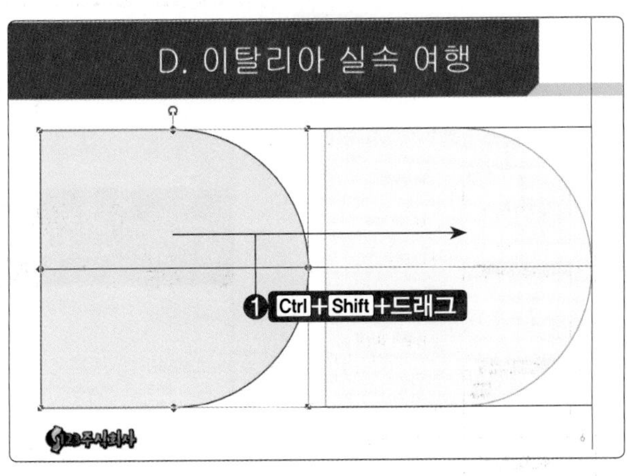

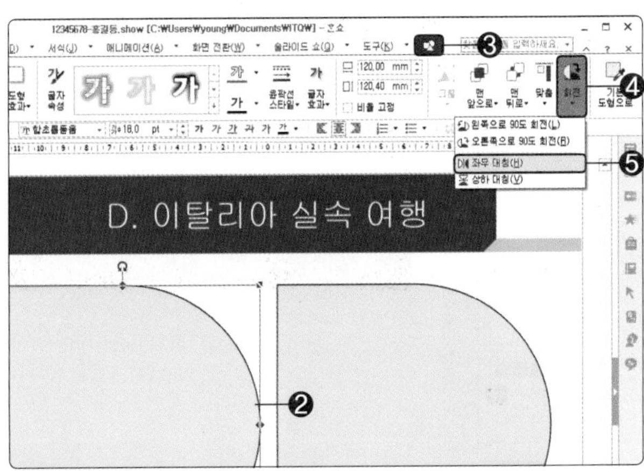

6 같은 방법으로 출력형태와 같이 **도형을 작성**한 후 **임의의 색을 지정**합니다.

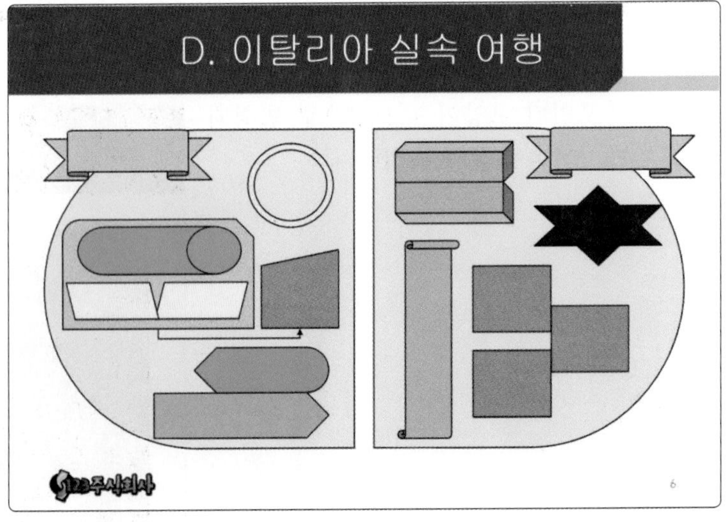

7 **선 굵기를 지정할 도형을 선택**한 후 [도형] 정황 탭에서 **[선 스타일]을 클릭**한 다음 [선 굵기]-**[3 pt]를 클릭**합니다.

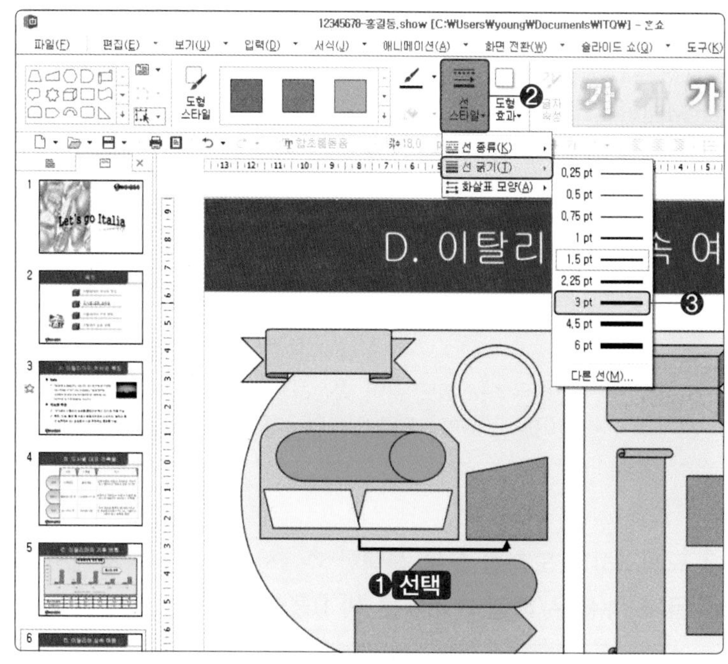

8 각각의 도형에 **텍스트 입력**합니다.

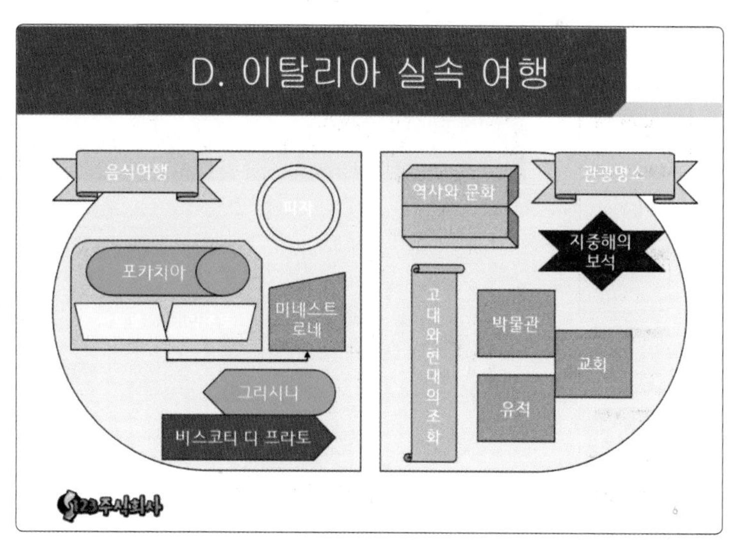

9 [입력] 탭에서 **[글상자]를 클릭**한 후 드래그하여 글상자를 삽입합니다.

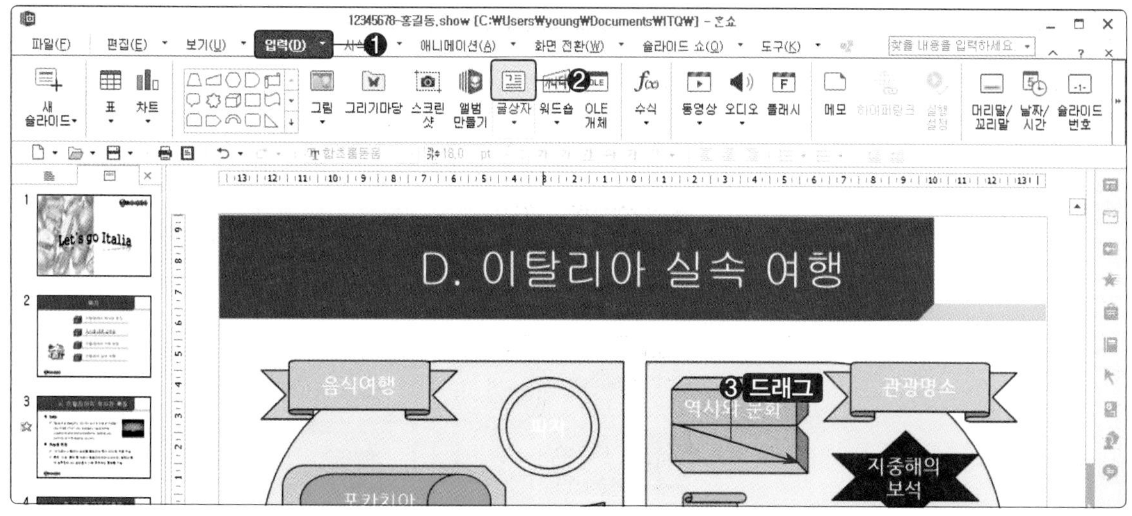

10 글상자가 삽입되면 **텍스트를 입력**한 후 [서식] 도구 상자에서 **[가운데 정렬]을 선택**합니다.

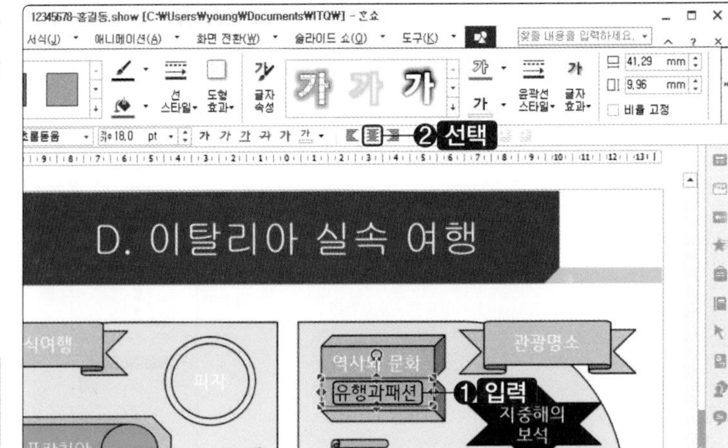

Tip

도형을 회전할 경우 텍스트도 같이 회전하기 때문에 글상자를 이용하여 텍스트를 입력합니다.

11 드래그하여 도형을 모두 선택한 후 [서식] 도구 상자에서 **글꼴(함초롬돋움)과 글자 크기(18)를 선택**한 다음 **글자 색(본문/배경 – 어두운 색 1)을 선택**합니다.

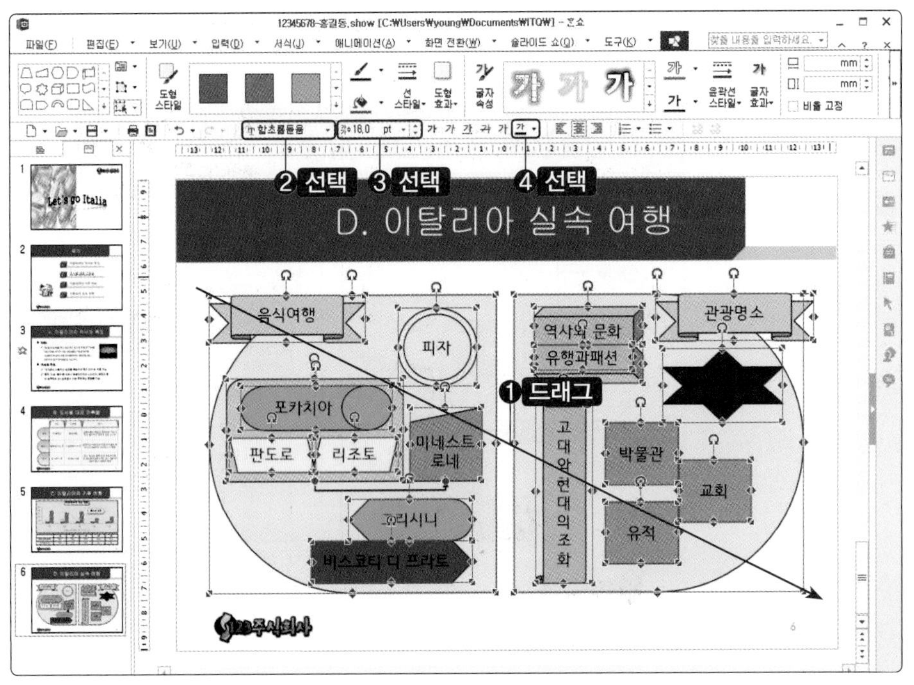

12 포인트가 6개인 별 도형을 선택한 후 [서식] 도구 상자에서 **글자 색(본문/배경 – 밝은 색 1)을 선택**합니다.

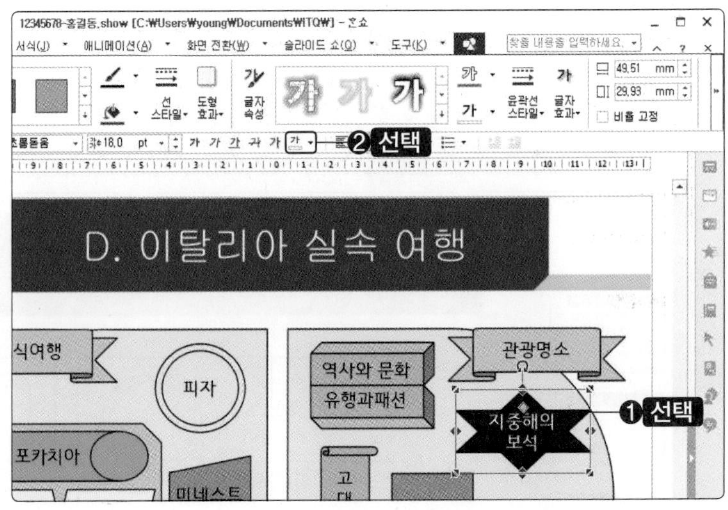

STEP 02 애니메이션 지정하기

1 **드래그하여 왼쪽 도형을 모두 선택**한 후 바로가기 메뉴의 [그룹화]-**[개체 묶기]를 클릭**합니다.

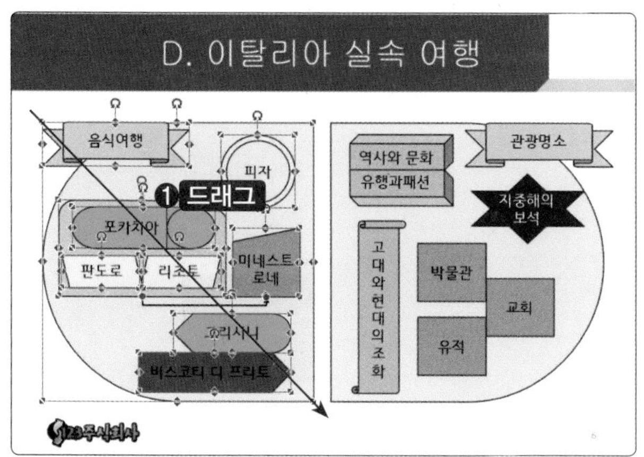

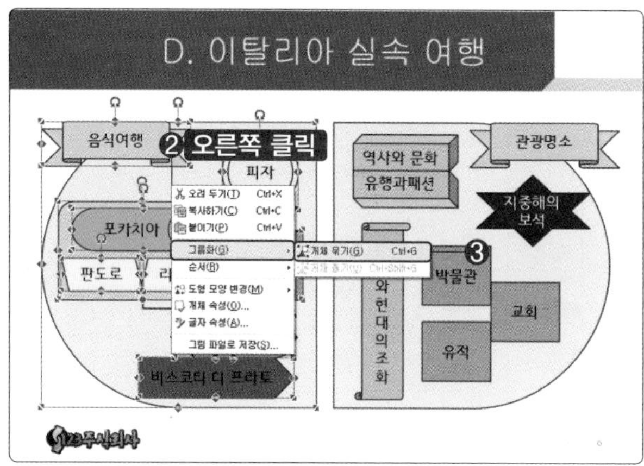

2 같은 방법으로 **오른쪽 도형을 그룹화**합니다.

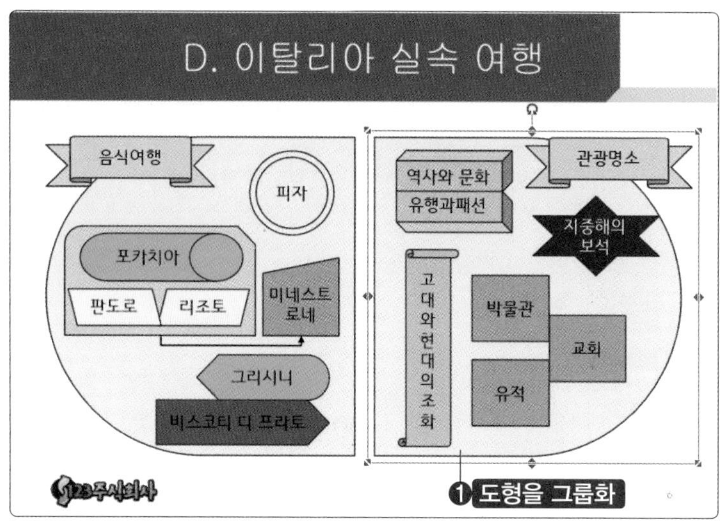

3 애니메이션을 지정하기 위해 **왼쪽 그룹화 도형을 선택**합니다.

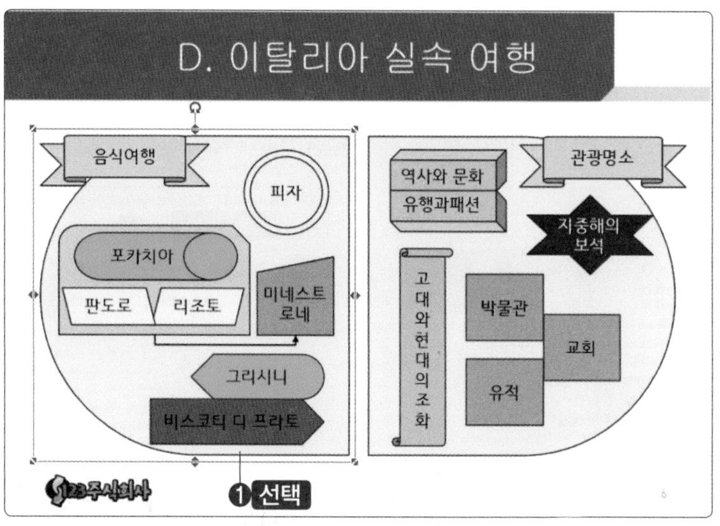

4 [애니메이션] 탭에서 [자세히]를 클릭한 다음 [밝기 변화]를 클릭합니다.

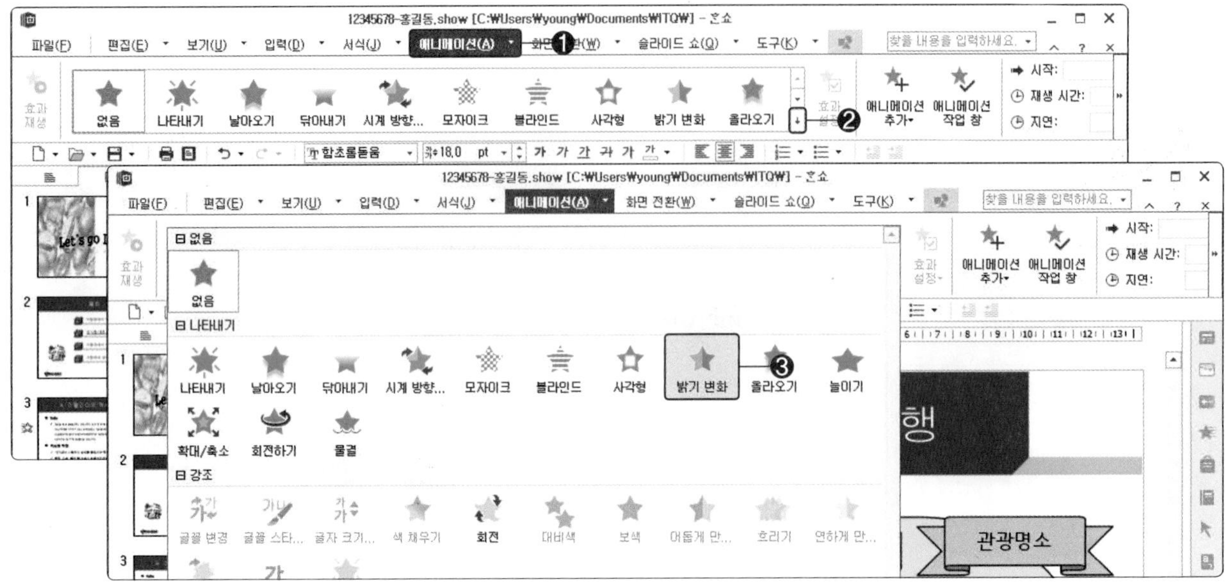

5 오른쪽 그룹화 도형을 선택한 후 [애니메이션] 탭에서 [자세히]를 클릭한 후 [날아오기]를 클릭합니다.

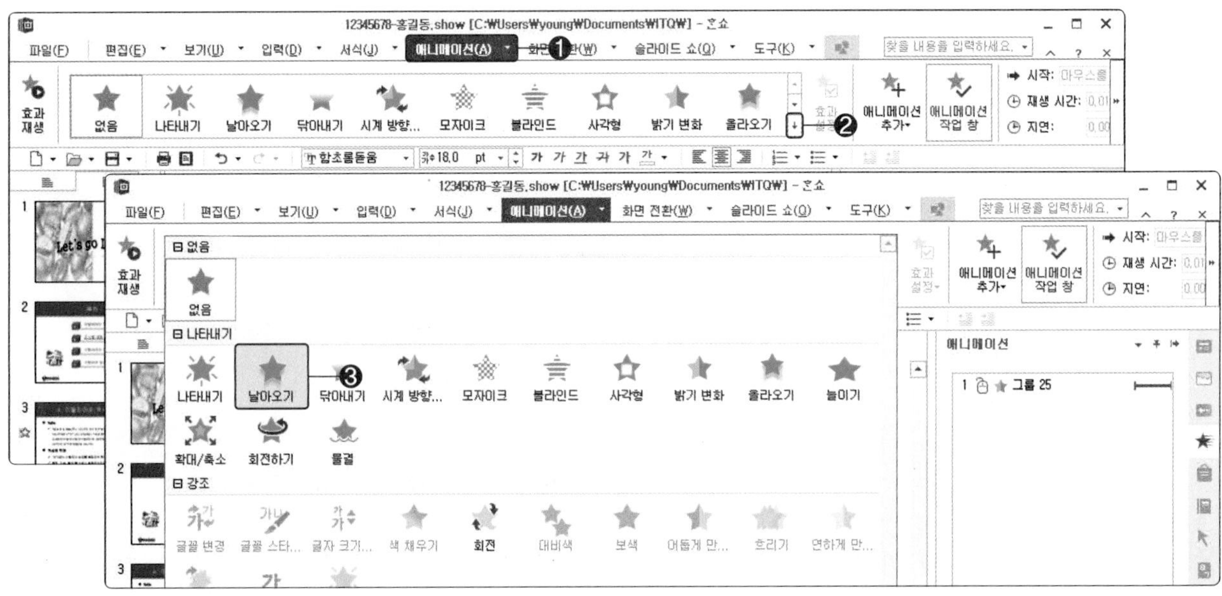

6 날아오기 애니메이션이 지정되면 [애니메이션] 탭에서 **[효과 설정]을 클릭**한 후 **[아래로]를 클릭**합니다.

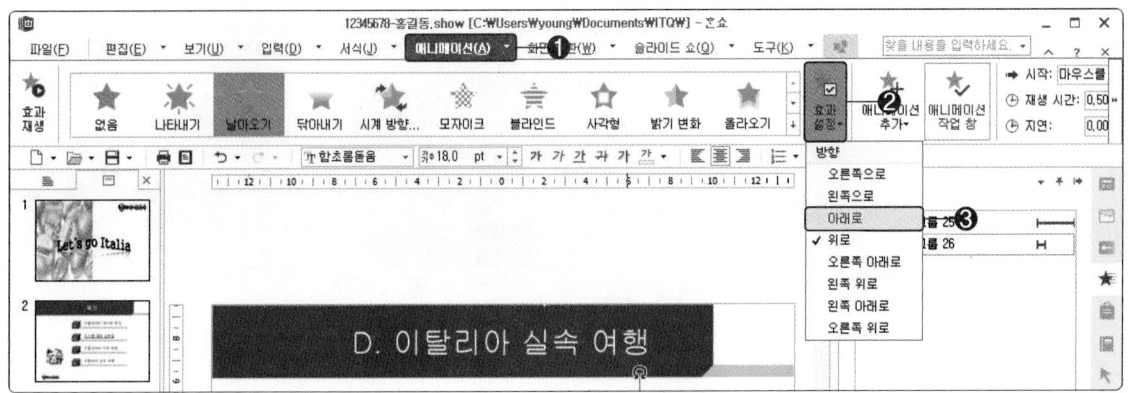

7 모든 슬라이드 작성이 완료되면 [서식] 도구 상자에서 **[저장하기]를 클릭**합니다.

Tip

[파일] 탭-[저장하기]를 클릭하거나 Ctrl+S를 눌러 답안을 저장할 수도 있습니다.

8 답안을 전송하기 위해 KOAS수험자용 프로그램에서 **[답안 전송] 단추를 클릭**합니다.

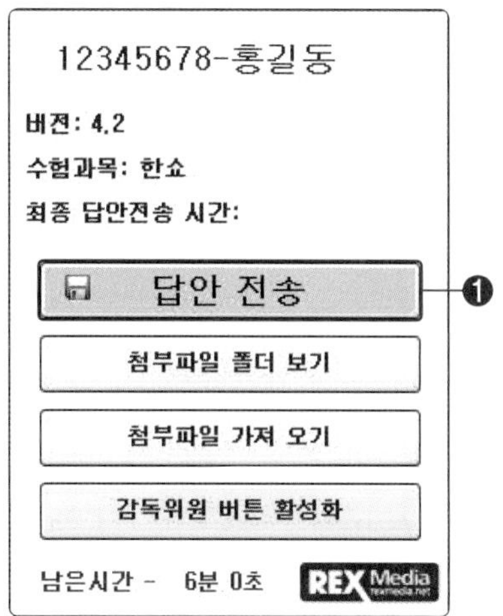

9 지금 전송할 것인지 묻는 대화상자가 나타나면 **[예] 단추를 클릭**합니다.

10 [답안전송] 대화상자가 나타나면 **파일 목록(12345678-홍길동.show)과 존재(있음)를 확인**한 후 **[답안전송] 단추를 클릭**합니다.

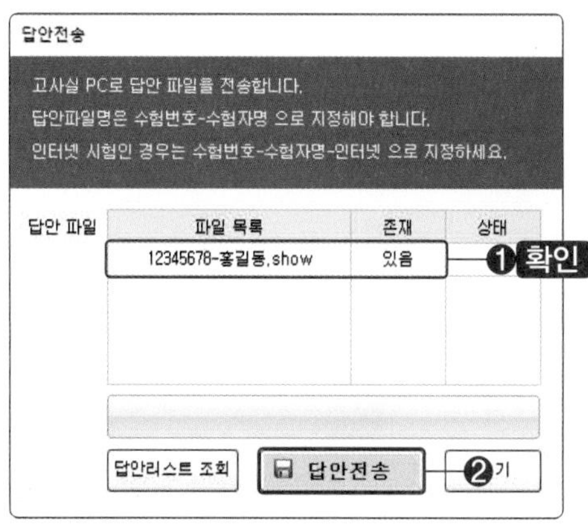

11 답안파일 전송을 성공하였다는 메시지가 나타나면 **[확인] 단추를 클릭**합니다.

12 [답안전송] 대화상자가 다시 나타나면 **[상태]에 '성공'이 표시되는지 확인**한 후 **[닫기] 단추를 클릭**합니다.

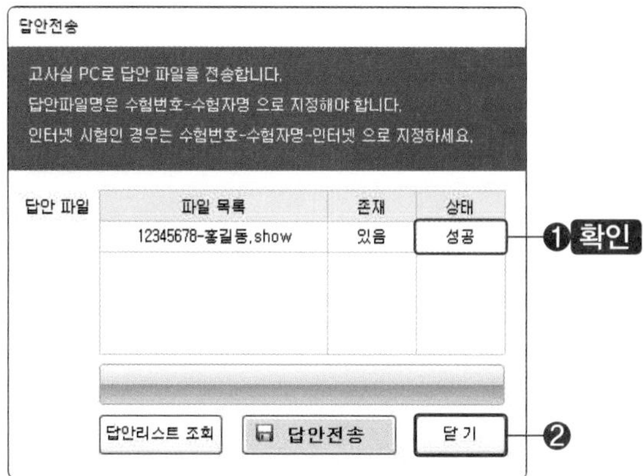

실전문제유형

문제유형 001 도형 슬라이드

Ch07_문제유형001.show

(1) 슬라이드와 같이 도형을 배치한다(글꼴 : 굴림, 18pt).

(2) 애니메이션 : ① ⇒ ②

도형을 모두 선택한 후 [서식] 도구 상자에서 글꼴 및 글자 크기를 지정합니다.

세부조건

① 도형 편집 :
- 그룹화 후 애니메이션 효과 : 실선 무늬(세로)

② 도형 편집 :
- 그룹화 후 애니메이션 효과 : 시계 방향 회전

도형에 텍스트를 입력하면 텍스트가 회전되므로 글상자를 이용하여 텍스트를 입력합니다.

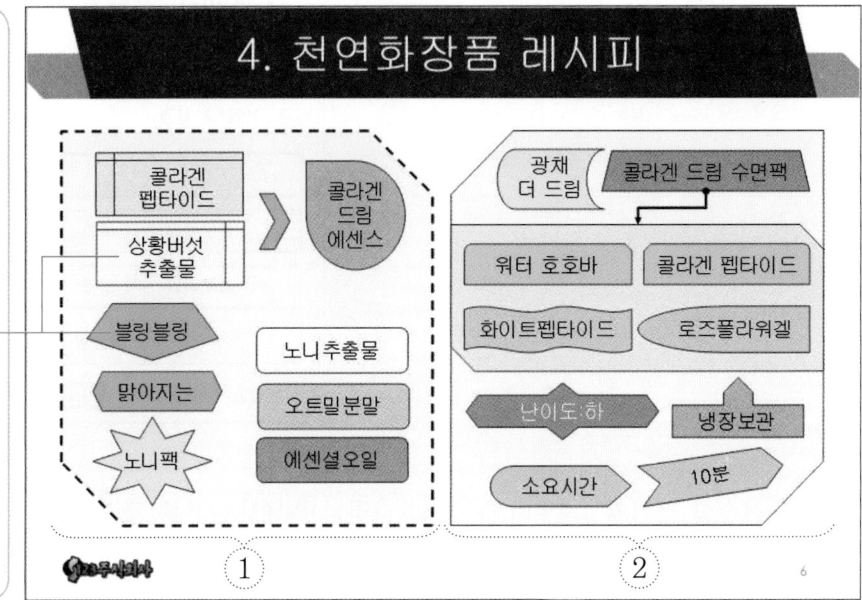

문제유형 002 도형 슬라이드

Ch07_문제유형002.show

(1) 슬라이드와 같이 도형을 배치한다(글꼴 : 굴림, 18pt).

(2) 애니메이션 : ① ⇒ ②

세부조건

① 도형 편집 :
- 그룹화 후 애니메이션 효과 : 날아오기(오른쪽으로)

② 도형 편집 :
- 그룹화 후 애니메이션 효과 : 블라인드(세로)

도형의 채우기 색은 채점하지 않기 때문에 기본 색 또는 임의의 색을 지정합니다.

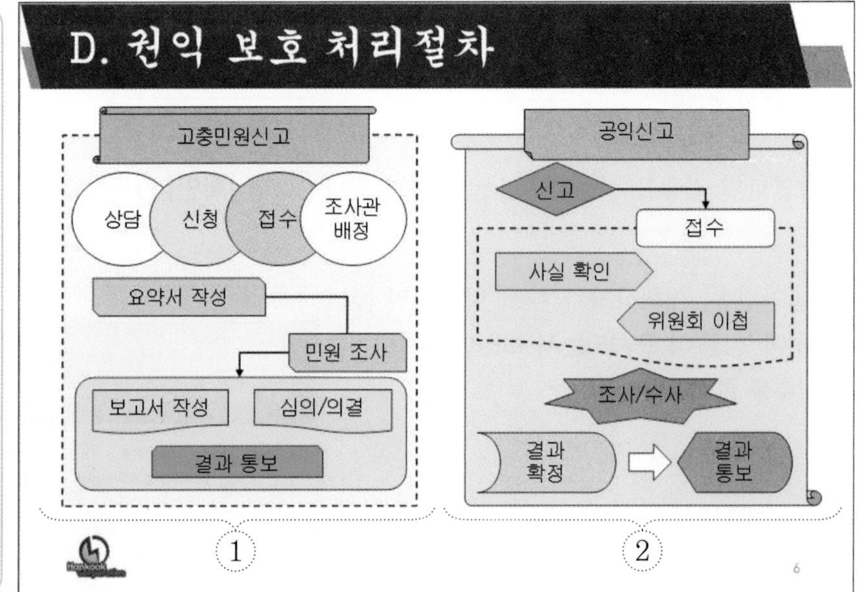

실전문제유형

문제유형 003 도형 슬라이드

(1) 슬라이드와 같이 도형을 배치한다(글꼴 : 돋움, 18pt).
(2) 애니메이션 : ① ⇒ ②

세부조건

① 도형 편집 :
- 그룹화 후 애니메이션 효과 : 날아오기(왼쪽으로)

② 도형 편집 :
- 그룹화 후 애니메이션 효과 : 블라인드(세로)

그룹화 도형을 선택한 후 [애니메이션] 탭에서 [자세히]를 클릭한 후 애니메이션을 선택합니다.

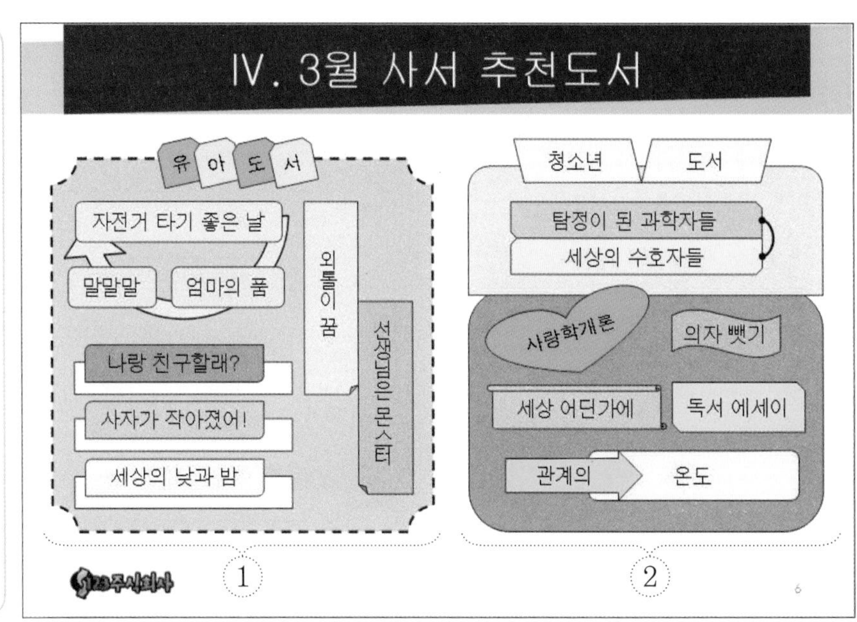

문제유형 004 도형 슬라이드

Ch07_문제유형004.show

(1) 슬라이드와 같이 도형을 배치한다(글꼴 : 굴림, 18pt).
(2) 애니메이션 : ① ⇒ ②

세부조건

① 도형 편집 :
- 그룹화 후 애니메이션 효과 : 모자이크(세로)

② 도형 편집 :
- 그룹화 후 애니메이션 효과 : 밝기 변화

4. 고령화 사회

노인 문제와 해결 방안

노인문제

빈곤

질병

외로움

해결방안

정년 연장

국민 연금

노인 시설 확충

요양 보험

출산율 증가 정책

고령화 사회의 노인 건강

빈곤

요양보험 건강관리

취업 연금

핵가족 소모임

관계

건강

출산율

1

2

실전문제유형

문제유형 005 도형 슬라이드

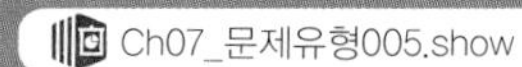

Ch07_문제유형005.show

(1) 슬라이드와 같이 도형을 배치한다(글꼴 : 맑은 고딕, 18pt).
(2) 애니메이션 : ① ⇒ ②

세부조건

① 도형 편집 :
- 그룹화 후 애니메이션 효과 : 닦아내기(아래로)

② 도형 편집 :
- 그룹화 후 애니메이션 효과 : 물결(아래로)

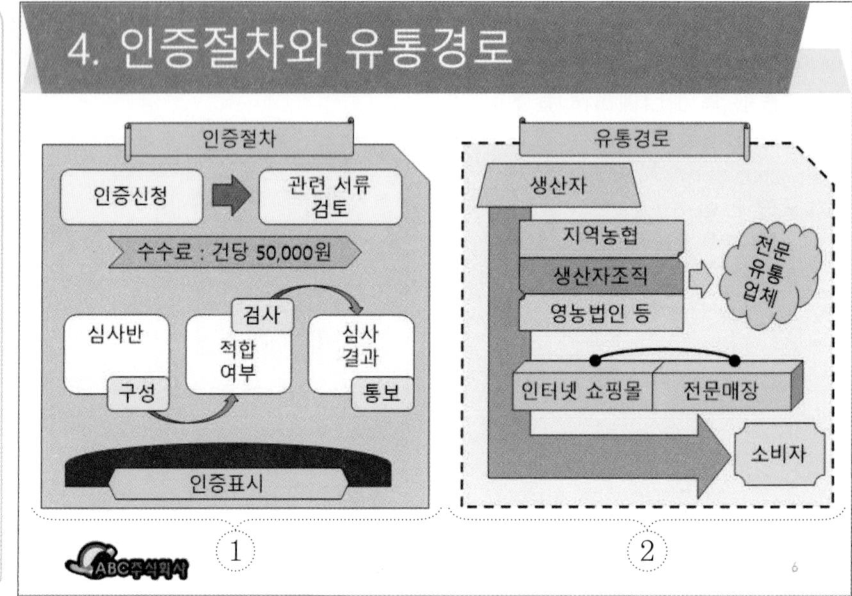

문제유형 006 도형 슬라이드

Ch07_문제유형006.show

(1) 슬라이드와 같이 도형을 배치한다(글꼴 : 굴림, 18pt).
(2) 애니메이션 : ① ⇒ ②

세부조건

① 도형 편집 :
- 그룹화 후 애니메이션 효과 : 날아오기(아래로)

② 도형 편집 :
- 그룹화 후 애니메이션 효과 : 블라인드(세로)

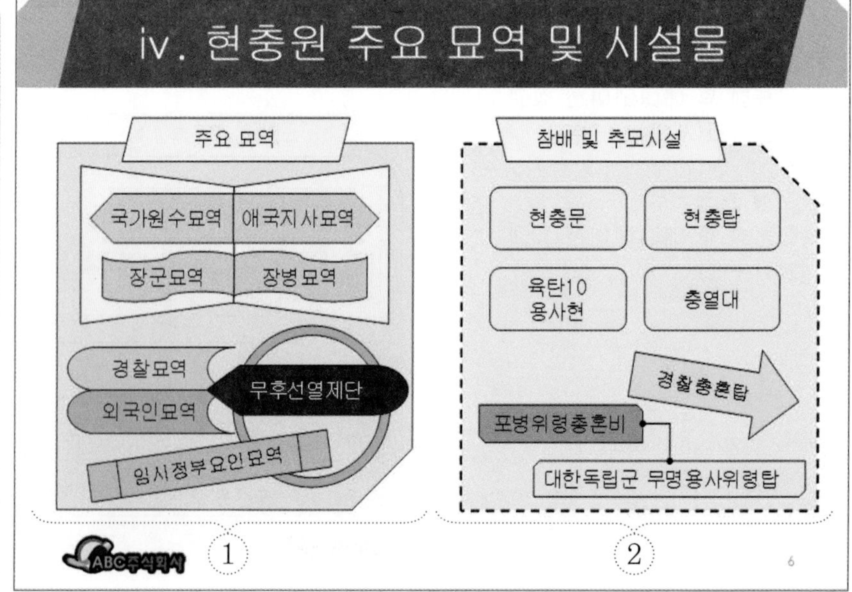

실전문제유형

문제유형 007 도형 슬라이드

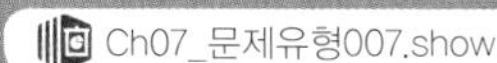

(1) 슬라이드와 같이 도형을 배치한다(글꼴 : 굴림, 18pt).
(2) 애니메이션 : ① ⇒ ②

세부조건

① 도형 편집 :
- 그룹화 후 애니메이션 효과 : 시계 방향 회전

② 도형 편집 :
- 그룹화 후 애니메이션 효과 : 닦아내기(아래로)

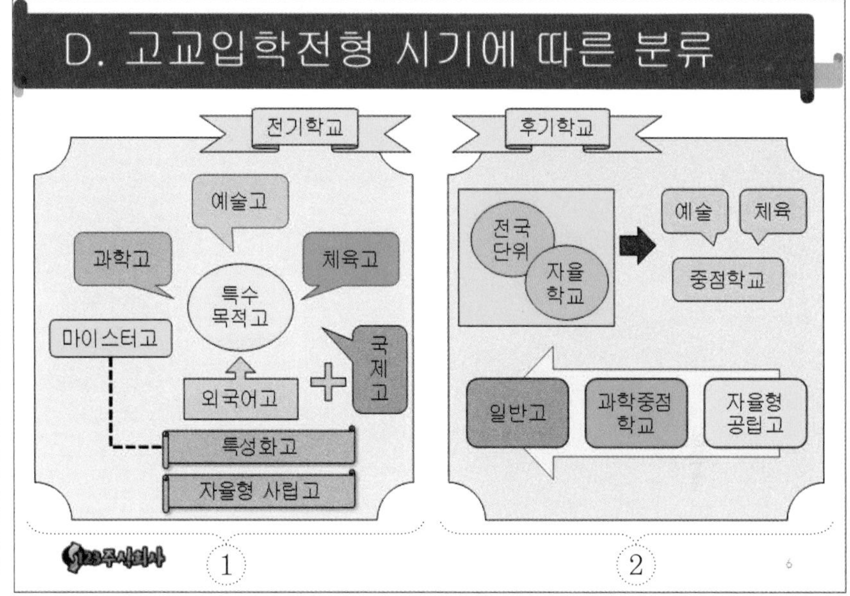

문제유형 008 도형 슬라이드

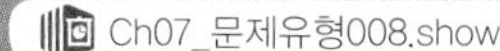

(1) 슬라이드와 같이 도형을 배치한다(글꼴 : 맑은 고딕, 18pt).
(2) 애니메이션 : ① ⇒ ②

세부조건

① 도형 편집 :
- 그룹화 후 애니메이션 효과 : 시계 방향 회전

② 도형 편집 :
- 그룹화 후 애니메이션 효과 : 블라인드(세로)

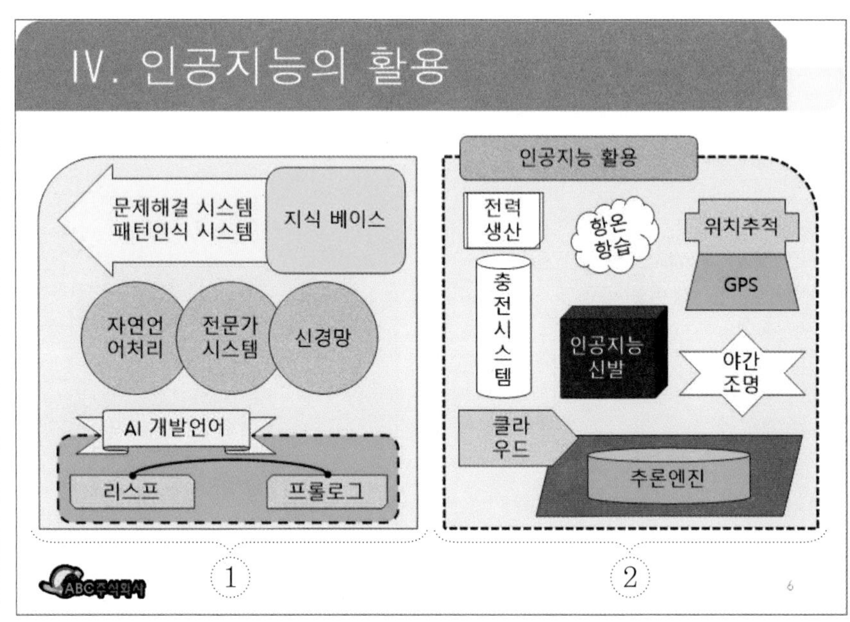

실전문제유형

문제유형 009 도형 슬라이드

Ch07_문제유형009.show

(1) 슬라이드와 같이 도형을 배치한다(글꼴 : 돋움, 18pt).

(2) 애니메이션 : ① ⇒ ②

세부조건

① 도형 편집 :
- 그룹화 후 애니메이션 효과 : 닦아내기(오른쪽으로)

② 도형 편집 :
- 그룹화 후 애니메이션 효과 : 올라오기

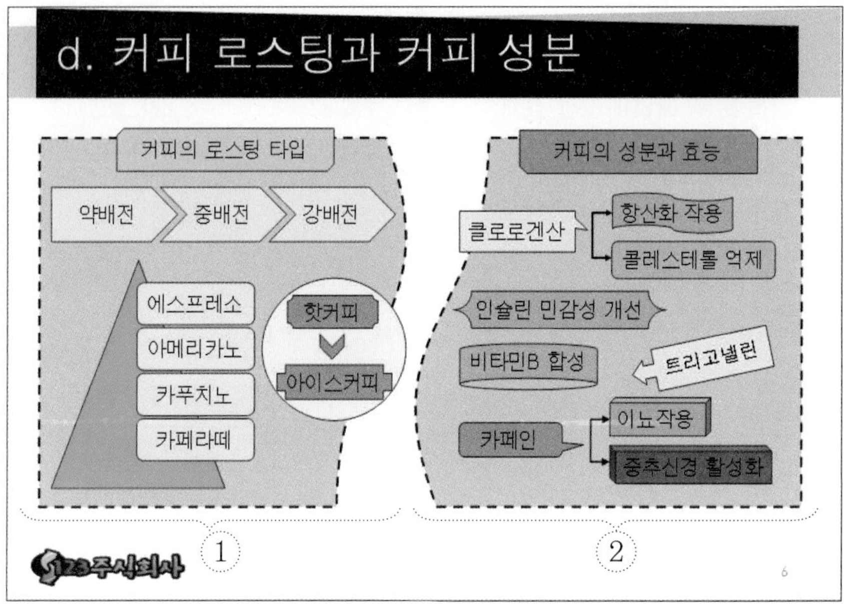

문제유형 010 도형 슬라이드

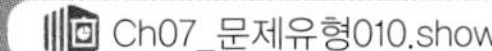

Ch07_문제유형010.show

(1) 슬라이드와 같이 도형을 배치한다(글꼴 : 굴림, 18pt).

(2) 애니메이션 : ① ⇒ ②

세부조건

① 도형 편집 :
- 그룹화 후 애니메이션 효과 : 날아오기(오른쪽으로)

② 도형 편집 :
- 그룹화 후 애니메이션 효과 : 블라인드(세로)

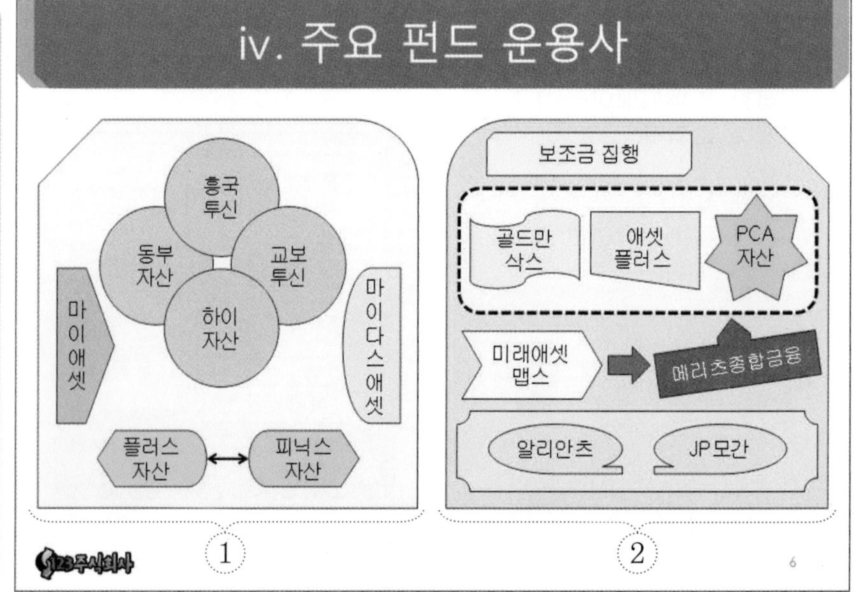

PART 02

실전모의고사

제 01 회 ITQ 실전모의고사

과목	코드	문제유형	시험시간	수험번호	성명
한쇼	1141	A	60분		

수험자 유의사항

- 수험자는 문제지를 받는 즉시 문제지와 **수험표상의 시험과목(프로그램)이 동일한지 반드시 확인**하여야 합니다.
- 파일명은 본인의 "수험번호-성명"으로 입력하여 답안폴더(내 PC₩문서₩ITQ)에 하나의 파일로 저장해야 하며, 답안문서 파일명이 "수험번호-성명"과 일치하지 않거나, 답안파일을 전송하지 않아 미제출로 처리될 경우 실격 처리합니다(예:12345678-홍길동.show).
- 답안 작성을 마치면 파일을 저장하고, '답안 전송' 버튼을 선택하여 감독위원 PC로 답안을 전송하십시오. 수험생 정보와 저장한 파일명이 다를 경우 전송되지 않으므로 주의하시기 바랍니다.
- 답안 작성 중에도 **주기적으로 저장하고, '답안 전송'**하여야 문제 발생을 줄일 수 있습니다. 작업한 내용을 저장하지 않고 전송할 경우 이전에 저장된 내용이 전송되오니 이점 유의하시기 바랍니다.
- 답안문서는 지정된 경로 외의 다른 보조기억장치에 저장하는 경우, 지정된 시험 시간 외에 작성된 파일을 활용할 경우, 기타 통신수단(이메일, 메신저, 네트워크 등)을 이용하여 타인에게 전달 또는 외부 반출하는 경우는 부정 처리합니다.
- 시험 중 부주의 또는 고의로 시스템을 파손한 경우는 수험자가 변상해야 하며, 〈수험자 유의사항〉에 기재된 방법대로 이행하지 않아 생기는 불이익은 수험생 당사자의 책임임을 알려 드립니다.
- 문제의 조건은 한컴오피스 2016 버전으로 설정되어 있고 한컴오피스 2010은 【 】에 표기되어 있으니 유의하시기 바랍니다.
- 시험을 완료한 수험자는 답안파일이 전송되었는지 확인한 후 감독위원의 지시에 따라 문제지를 제출하고 퇴실합니다.

답안 작성요령

- 온라인 답안 작성 절차
  수험자 등록 ⇒ 시험 시작 ⇒ 답안파일 저장 ⇒ 답안 전송 ⇒ 시험 종료
- 슬라이드의 크기는 A4 Paper로 설정하여 작성합니다.
- 슬라이드의 총 개수는 6개로 구성되어 있으며 슬라이드 1부터 순서대로 작업하고 반드시 문제와 세부조건대로 합니다.
- 별도의 지시사항이 없는 경우 출력형태를 참조하여 글꼴색은 검정 또는 흰색으로 작성하고, 기타사항은 전체적인 균형을 고려하여 작성합니다.
- 슬라이드 도형 및 개체에 출력형태와 다른 스타일(그림자, 외곽선 등)을 적용했을 경우 감점처리 됩니다.
- 슬라이드 번호를 작성합니다(슬라이드 1에는 생략).
- 2~6번 슬라이드 제목 도형과 하단 로고는 슬라이드 마스터를 이용하여 출력형태와 동일하게 작성합니다(슬라이드 1에는 생략).
- 문제와 세부조건, 세부조건 번호 ◌(점선원)는 입력하지 않습니다.
- 각 개체의 위치는 오른쪽의 슬라이드와 동일하게 구성합니다.
- 그림 삽입 문제의 경우 반드시 「내 PC₩문서₩ITQ₩Picture」 폴더에서 정확한 파일을 선택하여 삽입하십시오.
- 각 슬라이드를 각각의 파일로 작업해서 저장할 경우 실격 처리됩니다.

kpc 한국생산성본부

[전체구성] (60점)

(1) 슬라이드 크기 및 순서 : 크기를 A4 용지로 설정하고 슬라이드 순서에 맞게 작성한다.
(2) 슬라이드 마스터 : 2~6슬라이드의 제목, 하단 로고, 슬라이드 번호는 슬라이드 마스터를 이용하여 작성한다.
 - 제목 글꼴(맑은 고딕, 40pt, 흰색), 가운데 정렬, 도형(선 없음)
 - 하단 로고(「내 PC₩문서₩ITQ₩Picture₩로고2.jpg」, 배경(회색) 투명색으로 설정)

[슬라이드 1] ≪표지 디자인≫ (40점)

(1) 표지 디자인 : 도형, 워드숍 및 그림을 이용하여 작성한다.

세부조건

① 도형 편집
 - 도형에 그림 채우기 : 「내 PC₩문서₩ITQ₩Picture₩그림1.jpg」, 투명도 50%
 - 도형 효과 : 옅은 테두리 5pt

② 워드숍
 - 변환 : 위로 기울기
 - 글꼴 : 돋움, 진하게
 - 반사 : 1/2 크기, 근접

③ 그림 삽입
 - 「내 PC₩문서₩ITQ₩Picture₩로고2.jpg」
 - 배경(회색) 투명한 색으로 설정

[슬라이드 2] ≪목차 슬라이드≫ (60점)

(1) 출력형태와 같이 도형을 이용하여 목차를 작성한다(글꼴 : 굴림, 24pt).
(2) 도형 : 선 없음

세부조건

① 텍스트에 하이퍼링크 적용
 → '슬라이드 6'

② 그림 삽입
 - 「내 PC₩문서₩ITQ₩Picture₩그림4.jpg」
 - 자르기 기능 이용

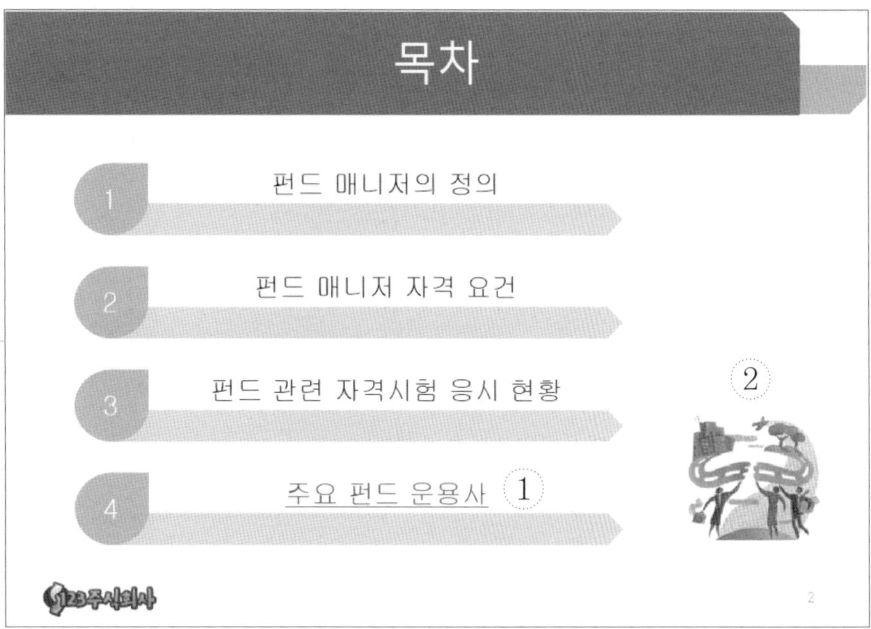

[슬라이드 3] ≪텍스트/동영상 슬라이드≫ (60점)

(1) 텍스트 작성 : 글머리 기호 사용(➢, ✓)

➢문단(굴림, 24pt, 굵게, 줄간격 : 1.5줄), ✓문단(굴림, 20pt, 줄간격 : 1.5줄)

세부조건

① 동영상 삽입 :
- 「내 PC₩문서₩ITQ₩Picture₩동영상.wmv」
- 자동실행, 반복재생 설정

1. 펀드 매니저의 정의

➢ Real Estate Fund

✓ Real estate today is valued based on the cash flow the property generates, similar to the way non-real-estate companies are valued, not based on subjective property appraisals

➢ 펀드 매니저

✓ 펀드 재산을 실제로 운용하는 자산 운용 전문가로서 일정 자격을 갖추었거나 자격시험에 합격한 자

✓ 은행, 보험 회사, 연금, 기금 등에서 투자 운영을 담당하는 자

①

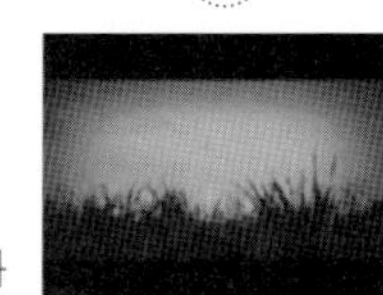

3

[슬라이드 4] ≪표 슬라이드≫ (80점)

(1) 도형과 표 작성 기능을 이용하여 슬라이드를 작성한다(글꼴 : 굴림, 18pt).

세부조건

① 상단 도형 :
2개 도형의 조합으로 작성

② 좌측 도형 :
그라데이션 효과(선형 위쪽)

③ 표 스타일 :
보통 스타일 4 - 강조 5

2. 펀드 매니저 자격 요건

①

②

	구분	자격요건
시험응시	증권 운용 능력	증권 관련 분야 석사학위 보유, 금융위원회 인정 교육과정 이수, 금융기관 등에서 3년 이상 근무 + 증권 운용 전문업무 2년 이상 종사
등록교육	부동산 운용 능력	부동산 관련 분야 석사학위 보유, 외국 부동산 투자 회사 + 부동산 운용 업무 3년 이상 종사, 부동산 회사에서 부동산 운용 업무 3년 이상 종사

123주식회사 ③ 4

[슬라이드 5] ≪차트 슬라이드≫ (100점)

(1) 차트 작성 기능을 이용하여 슬라이드를 작성한다.
(2) 차트 : 종류(묶은 세로 막대형), 글꼴(굴림, 16pt), 외곽선
(3) 표 : 차트 하단에 이미지와 같이 표 그리기

세부조건

※ 차트설명
- 차트제목 : 궁서, 20pt, 진하게, 채우기(하양), 테두리, 그림자(대각선 오른쪽 아래) 【그림자(2pt)】
- 범례 위치 : 아래쪽
- 전체배경 : 채우기(노랑)
- 값 표시 : 응시자 계열의 부동산 요소만

① 도형 삽입
- 스타일 : 밝은 계열 – 강조 5
- 글꼴 : 굴림, 16pt

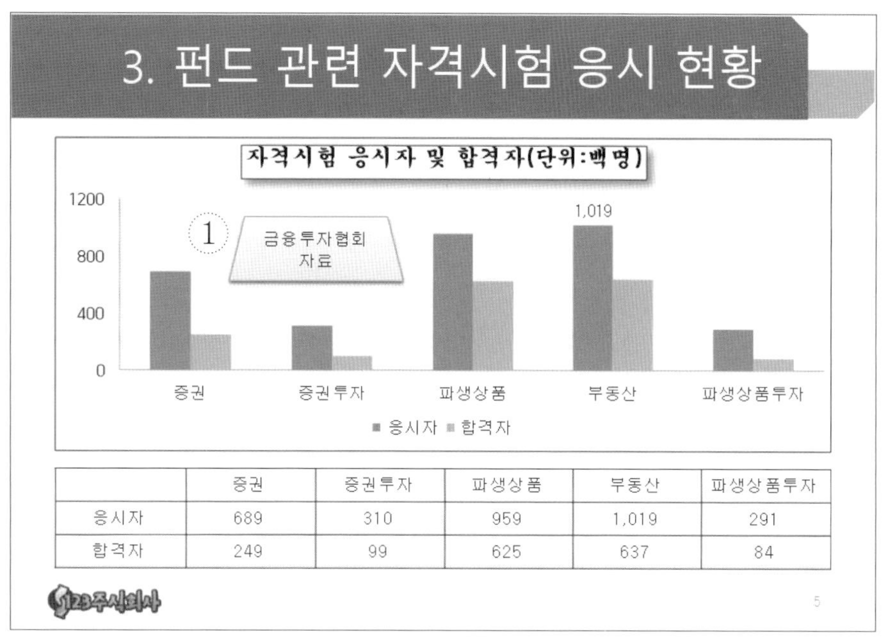

	증권	증권투자	파생상품	부동산	파생상품투자
응시자	689	310	959	1,019	291
합격자	249	99	625	637	84

[슬라이드 6] ≪도형 슬라이드≫ (100점)

(1) 슬라이드와 같이 도형을 배치한다(글꼴 : 굴림, 18pt).
(2) 애니메이션 순서 : ① ⇒ ②

세부조건

① 도형 편집
- 그룹화 후 애니메이션 효과 : 날아오기(오른쪽으로)

② 도형 편집
- 그룹화 후 애니메이션 효과 : 블라인드(세로)

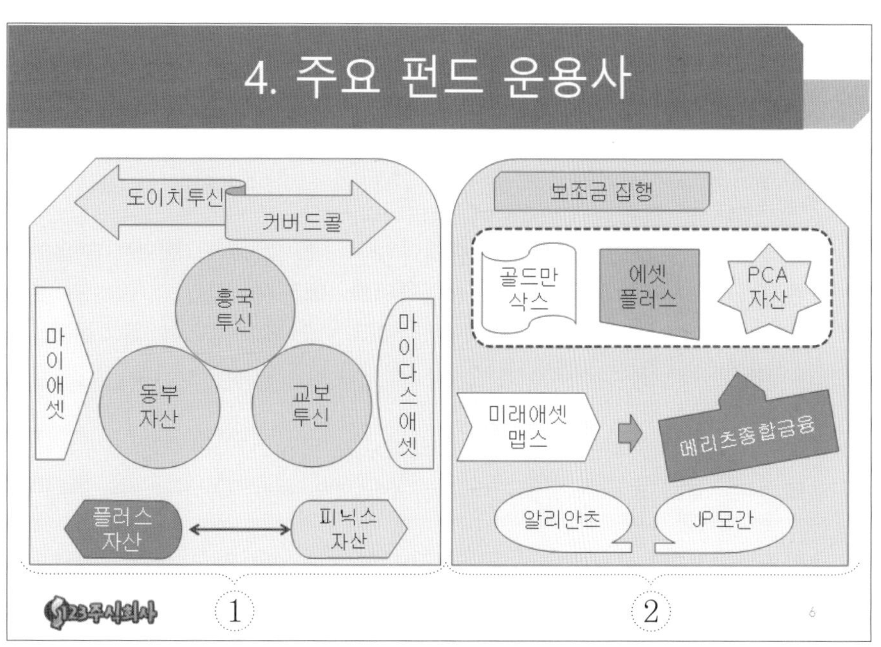

제 02 회 ITQ 실전모의고사

과목	코드	문제유형	시험시간	수험번호	성명
한쇼	1141	B	60분		

수험자 유의사항

- 수험자는 문제지를 받는 즉시 문제지와 **수험표상의 시험과목(프로그램)이 동일한지 반드시 확인**하여야 합니다.
- 파일명은 본인의 "수험번호-성명"으로 입력하여 답안폴더(내 PC₩문서₩ITQ)에 하나의 파일로 저장해야 하며, 답안문서 파일명이 "수험번호-성명"과 일치하지 않거나, 답안파일을 전송하지 않아 미제출로 처리될 경우 실격 처리합니다(예:12345678-홍길동.show).
- 답안 작성을 마치면 파일을 저장하고, '답안 전송' 버튼을 선택하여 감독위원 PC로 답안을 전송하십시오. 수험생 정보와 저장한 파일명이 다를 경우 전송되지 않으므로 주의하시기 바랍니다.
- 답안 작성 중에도 **주기적으로 저장하고, '답안 전송'**하여야 문제 발생을 줄일 수 있습니다. 작업한 내용을 저장하지 않고 전송할 경우 이전에 저장된 내용이 전송되오니 이점 유의하시기 바랍니다.
- 답안문서는 지정된 경로 외의 다른 보조기억장치에 저장하는 경우, 지정된 시험 시간 외에 작성된 파일을 활용할 경우, 기타 통신수단(이메일, 메신저, 네트워크 등)을 이용하여 타인에게 전달 또는 외부 반출하는 경우는 부정 처리합니다.
- 시험 중 부주의 또는 고의로 시스템을 파손한 경우는 수험자가 변상해야 하며, 〈수험자 유의사항〉에 기재된 방법대로 이행하지 않아 생기는 불이익은 수험생 당사자의 책임임을 알려 드립니다.
- 문제의 조건은 한컴오피스 2016 버전으로 설정되어 있고 한컴오피스 2010은 【 】에 표기되어 있으니 유의하시기 바랍니다.
- 시험을 완료한 수험자는 답안파일이 전송되었는지 확인한 후 감독위원의 지시에 따라 문제지를 제출하고 퇴실합니다.

답안 작성요령

- 온라인 답안 작성 절차
  수험자 등록 ⇒ 시험 시작 ⇒ 답안파일 저장 ⇒ 답안 전송 ⇒ 시험 종료
- 슬라이드의 크기는 A4 Paper로 설정하여 작성합니다.
- 슬라이드의 총 개수는 6개로 구성되어 있으며 슬라이드 1부터 순서대로 작업하고 반드시 문제와 세부 조건대로 합니다.
- 별도의 지시사항이 없는 경우 출력형태를 참조하여 글꼴색은 검정 또는 흰색으로 작성하고, 기타사항은 전체적인 균형을 고려하여 작성합니다.
- 슬라이드 도형 및 개체에 출력형태와 다른 스타일(그림자, 외곽선 등)을 적용했을 경우 감점처리 됩니다.
- 슬라이드 번호를 작성합니다(슬라이드 1에는 생략).
- 2~6번 슬라이드 제목 도형과 하단 로고는 슬라이드 마스터를 이용하여 출력형태와 동일하게 작성합니다(슬라이드 1에는 생략).
- 문제와 세부조건, 세부조건 번호 ◌(점선원)는 입력하지 않습니다.
- 각 개체의 위치는 오른쪽의 슬라이드와 동일하게 구성합니다.
- 그림 삽입 문제의 경우 반드시 「내 PC₩문서₩ITQ₩Picture」 폴더에서 정확한 파일을 선택하여 삽입하십시오.
- 각 슬라이드를 각각의 파일로 작업해서 저장할 경우 실격 처리됩니다.

kpc 한국생산성본부

[전체구성] (60점)

(1) 슬라이드 크기 및 순서 : 크기를 A4 용지로 설정하고 슬라이드 순서에 맞게 작성한다.
(2) 슬라이드 마스터 : 2~6슬라이드의 제목, 하단 로고, 슬라이드 번호는 슬라이드 마스터를 이용하여 작성한다.
- 제목 글꼴(맑은 고딕, 40pt, 빨강), 가운데 정렬, 도형(선 없음)
- 하단 로고(「내 PC₩문서₩ITQ₩Picture₩로고1.jpg」, 배경(회색) 투명색으로 설정)

[슬라이드 1] ≪표지 디자인≫ (40점)

(1) 표지 디자인 : 도형, 워드숍 및 그림을 이용하여 작성한다.

세부조건

① 도형 편집
- 도형에 그림 채우기 : 「내 PC₩문서₩ITQ₩Picture₩그림1.jpg」, 투명도 50%
- 도형 효과 : 옅은 테두리 5pt

② 워드숍
- 변환 : 갈매기형 수장
- 글꼴 : 돋움, 진하게
- 반사 : 1/2 크기, 근접

③ 그림 삽입
- 「내 PC₩문서₩ITQ₩Picture₩로고1.jpg」
- 배경(회색) 투명한 색으로 설정

[슬라이드 2] ≪목차 슬라이드≫ (60점)

(1) 출력형태와 같이 도형을 이용하여 목차를 작성한다(글꼴 : 굴림, 24pt).
(2) 도형 : 선 없음

세부조건

① 텍스트에 하이퍼링크 적용 → '슬라이드 4'

② 그림 삽입
- 「내 PC₩문서₩ITQ₩Picture₩그림4.jpg」
- 자르기 기능 이용

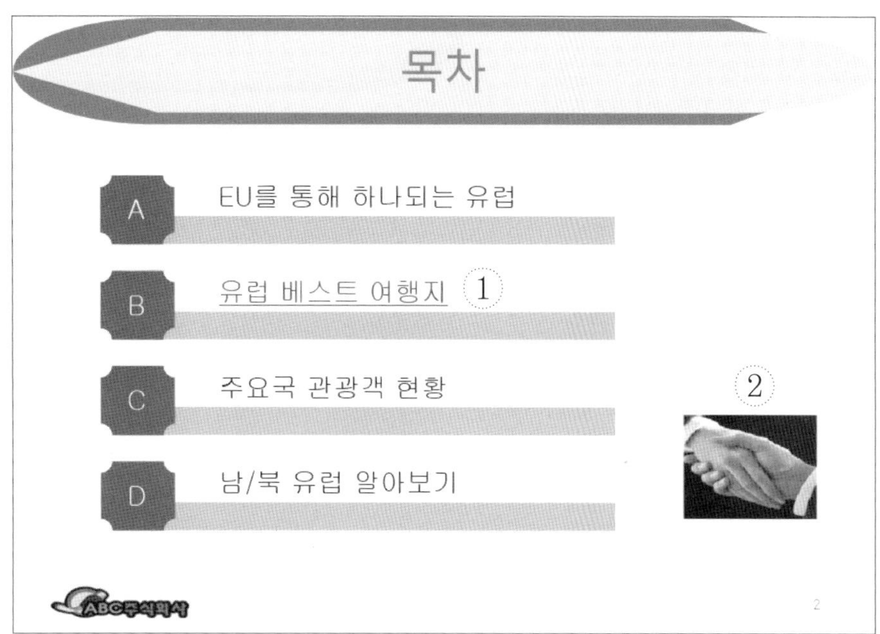

[슬라이드 3] ≪텍스트/동영상 슬라이드≫ (60점)

(1) 텍스트 작성 : 글머리 기호 사용(❖, ✓)
❖문단(굴림, 24pt, 굵게, 줄간격 : 1.5줄), ✓문단(굴림, 20pt, 줄간격 : 1.5줄)

세부조건

① 동영상 삽입 :
- 「내 PC₩문서₩ITQ₩Picture₩동영상.wmv」
- 자동실행, 반복재생 설정

A. EU를 통해 하나되는 유럽

❖ European Union
- ✓ The European Union (EU) is a politico-economic union of 28 member states that are located primarily in Europe

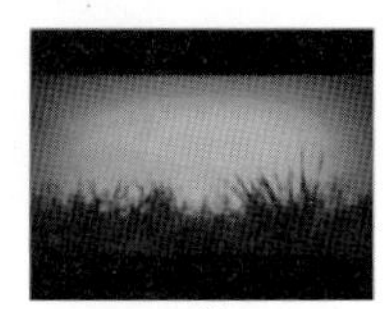

①

❖ 유럽은?
- ✓ 크게 네 지역으로 나뉘어, 스칸디나비아 반도를 포함한 북부유럽
- ✓ 산업이 발달한 알프스 산맥 위쪽의 서부유럽
- ✓ 고대 그리스, 로마 문화가 꽃피었던 알프스 남쪽의 남부유럽
- ✓ 과거 사회주의 국가가 많았던 동부 유럽으로 나뉨

3

[슬라이드 4] ≪표 슬라이드≫ (80점)

(1) 도형과 표 작성 기능을 이용하여 슬라이드를 작성한다(글꼴 : 굴림, 18pt).

세부조건

① 상단 도형 :
2개 도형의 조합으로 작성

② 좌측 도형 :
그라데이션 효과(선형 위쪽)

③ 표 스타일 :
보통 스타일 4 - 강조 5

B. 유럽 베스트 여행지

①

②	여행국	여행지
서유럽	프랑스	개선문, 샹제리제 거리, 루브르 박물관
	스위스	베른, 루체른, 밀라노
	영국	국회의사당, 빅벤, 대영 박물관
서유럽	체코	프라하, 카를로비바리, 밤베리크
	오스트리아	짤츠부르크, 짤츠캄머굿, 할슈타트
	독일	뮌헨, 퀴센, 밤베르크

③

ABC주식회사 4

[슬라이드 5] ≪차트 슬라이드≫ (100점)

(1) 차트 작성 기능을 이용하여 슬라이드를 작성한다.
(2) 차트 : 종류(묶은 세로 막대형), 글꼴(굴림, 14pt), 외곽선
(3) 표 : 차트 하단에 이미지와 같이 표 그리기

세부조건

※ 차트설명
- 차트제목 : 궁서, 20pt, 진하게, 채우기(하양), 테두리, 그림자(대각선 오른쪽 아래) 【그림자(2pt)】
- 범례 위치 : 아래쪽
- 전체배경 : 채우기(노랑)
- 값 표시 : 외래 방문객 계열의 프랑스 요소만

① 도형 삽입
- 스타일 : 밝은 계열 – 강조 5
- 글꼴 : 함초롬돋움, 16pt

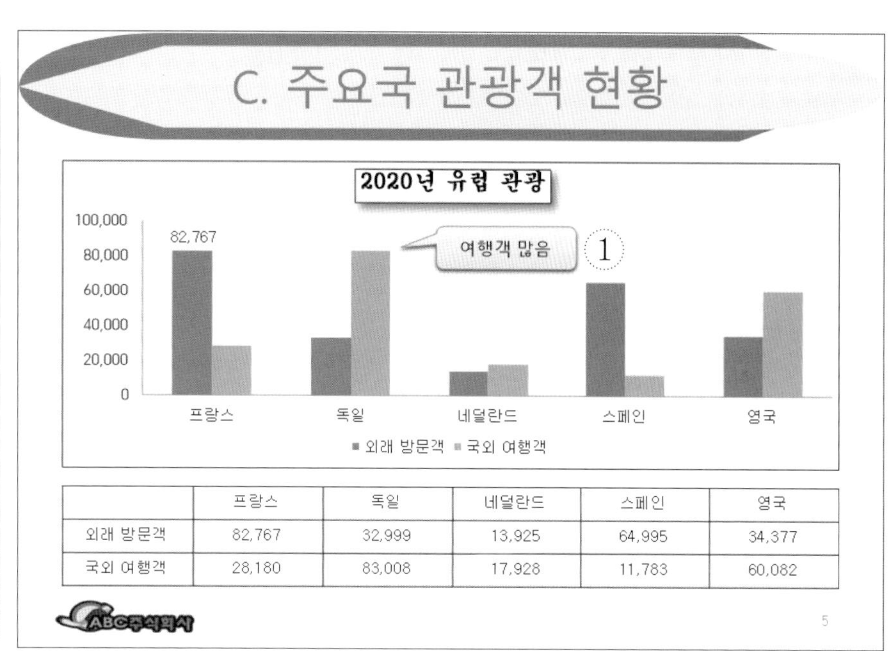

	프랑스	독일	네덜란드	스페인	영국
외래 방문객	82,767	32,999	13,925	64,995	34,377
국외 여행객	28,180	83,008	17,928	11,783	60,082

[슬라이드 6] ≪도형 슬라이드≫ (100점)

(1) 슬라이드와 같이 도형을 배치한다(글꼴 : 굴림, 18pt).
(2) 애니메이션 순서 : ① ⇒ ②

세부조건

① 도형 편집
- 그룹화 후 애니메이션 효과 : 닦아내기(아래로)

② 도형 편집
- 그룹화 후 애니메이션 효과 : 물결(아래로)

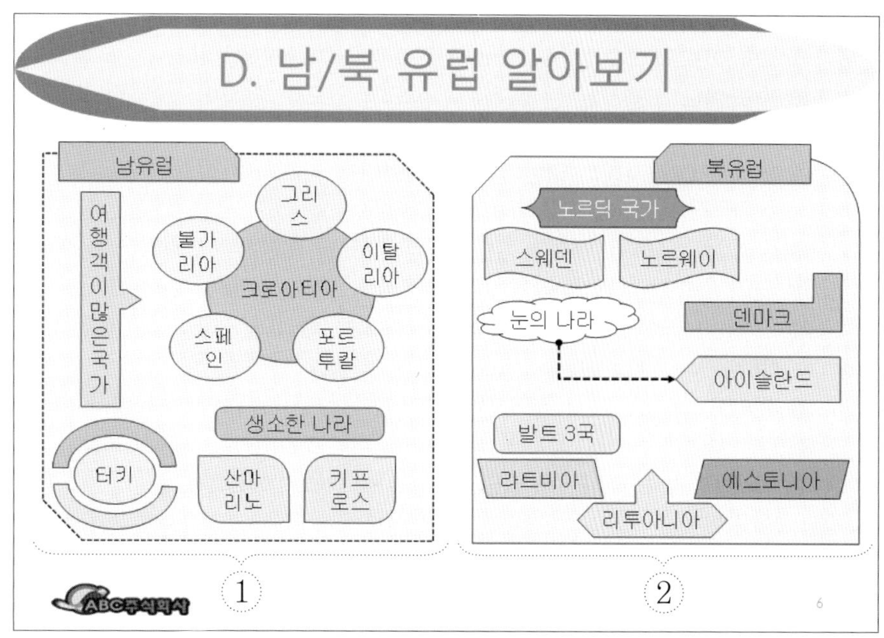

제 03 회 ITQ 실전모의고사

과목	코드	문제유형	시험시간	수험번호	성명
한쇼	1141	C	60분		

수험자 유의사항

- 수험자는 문제지를 받는 즉시 문제지와 **수험표상의 시험과목(프로그램)이 동일한지 반드시 확인**하여야 합니다.
- 파일명은 본인의 "수험번호-성명"으로 입력하여 답안폴더(내 PC₩문서₩ITQ)에 하나의 파일로 저장해야 하며, 답안문서 파일명이 "수험번호-성명"과 일치하지 않거나, 답안파일을 전송하지 않아 미제출로 처리될 경우 실격 처리합니다(예:12345678-홍길동.show).
- 답안 작성을 마치면 파일을 저장하고, '답안 전송' 버튼을 선택하여 감독위원 PC로 답안을 전송하십시오. 수험생 정보와 저장한 파일명이 다를 경우 전송되지 않으므로 주의하시기 바랍니다.
- 답안 작성 중에도 **주기적으로 저장하고, '답안 전송'**하여야 문제 발생을 줄일 수 있습니다. 작업한 내용을 저장하지 않고 전송할 경우 이전에 저장된 내용이 전송되오니 이점 유의하시기 바랍니다.
- 답안문서는 지정된 경로 외의 다른 보조기억장치에 저장하는 경우, 지정된 시험 시간 외에 작성된 파일을 활용할 경우, 기타 통신수단(이메일, 메신저, 네트워크 등)을 이용하여 타인에게 전달 또는 외부 반출하는 경우는 부정 처리합니다.
- 시험 중 부주의 또는 고의로 시스템을 파손한 경우는 수험자가 변상해야 하며, 〈수험자 유의사항〉에 기재된 방법대로 이행하지 않아 생기는 불이익은 수험생 당사자의 책임임을 알려 드립니다.
- 문제의 조건은 한컴오피스 2016 버전으로 설정되어 있고 한컴오피스 2010은 【 】에 표기되어 있으니 유의하시기 바랍니다.
- 시험을 완료한 수험자는 답안파일이 전송되었는지 확인한 후 감독위원의 지시에 따라 문제지를 제출하고 퇴실합니다.

답안 작성요령

- 온라인 답안 작성 절차
  수험자 등록 ⇒ 시험 시작 ⇒ 답안파일 저장 ⇒ 답안 전송 ⇒ 시험 종료
- 슬라이드의 크기는 A4 Paper로 설정하여 작성합니다.
- 슬라이드의 총 개수는 6개로 구성되어 있으며 슬라이드 1부터 순서대로 작업하고 반드시 문제와 세부조건대로 합니다.
- 별도의 지시사항이 없는 경우 출력형태를 참조하여 글꼴색은 검정 또는 흰색으로 작성하고, 기타사항은 전체적인 균형을 고려하여 작성합니다.
- 슬라이드 도형 및 개체에 출력형태와 다른 스타일(그림자, 외곽선 등)을 적용했을 경우 감점처리 됩니다.
- 슬라이드 번호를 작성합니다(슬라이드 1에는 생략).
- 2~6번 슬라이드 제목 도형과 하단 로고는 슬라이드 마스터를 이용하여 출력형태와 동일하게 작성합니다(슬라이드 1에는 생략).
- 문제와 세부조건, 세부조건 번호 ◌(점선원)는 입력하지 않습니다.
- 각 개체의 위치는 오른쪽의 슬라이드와 동일하게 구성합니다.
- 그림 삽입 문제의 경우 반드시 「내 PC₩문서₩ITQ₩Picture」 폴더에서 정확한 파일을 선택하여 삽입하십시오.
- 각 슬라이드를 각각의 파일로 작업해서 저장할 경우 실격 처리됩니다.

kpc 한국생산성본부

[전체구성] (60점)

(1) 슬라이드 크기 및 순서 : 크기를 A4 용지로 설정하고 슬라이드 순서에 맞게 작성한다.
(2) 슬라이드 마스터 : 2~6슬라이드의 제목, 하단 로고, 슬라이드 번호는 슬라이드 마스터를 이용하여 작성한다.
- 제목 글꼴(함초롬돋움, 40pt, 흰색), 왼쪽 정렬, 도형(선 없음)
- 하단 로고(「내 PC₩문서₩ITQ₩Picture₩로고1.jpg」, 배경(회색) 투명색으로 설정)

[슬라이드 1] ≪표지 디자인≫ (40점)

(1) 표지 디자인 : 도형, 워드숍 및 그림을 이용하여 작성한다.

세부조건

① 도형 편집
- 도형에 그림 채우기 : 「내 PC₩문서₩ITQ₩Picture₩그림1.jpg」, 투명도 50%
- 도형 효과 : 옅은 테두리 5pt

② 워드숍
- 변환 : 위쪽 수축
- 글꼴 : 함초롬돋움, 진하게
- 반사 : 1/2 크기, 근접

③ 그림 삽입
- 「내 PC₩문서₩ITQ₩Picture₩로고1.jpg」
- 배경(회색) 투명한 색으로 설정

[슬라이드 2] ≪목차 슬라이드≫ (60점)

(1) 출력형태와 같이 도형을 이용하여 목차를 작성한다(글꼴 : 굴림, 24pt).
(2) 도형 : 선 없음

세부조건

① 텍스트에 하이퍼링크 적용 → '슬라이드 5'

② 그림 삽입
- 「내 PC₩문서₩ITQ₩Picture₩그림4.jpg」
- 자르기 기능 이용

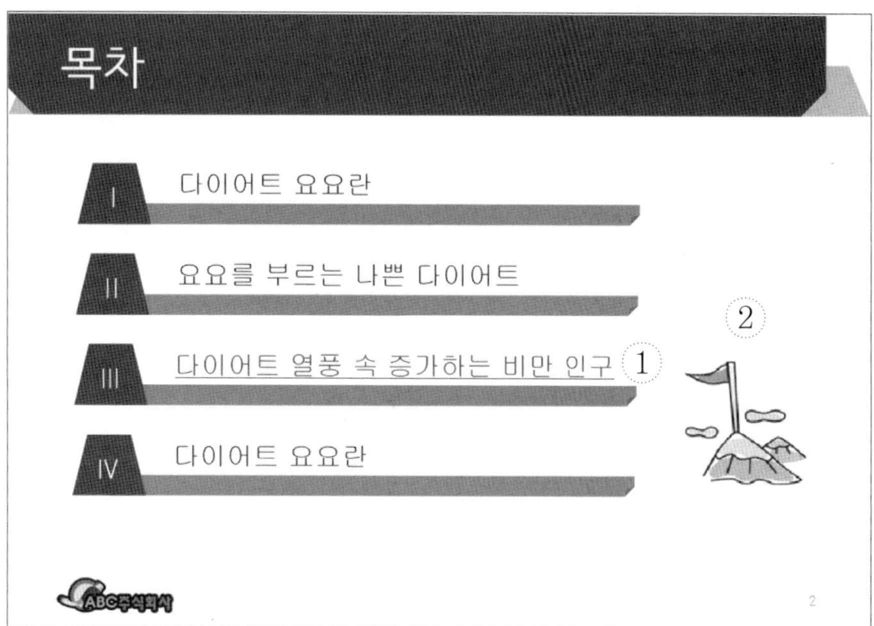

[슬라이드 3] ≪텍스트/동영상 슬라이드≫ (60점)

(1) 텍스트 작성 : 글머리 기호 사용(❖, ➢)
❖문단(굴림, 24pt, 굵게, 줄간격 : 1.5줄), ➢문단(굴림, 20pt, 줄간격 : 1.5줄)

세부조건

① 동영상 삽입 :
- 「내 PC₩문서₩ITQ₩Picture₩동영상.wmv」
- 자동실행, 반복재생 설정

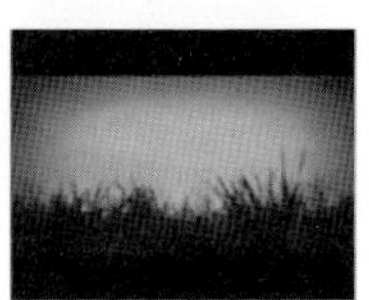

[슬라이드 4] ≪표 슬라이드≫ (80점)

(1) 도형과 표 작성 기능을 이용하여 슬라이드를 작성한다(글꼴 : 돋움, 18pt).

세부조건

① 상단 도형 :
2개 도형의 조합으로 작성

② 좌측 도형 :
그라데이션 효과(선형 위쪽)

③ 표 스타일 :
보통 스타일 4 - 강조 5

Ⅱ. 요요를 부르는 나쁜 다이어트

	줄어드는것	체질의 변화
굶는 다이어트	지방대신 단백질을 에너지원으로 사용 - 근육량, 기초대사량 감소	기초대사량 저하로 살이 찌는 체질로 변화
운동 없는 다이어트	기초대사량을 소모시키는 근육량을 감소시킴	근육 소모량이 늘어나 점점 살이 잘 찌는 체질로 변화
오늘 하루쯤이야	소량의 음식만을 섭취하면 소량의 에너지로도 살아갈 수 있다고 인식	몸이 소량의 에너지만 소비하게 되면 나머지는 체내에 축적

① ② ③

ABC주식회사 4

[슬라이드 5] ≪차트 슬라이드≫ (100점)

(1) 차트 작성 기능을 이용하여 슬라이드를 작성한다.
(2) 차트 : 종류(표식이 있는 꺾은선형), 글꼴(굴림, 16pt), 외곽선
(3) 표 : 차트 하단에 이미지와 같이 표 그리기

세부조건

※ 차트설명
- 차트제목 : 궁서, 20pt, 진하게, 채우기(하양), 테두리, 그림자(대각선 오른쪽 아래) 【그림자(2pt)】
- 범례 위치 : 오른쪽
- 전체배경 : 채우기(노랑)
- 값 표시 : 일반비만율 계열의 2020년 요소만

① 도형 삽입
- 스타일 : 밝은 계열 - 강조 5
- 글꼴 : 돋움, 18pt

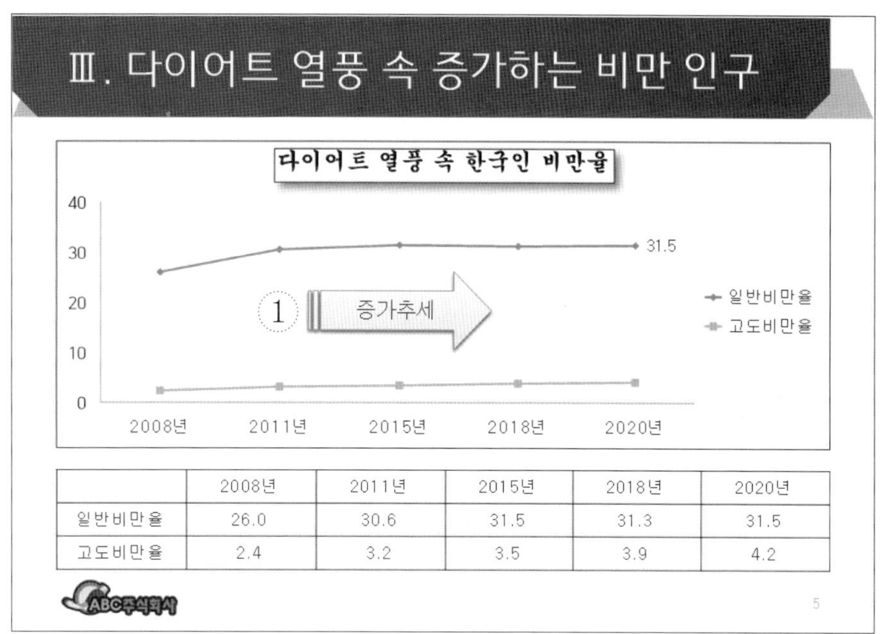

	2008년	2011년	2015년	2018년	2020년
일반비만율	26.0	30.6	31.5	31.3	31.5
고도비만율	2.4	3.2	3.5	3.9	4.2

[슬라이드 6] ≪도형 슬라이드≫ (100점)

(1) 슬라이드와 같이 도형을 배치한다(글꼴 : 굴림, 18pt).
(2) 애니메이션 순서 : ② ⇒ ①

세부조건

① 도형 편집
- 그룹화 후 애니메이션 효과 : 시계 방향 회전

② 도형 편집
- 그룹화 후 애니메이션 효과 : 올라오기

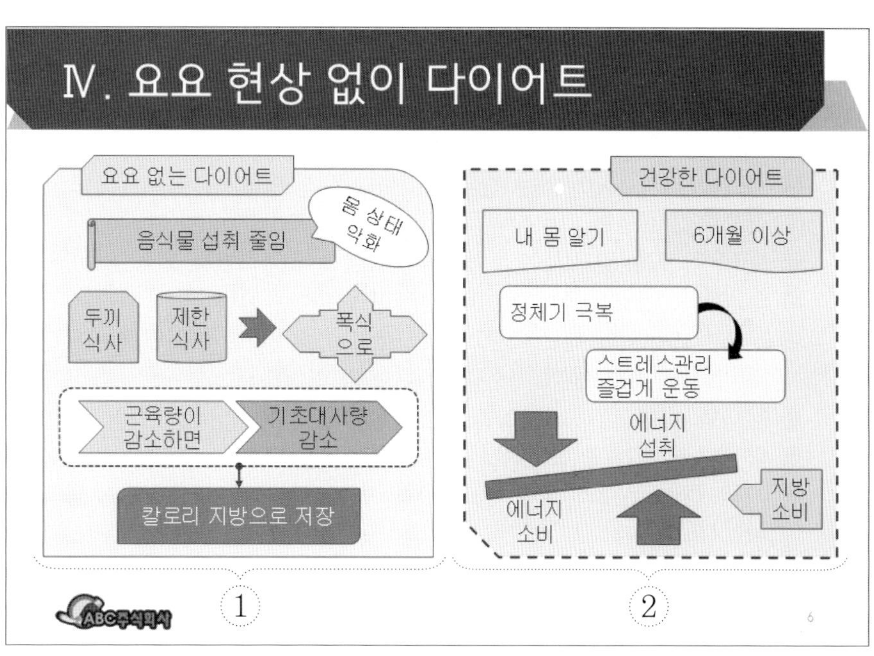

제 04 회 ITQ 실전모의고사

과목	코드	문제유형	시험시간	수험번호	성명
한쇼	1141	D	60분		

수험자 유의사항

- 수험자는 문제지를 받는 즉시 문제지와 **수험표상의 시험과목(프로그램)이 동일한지 반드시 확인**하여야 합니다.
- 파일명은 본인의 "수험번호-성명"으로 입력하여 답안폴더(내 PC₩문서₩ITQ)에 하나의 파일로 저장해야 하며, 답안문서 파일명이 "수험번호-성명"과 일치하지 않거나, 답안파일을 전송하지 않아 미제출로 처리될 경우 실격 처리합니다(예:12345678-홍길동.show).
- 답안 작성을 마치면 파일을 저장하고, '답안 전송' 버튼을 선택하여 감독위원 PC로 답안을 전송하십시오. 수험생 정보와 저장한 파일명이 다를 경우 전송되지 않으므로 주의하시기 바랍니다.
- 답안 작성 중에도 **주기적으로 저장하고, '답안 전송'**하여야 문제 발생을 줄일 수 있습니다. 작업한 내용을 저장하지 않고 전송할 경우 이전에 저장된 내용이 전송되오니 이점 유의하시기 바랍니다.
- 답안문서는 지정된 경로 외의 다른 보조기억장치에 저장하는 경우, 지정된 시험 시간 외에 작성된 파일을 활용할 경우, 기타 통신수단(이메일, 메신저, 네트워크 등)을 이용하여 타인에게 전달 또는 외부 반출하는 경우는 부정 처리합니다.
- 시험 중 부주의 또는 고의로 시스템을 파손한 경우는 수험자가 변상해야 하며, 〈수험자 유의사항〉에 기재된 방법대로 이행하지 않아 생기는 불이익은 수험생 당사자의 책임임을 알려 드립니다.
- 문제의 조건은 한컴오피스 2016 버전으로 설정되어 있고 한컴오피스 2010은 【 】에 표기되어 있으니 유의하시기 바랍니다.
- 시험을 완료한 수험자는 답안파일이 전송되었는지 확인한 후 감독위원의 지시에 따라 문제지를 제출하고 퇴실합니다.

답안 작성요령

- 온라인 답안 작성 절차
  수험자 등록 ⇒ 시험 시작 ⇒ 답안파일 저장 ⇒ 답안 전송 ⇒ 시험 종료
- 슬라이드의 크기는 A4 Paper로 설정하여 작성합니다.
- 슬라이드의 총 개수는 6개로 구성되어 있으며 슬라이드 1부터 순서대로 작업하고 반드시 문제와 세부조건대로 합니다.
- 별도의 지시사항이 없는 경우 출력형태를 참조하여 글꼴색은 검정 또는 흰색으로 작성하고, 기타사항은 전체적인 균형을 고려하여 작성합니다.
- 슬라이드 도형 및 개체에 출력형태와 다른 스타일(그림자, 외곽선 등)을 적용했을 경우 감점처리 됩니다.
- 슬라이드 번호를 작성합니다(슬라이드 1에는 생략).
- 2~6번 슬라이드 제목 도형과 하단 로고는 슬라이드 마스터를 이용하여 출력형태와 동일하게 작성합니다(슬라이드 1에는 생략).
- 문제와 세부조건, 세부조건 번호 ◌(점선원)는 입력하지 않습니다.
- 각 개체의 위치는 오른쪽의 슬라이드와 동일하게 구성합니다.
- 그림 삽입 문제의 경우 반드시 「내 PC₩문서₩ITQ₩Picture」 폴더에서 정확한 파일을 선택하여 삽입하십시오.
- 각 슬라이드를 각각의 파일로 작업해서 저장할 경우 실격 처리됩니다.

[전체구성] (60점)

(1) 슬라이드 크기 및 순서 : 크기를 A4 용지로 설정하고 슬라이드 순서에 맞게 작성한다.

(2) 슬라이드 마스터 : 2~6슬라이드의 제목, 하단 로고, 슬라이드 번호는 슬라이드 마스터를 이용하여 작성한다.

- 제목 글꼴(굴림, 40pt, 흰색), 왼쪽 정렬, 도형(선 없음)
- 하단 로고(「내 PC₩문서₩ITQ₩Picture₩로고1.jpg」, 배경(회색) 투명색으로 설정)

[슬라이드 1] ≪표지 디자인≫ (40점)

(1) 표지 디자인 : 도형, 워드숍 및 그림을 이용하여 작성한다.

세부조건

① 도형 편집
- 도형에 그림 채우기 : 「내 PC₩문서₩ITQ₩Picture₩그림1.jpg」, 투명도 50%
- 도형 효과 : 옅은 테두리 5pt

② 워드숍
- 변환 : 원통 아래
- 글꼴 : 궁서, 진하게
- 반사 : 1/2 크기, 근접

③ 그림 삽입
- 「내 PC₩문서₩ITQ₩Picture₩로고1.jpg」
- 배경(회색) 투명한 색으로 설정

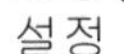

[슬라이드 2] ≪목차 슬라이드≫ (60점)

(1) 출력형태와 같이 도형을 이용하여 목차를 작성한다(글꼴 : 굴림, 24pt).

(2) 도형 : 선 없음

세부조건

① 텍스트에 하이퍼링크 적용 → '슬라이드 3'

② 그림 삽입
- 「내 PC₩문서₩ITQ₩Picture₩그림5.jpg」
- 자르기 기능 이용

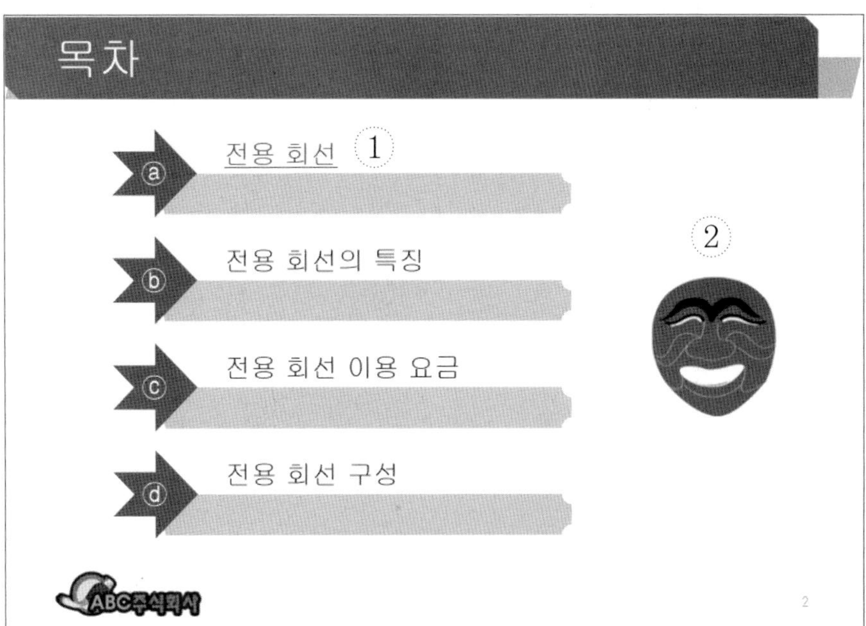

[슬라이드 3] ≪텍스트/동영상 슬라이드≫ (60점)

(1) 텍스트 작성 : 글머리 기호 사용(❖, ✓)

❖문단(함초롬돋움, 24pt, 굵게, 줄간격 : 1.5줄), ✓문단(함초롬돋움, 20pt, 줄간격 : 1.5줄)

세부조건

① 동영상 삽입 :
- 「내 PC₩문서₩ITQ₩Picture₩동영상.wmv」
- 자동실행, 반복재생 설정

ⓐ 전용 회선

❖ **Leased-line**

✓ Internet leased-line service for corporate customers, including SOHO, and internet PC rooms

✓ High-speed internet service that uses optical cable network

✓ Web Hosting, Dedicated Server Hosting and Mail hosting services

❖ **전용회선이란?**

✓ 1 사용자 또는 사용자의 1 그룹이 독점적으로 사용하는 것이 가능한 통신망의 회선

✓ 사용자가 원하는 두 지점 간 또는 다지점 간을 직통으로 연결하여 독점 사용하는 전기 통신 회선

1

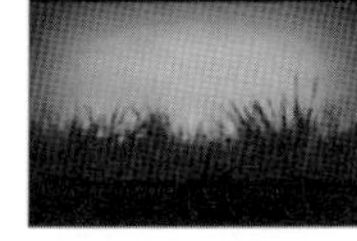

3

[슬라이드 4] ≪표 슬라이드≫ (80점)

(1) 도형과 표 작성 기능을 이용하여 슬라이드를 작성한다(글꼴 : 굴림, 18pt).

세부조건

① 상단 도형 :
2개 도형의 조합으로 작성

② 좌측 도형 :
그라데이션 효과(선형 위쪽)

③ 표 스타일 :
보통 스타일 4 - 강조 1

ⓑ 전용 회선의 특징

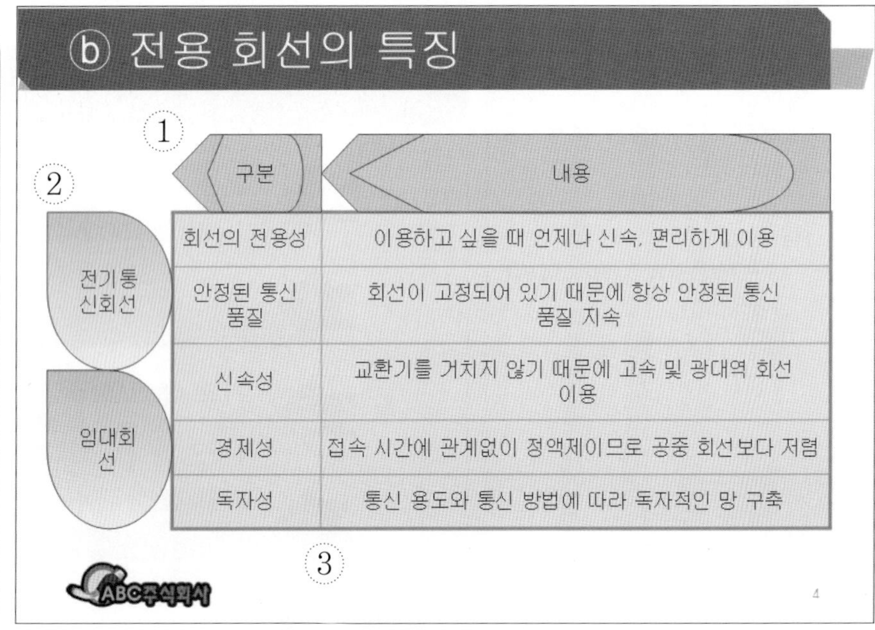

구분	내용
회선의 전용성	이용하고 싶을 때 언제나 신속, 편리하게 이용
안정된 통신 품질	회선이 고정되어 있기 때문에 항상 안정된 통신 품질 지속
신속성	교환기를 거치지 않기 때문에 고속 및 광대역 회선 이용
경제성	접속 시간에 관계없이 정액제이므로 공중 회선보다 저렴
독자성	통신 용도와 통신 방법에 따라 독자적인 망 구축

[슬라이드 5] ≪차트 슬라이드≫ (100점)

(1) 차트 작성 기능을 이용하여 슬라이드를 작성한다.
(2) 차트 : 종류(표식이 있는 꺾은선형), 글꼴(굴림, 16pt), 외곽선
(3) 표 : 차트 하단에 이미지와 같이 표 그리기

세부조건

※ 차트설명
- 차트제목 : 궁서, 20pt, 진하게, 채우기(하양), 테두리, 그림자(대각선 오른쪽 아래) 【그림자(2pt)】
- 범례 위치 : 오른쪽
- 전체배경 : 채우기(노랑)
- 값 표시 : 중소기업 계열의 2012년 요소만

① 도형 삽입
- 스타일 : 밝은 계열 - 강조 5
- 글꼴 : 궁서, 18pt

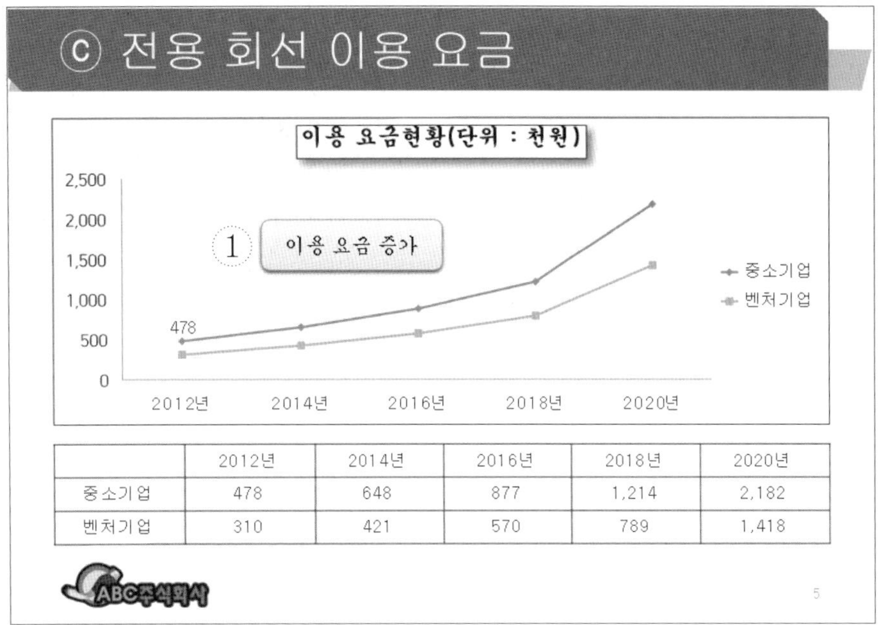

	2012년	2014년	2016년	2018년	2020년
중소기업	478	648	877	1,214	2,182
벤처기업	310	421	570	789	1,418

[슬라이드 6] ≪도형 슬라이드≫ (100점)

(1) 슬라이드와 같이 도형을 배치한다(글꼴 : 함초롬돋움, 18pt).
(2) 애니메이션 순서 : ① ⇒ ②

세부조건

① 도형 편집
- 그룹화 후 애니메이션 효과 : 날아오기(위로)

② 도형 편집
- 그룹화 후 애니메이션 효과 : 블라인드(세로)

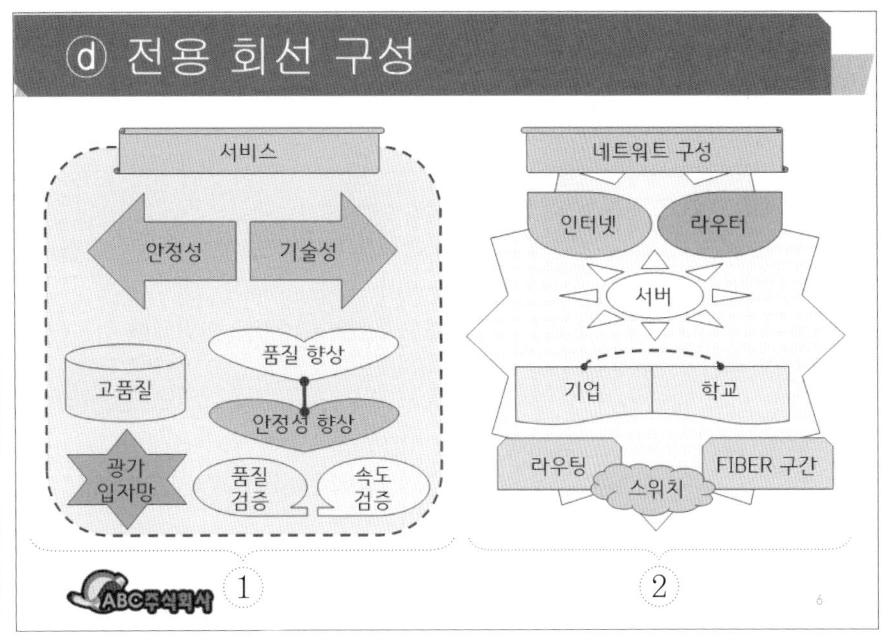

제 05 회 ITQ 실전모의고사

과목	코드	문제유형	시험시간	수험번호	성명
한쇼	1141	E	60분		

수험자 유의사항

- 수험자는 문제지를 받는 즉시 문제지와 **수험표상의 시험과목(프로그램)이 동일한지 반드시 확인**하여야 합니다.
- 파일명은 본인의 "수험번호-성명"으로 입력하여 답안폴더(내 PC₩문서₩ITQ)에 하나의 파일로 저장해야 하며, 답안문서 파일명이 "수험번호-성명"과 일치하지 않거나, 답안파일을 전송하지 않아 미제출로 처리될 경우 실격 처리합니다(예:12345678-홍길동.show).
- 답안 작성을 마치면 파일을 저장하고, '답안 전송' 버튼을 선택하여 감독위원 PC로 답안을 전송하십시오. 수험생 정보와 저장한 파일명이 다를 경우 전송되지 않으므로 주의하시기 바랍니다.
- 답안 작성 중에도 **주기적으로 저장하고, '답안 전송'**하여야 문제 발생을 줄일 수 있습니다. 작업한 내용을 저장하지 않고 전송할 경우 이전에 저장된 내용이 전송되오니 이점 유의하시기 바랍니다.
- 답안문서는 지정된 경로 외의 다른 보조기억장치에 저장하는 경우, 지정된 시험 시간 외에 작성된 파일을 활용할 경우, 기타 통신수단(이메일, 메신저, 네트워크 등)을 이용하여 타인에게 전달 또는 외부 반출하는 경우는 부정 처리합니다.
- 시험 중 부주의 또는 고의로 시스템을 파손한 경우는 수험자가 변상해야 하며, 〈수험자 유의사항〉에 기재된 방법대로 이행하지 않아 생기는 불이익은 수험생 당사자의 책임임을 알려 드립니다.
- 문제의 조건은 한컴오피스 2016 버전으로 설정되어 있고 한컴오피스 2010은 【 】에 표기되어 있으니 유의하시기 바랍니다.
- 시험을 완료한 수험자는 답안파일이 전송되었는지 확인한 후 감독위원의 지시에 따라 문제지를 제출하고 퇴실합니다.

답안 작성요령

- 온라인 답안 작성 절차
  수험자 등록 ⇒ 시험 시작 ⇒ 답안파일 저장 ⇒ 답안 전송 ⇒ 시험 종료
- 슬라이드의 크기는 A4 Paper로 설정하여 작성합니다.
- 슬라이드의 총 개수는 6개로 구성되어 있으며 슬라이드 1부터 순서대로 작업하고 반드시 문제와 세부조건대로 합니다.
- 별도의 지시사항이 없는 경우 출력형태를 참조하여 글꼴색은 검정 또는 흰색으로 작성하고, 기타사항은 전체적인 균형을 고려하여 작성합니다.
- 슬라이드 도형 및 개체에 출력형태와 다른 스타일(그림자, 외곽선 등)을 적용했을 경우 감점처리 됩니다.
- 슬라이드 번호를 작성합니다(슬라이드 1에는 생략).
- 2~6번 슬라이드 제목 도형과 하단 로고는 슬라이드 마스터를 이용하여 출력형태와 동일하게 작성합니다(슬라이드 1에는 생략).
- 문제와 세부조건, 세부조건 번호 ◌(점선원)는 입력하지 않습니다.
- 각 개체의 위치는 오른쪽의 슬라이드와 동일하게 구성합니다.
- 그림 삽입 문제의 경우 반드시 「내 PC₩문서₩ITQ₩Picture」 폴더에서 정확한 파일을 선택하여 삽입하십시오.
- 각 슬라이드를 각각의 파일로 작업해서 저장할 경우 실격 처리됩니다.

[전체구성] (60점)

(1) 슬라이드 크기 및 순서 : 크기를 A4 용지로 설정하고 슬라이드 순서에 맞게 작성한다.
(2) 슬라이드 마스터 : 2~6슬라이드의 제목, 하단 로고, 슬라이드 번호는 슬라이드 마스터를 이용하여 작성한다.
 - 제목 글꼴(돋움, 40pt, 파랑), 가운데 정렬, 도형(선 없음)
 - 하단 로고(「내 PC₩문서₩ITQ₩Picture₩로고1.jpg」, 배경(회색) 투명색으로 설정)

[슬라이드 1] ≪표지 디자인≫ (40점)

(1) 표지 디자인 : 도형, 워드숍 및 그림을 이용하여 작성한다.

세부조건

① 도형 편집
 - 도형에 그림 채우기 : 「내 PC₩문서₩ITQ₩Picture₩그림2.jpg」, 투명도 50%
 - 도형 효과 : 옅은 테두리 5pt

② 워드숍
 - 변환 : 역삼각형
 - 글꼴 : 바탕, 진하게
 - 반사 : 3/4 크기, 근접

③ 그림 삽입
 - 「내 PC₩문서₩ITQ₩Picture₩로고1.jpg」
 - 배경(회색) 투명한 색으로 설정

[슬라이드 2] ≪목차 슬라이드≫ (60점)

(1) 출력형태와 같이 도형을 이용하여 목차를 작성한다(글꼴 : 돋움, 24pt).
(2) 도형 : 선 없음

세부조건

① 텍스트에 하이퍼링크 적용
 → '슬라이드 3'

② 그림 삽입
 - 「내 PC₩문서₩ITQ₩Picture₩그림4.jpg」
 - 자르기 기능 이용

[슬라이드 3] ≪텍스트/동영상 슬라이드≫ (60점)

(1) 텍스트 작성 : 글머리 기호 사용(❖, ✓)
❖문단(굴림, 24pt, 굵게, 줄간격 : 1.5줄), ✓문단(굴림, 20pt, 줄간격 : 1.5줄)

세부조건

① 동영상 삽입 :
- 「내 PC₩문서₩ITQ₩Picture₩동영상.wmv」
- 자동실행, 반복재생 설정

가. 게이트볼 리그

❖ **The Game**

✓ It is a game played between two teams, each with 5 players

✓ The leading team uses red balls (odd numbers) and the following team uses white balls (even numbers)

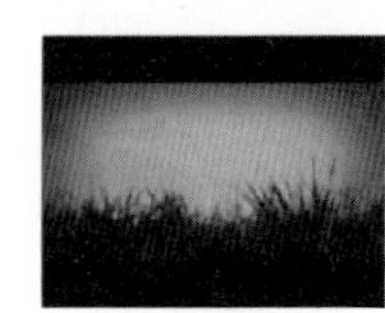

①

❖ **게이트볼의 유래**

✓ T자형 스틱으로 볼을 쳐서 경기장 내 3곳의 게이트를 차례로 통과시킨 다음 골폴에 맞히는 구기

✓ 13세기경 프랑스 남부 농민들이 양치지가 쓰는 끝이 굽은 막대기로 공을 쳐서 나무로 만든 문을 통과시키던 파유마유에서 발전

3

[슬라이드 4] ≪표 슬라이드≫ (80점)

(1) 도형과 표 작성 기능을 이용하여 슬라이드를 작성한다(글꼴 : 돋움, 20pt).

세부조건

① 상단 도형 :
2개 도형의 조합으로 작성

② 좌측 도형 :
그라데이션 효과(선형 위쪽)

③ 표 스타일 :
보통 스타일 4 - 강조 4

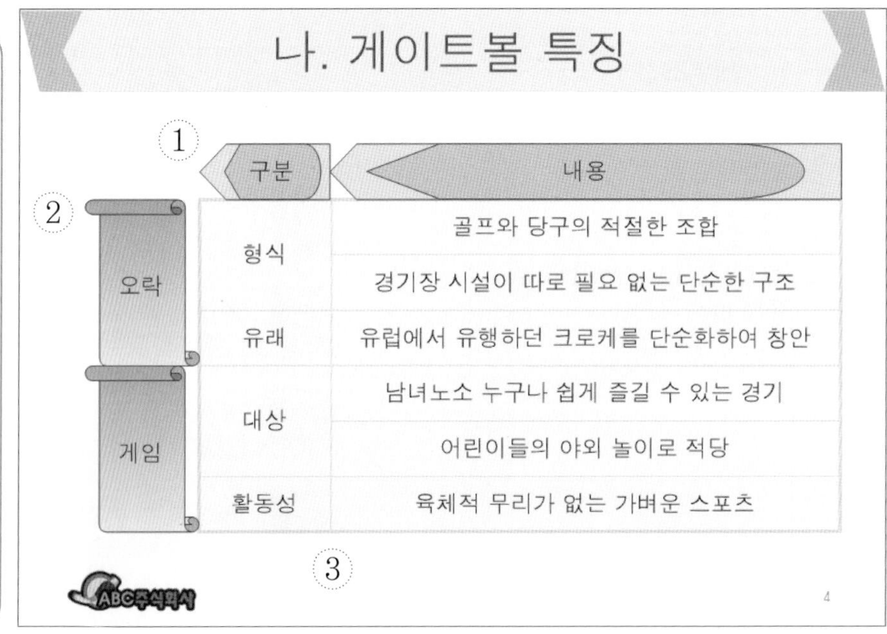

구분	내용
형식	골프와 당구의 적절한 조합
	경기장 시설이 따로 필요 없는 단순한 구조
유래	유럽에서 유행하던 크로케를 단순화하여 창안
대상	남녀노소 누구나 쉽게 즐길 수 있는 경기
	어린이들의 야외 놀이로 적당
활동성	육체적 무리가 없는 가벼운 스포츠

[슬라이드 5] ≪차트 슬라이드≫ (100점)

(1) 차트 작성 기능을 이용하여 슬라이드를 작성한다.
(2) 차트 : 종류(묶은 세로 막대형), 글꼴(돋움, 16pt), 외곽선
(3) 표 : 차트 하단에 이미지와 같이 표 그리기

세부조건

※ 차트설명
- 차트제목 : 궁서, 20pt, 진하게, 채우기(하양), 테두리, 그림자(대각선 오른쪽 아래) 【그림자(2pt)】
- 범례 위치 : 오른쪽
- 전체배경 : 채우기(노랑)
- 값 표시 : 여자 계열

① 도형 삽입
- 스타일 : 밝은 계열 - 강조 5
- 글꼴 : 돋움, 16pt

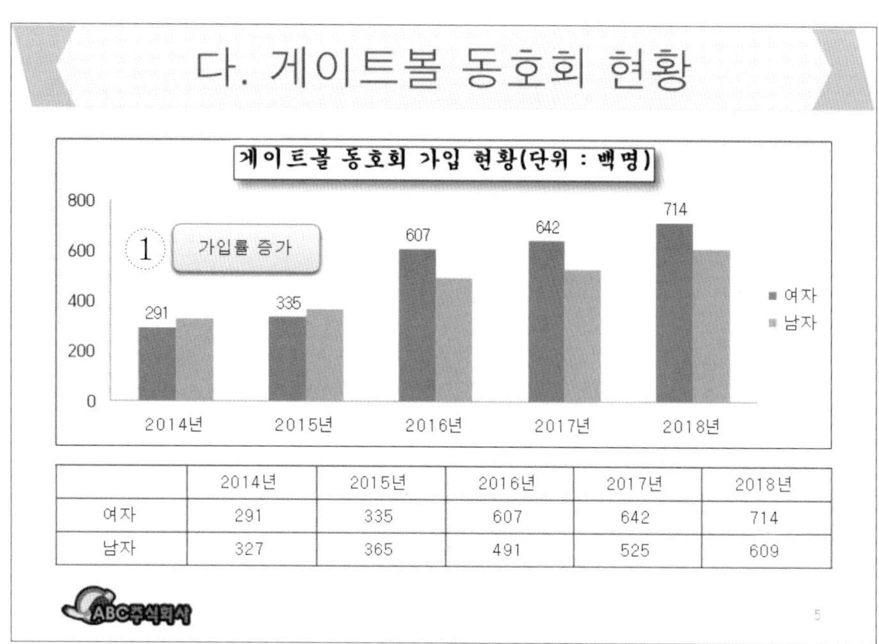

	2014년	2015년	2016년	2017년	2018년
여자	291	335	607	642	714
남자	327	365	491	525	609

[슬라이드 6] ≪도형 슬라이드≫ (100점)

(1) 슬라이드와 같이 도형을 배치한다(글꼴 : 굴림, 18pt).
(2) 애니메이션 순서 : ① ⇒ ②

세부조건

① 도형 편집
- 그룹화 후 애니메이션 효과 : 날아오기(왼쪽으로)

② 도형 편집
- 그룹화 후 애니메이션 효과 : 밝기 변화

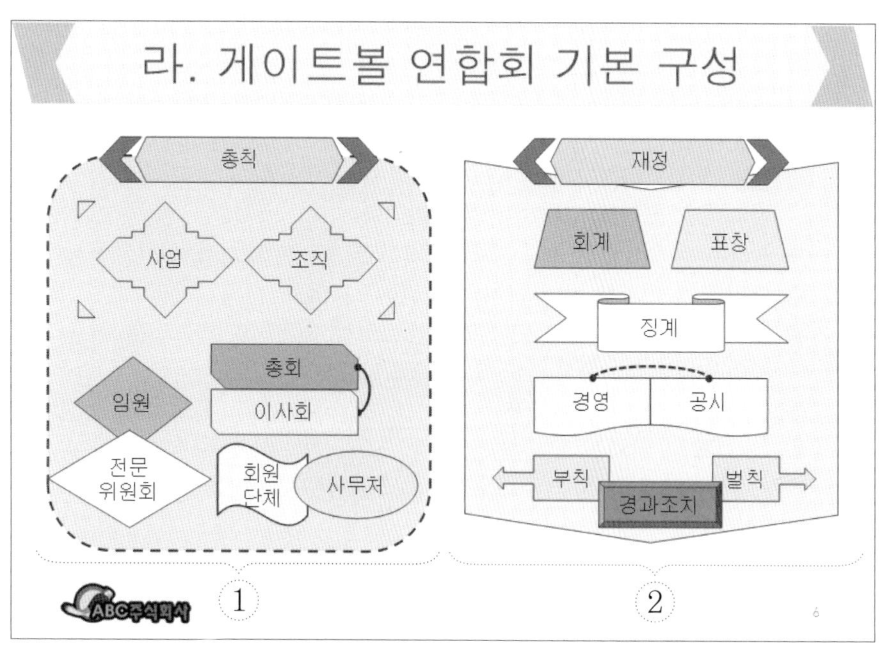

제 06 회 ITQ 실전모의고사

과목	코드	문제유형	시험시간	수험번호	성명
한쇼	1141	A	60분		

수험자 유의사항

- 수험자는 문제지를 받는 즉시 문제지와 **수험표상의 시험과목(프로그램)이 동일한지 반드시 확인**하여야 합니다.
- 파일명은 본인의 "수험번호-성명"으로 입력하여 답안폴더(내 PC₩문서₩ITQ)에 하나의 파일로 저장해야 하며, 답안문서 파일명이 "수험번호-성명"과 일치하지 않거나, 답안파일을 전송하지 않아 미제출로 처리될 경우 실격 처리합니다(예:12345678-홍길동.show).
- 답안 작성을 마치면 파일을 저장하고, '답안 전송' 버튼을 선택하여 감독위원 PC로 답안을 전송하십시오. 수험생 정보와 저장한 파일명이 다를 경우 전송되지 않으므로 주의하시기 바랍니다.
- 답안 작성 중에도 **주기적으로 저장하고, '답안 전송'**하여야 문제 발생을 줄일 수 있습니다. 작업한 내용을 저장하지 않고 전송할 경우 이전에 저장된 내용이 전송되오니 이점 유의하시기 바랍니다.
- 답안문서는 지정된 경로 외의 다른 보조기억장치에 저장하는 경우, 지정된 시험 시간 외에 작성된 파일을 활용할 경우, 기타 통신수단(이메일, 메신저, 네트워크 등)을 이용하여 타인에게 전달 또는 외부 반출하는 경우는 부정 처리합니다.
- 시험 중 부주의 또는 고의로 시스템을 파손한 경우는 수험자가 변상해야 하며, 〈수험자 유의사항〉에 기재된 방법대로 이행하지 않아 생기는 불이익은 수험생 당사자의 책임임을 알려 드립니다.
- 문제의 조건은 한컴오피스 2016 버전으로 설정되어 있고 한컴오피스 2010은 【 】에 표기되어 있으니 유의하시기 바랍니다.
- 시험을 완료한 수험자는 답안파일이 전송되었는지 확인한 후 감독위원의 지시에 따라 문제지를 제출하고 퇴실합니다.

답안 작성요령

- 온라인 답안 작성 절차
  수험자 등록 ⇒ 시험 시작 ⇒ 답안파일 저장 ⇒ 답안 전송 ⇒ 시험 종료
- 슬라이드의 크기는 A4 Paper로 설정하여 작성합니다.
- 슬라이드의 총 개수는 6개로 구성되어 있으며 슬라이드 1부터 순서대로 작업하고 반드시 문제와 세부조건대로 합니다.
- 별도의 지시사항이 없는 경우 출력형태를 참조하여 글꼴색은 검정 또는 흰색으로 작성하고, 기타사항은 전체적인 균형을 고려하여 작성합니다.
- 슬라이드 도형 및 개체에 출력형태와 다른 스타일(그림자, 외곽선 등)을 적용했을 경우 감점처리 됩니다.
- 슬라이드 번호를 작성합니다(슬라이드 1에는 생략).
- 2~6번 슬라이드 제목 도형과 하단 로고는 슬라이드 마스터를 이용하여 출력형태와 동일하게 작성합니다(슬라이드 1에는 생략).
- 문제와 세부조건, 세부조건 번호 ◌(점선원)는 입력하지 않습니다.
- 각 개체의 위치는 오른쪽의 슬라이드와 동일하게 구성합니다.
- 그림 삽입 문제의 경우 반드시 「내 PC₩문서₩ITQ₩Picture」 폴더에서 정확한 파일을 선택하여 삽입하십시오.
- 각 슬라이드를 각각의 파일로 작업해서 저장할 경우 실격 처리됩니다.

kpc 한국생산성본부

[전체구성] (60점)

(1) 슬라이드 크기 및 순서 : 크기를 A4 용지로 설정하고 슬라이드 순서에 맞게 작성한다.
(2) 슬라이드 마스터 : 2~6슬라이드의 제목, 하단 로고, 슬라이드 번호는 슬라이드 마스터를 이용하여 작성한다.
 - 제목 글꼴(함초롬돋움, 40pt, 흰색), 왼쪽 정렬, 도형(선 없음)
 - 하단 로고(「내 PC₩문서₩ITQ₩Picture₩로고2.jpg」, 배경(회색) 투명색으로 설정)

[슬라이드 1] ≪표지 디자인≫ (40점)

(1) 표지 디자인 : 도형, 워드숍 및 그림을 이용하여 작성한다.

세부조건

① 도형 편집
 - 도형에 그림 채우기 : 「내 PC₩문서₩ITQ₩Picture₩그림2.jpg」, 투명도 50%
 - 도형 효과 : 옅은 테두리 5pt

② 워드숍
 - 변환 : 물결 1
 - 글꼴 : 굴림, 진하게
 - 반사 : 3/4 크기, 근접

③ 그림 삽입
 - 「내 PC₩문서₩ITQ₩Picture₩로고2.jpg」
 - 배경(회색) 투명한 색으로 설정

[슬라이드 2] ≪목차 슬라이드≫ (60점)

(1) 출력형태와 같이 도형을 이용하여 목차를 작성한다(글꼴 : 굴림, 24pt).
(2) 도형 : 선 없음

세부조건

① 텍스트에 하이퍼링크 적용
 → '슬라이드 5'

② 그림 삽입
 - 「내 PC₩문서₩ITQ₩Picture₩그림4.jpg」
 - 자르기 기능 이용

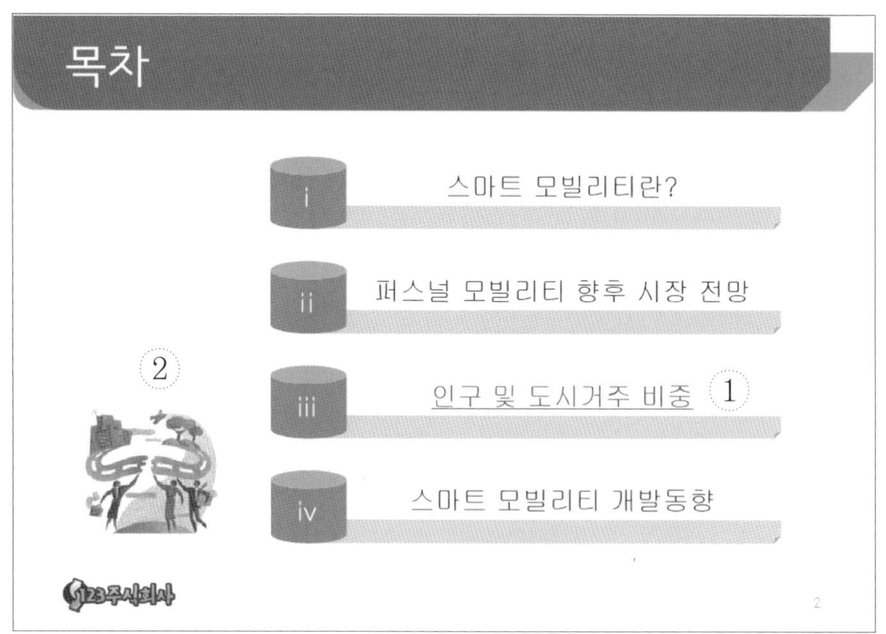

[슬라이드 3] ≪텍스트/동영상 슬라이드≫ (60점)

(1) 텍스트 작성 : 글머리 기호 사용(❖, ✓)
❖문단(굴림, 24pt, 굵게, 줄간격 : 1.5줄), ✓문단(굴림, 20pt, 줄간격 : 1.5줄)

세부조건

① 동영상 삽입 :
- 「내 PC₩문서₩ITQ₩Picture₩동영상.wmv」
- 자동실행, 반복재생 설정

ⅰ. 스마트 모빌리티란?

❖ What is Smart Mobility?

✓ The total concept : More intelligence and smart future transportation system by smart devices

✓ Reducing congestion and fostering faster, greener, and cheaper transportation options

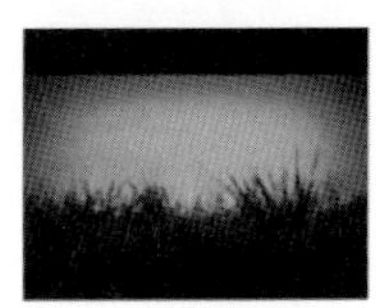

①

❖ 스마트 모빌리티란?

✓ 기존의 교통체계와 스마트 기기의 첨단 기능이 융합되면서 보다 지능화하고 스마트해진 미래 교통서비스의 총체적 개념

✓ 도시 내 이동성 및 편의성을 향상시키고, 환경오염을 최소화하는 교통서비스 및 개인 이동수단

3

[슬라이드 4] ≪표 슬라이드≫ (80점)

(1) 도형과 표 작성 기능을 이용하여 슬라이드를 작성한다(글꼴 : 돋움, 18pt).

세부조건

① 상단 도형 :
2개 도형의 조합으로 작성

② 좌측 도형 :
그라데이션 효과(선형 위쪽)

③ 표 스타일 :
보통 스타일 4 - 강조 5

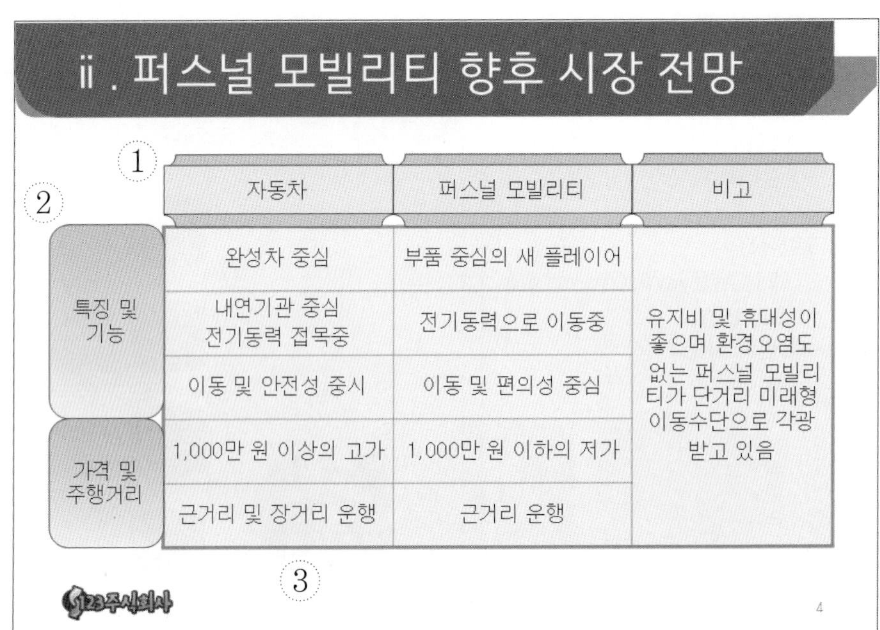

[슬라이드 5] ≪차트 슬라이드≫ (100점)

(1) 차트 작성 기능을 이용하여 슬라이드를 작성한다.
(2) 차트 : 종류(묶은 세로 막대형), 글꼴(굴림, 16pt), 외곽선
(3) 표 : 차트 하단에 이미지와 같이 표 그리기

세부조건

※ 차트설명
- 차트제목 : 궁서, 20pt, 진하게, 채우기(하양), 테두리, 그림자(대각선 오른쪽 아래) 【그림자(2pt)】
- 범례 위치 : 아래쪽
- 전체배경 : 채우기(노랑)
- 값 표시 : 전 세계 인구(억 명) 계열의 2030년 요소만

① 도형 삽입
- 스타일 : 밝은 계열 – 강조 5
- 글꼴 : 돋움, 16pt

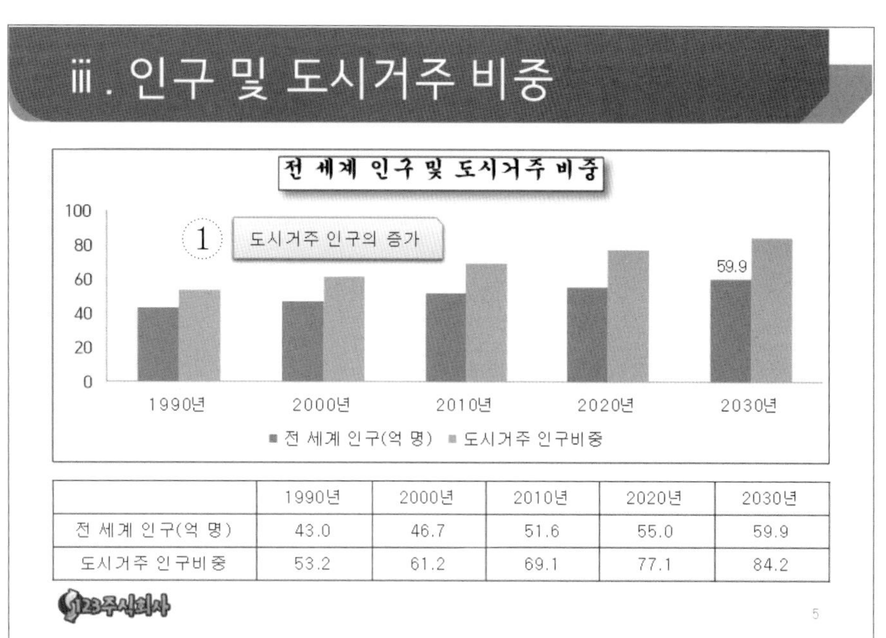

	1990년	2000년	2010년	2020년	2030년
전 세계 인구(억 명)	43.0	46.7	51.6	55.0	59.9
도시거주 인구비중	53.2	61.2	69.1	77.1	84.2

[슬라이드 6] ≪도형 슬라이드≫ (100점)

(1) 슬라이드와 같이 도형을 배치한다(글꼴 : 굴림, 18pt).
(2) 애니메이션 순서 : ① ⇒ ②

세부조건

① 도형 편집
- 그룹화 후 애니메이션 효과 : 시계 방향 회전

② 도형 편집
- 그룹화 후 애니메이션 효과 : 밝기 변화

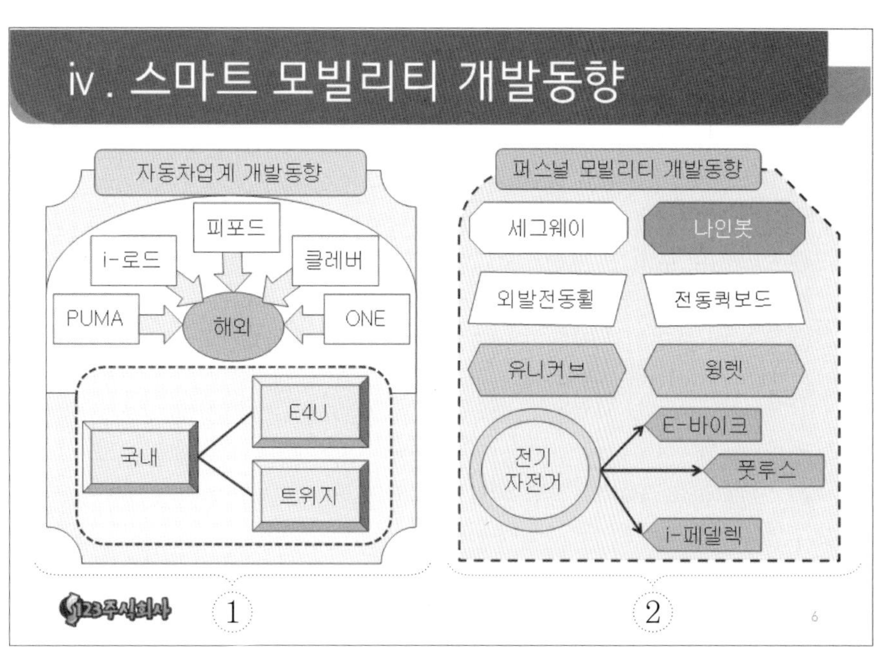

제 07 회 ITQ 실전모의고사

과목	코드	문제유형	시험시간	수험번호	성명
한쇼	1141	B	60분		

수험자 유의사항

- 수험자는 문제지를 받는 즉시 문제지와 **수험표상의 시험과목(프로그램)이 동일한지 반드시 확인**하여야 합니다.
- 파일명은 본인의 "수험번호-성명"으로 입력하여 답안폴더(내 PC₩문서₩ITQ)에 하나의 파일로 저장해야 하며, 답안문서 파일명이 "수험번호-성명"과 일치하지 않거나, 답안파일을 전송하지 않아 미제출로 처리될 경우 실격 처리합니다(예:12345678-홍길동.show).
- 답안 작성을 마치면 파일을 저장하고, '답안 전송' 버튼을 선택하여 감독위원 PC로 답안을 전송하십시오. 수험생 정보와 저장한 파일명이 다를 경우 전송되지 않으므로 주의하시기 바랍니다.
- 답안 작성 중에도 **주기적으로 저장하고, '답안 전송'**하여야 문제 발생을 줄일 수 있습니다. 작업한 내용을 저장하지 않고 전송할 경우 이전에 저장된 내용이 전송되오니 이점 유의하시기 바랍니다.
- 답안문서는 지정된 경로 외의 다른 보조기억장치에 저장하는 경우, 지정된 시험 시간 외에 작성된 파일을 활용할 경우, 기타 통신수단(이메일, 메신저, 네트워크 등)을 이용하여 타인에게 전달 또는 외부 반출하는 경우는 부정 처리합니다.
- 시험 중 부주의 또는 고의로 시스템을 파손한 경우는 수험자가 변상해야 하며, 〈수험자 유의사항〉에 기재된 방법대로 이행하지 않아 생기는 불이익은 수험생 당사자의 책임임을 알려 드립니다.
- 문제의 조건은 한컴오피스 2016 버전으로 설정되어 있고 한컴오피스 2010은 【 】에 표기되어 있으니 유의하시기 바랍니다.
- 시험을 완료한 수험자는 답안파일이 전송되었는지 확인한 후 감독위원의 지시에 따라 문제지를 제출하고 퇴실합니다.

답안 작성요령

- 온라인 답안 작성 절차
  수험자 등록 ⇒ 시험 시작 ⇒ 답안파일 저장 ⇒ 답안 전송 ⇒ 시험 종료
- 슬라이드의 크기는 A4 Paper로 설정하여 작성합니다.
- 슬라이드의 총 개수는 6개로 구성되어 있으며 슬라이드 1부터 순서대로 작업하고 반드시 문제와 세부조건대로 합니다.
- 별도의 지시사항이 없는 경우 출력형태를 참조하여 글꼴색은 검정 또는 흰색으로 작성하고, 기타사항은 전체적인 균형을 고려하여 작성합니다.
- 슬라이드 도형 및 개체에 출력형태와 다른 스타일(그림자, 외곽선 등)을 적용했을 경우 감점처리 됩니다.
- 슬라이드 번호를 작성합니다(슬라이드 1에는 생략).
- 2~6번 슬라이드 제목 도형과 하단 로고는 슬라이드 마스터를 이용하여 출력형태와 동일하게 작성합니다(슬라이드 1에는 생략).
- 문제와 세부조건, 세부조건 번호 ◌(점선원)는 입력하지 않습니다.
- 각 개체의 위치는 오른쪽의 슬라이드와 동일하게 구성합니다.
- 그림 삽입 문제의 경우 반드시 「내 PC₩문서₩ITQ₩Picture」 폴더에서 정확한 파일을 선택하여 삽입하십시오.
- 각 슬라이드를 각각의 파일로 작업해서 저장할 경우 실격 처리됩니다.

[전체구성] (60점)

(1) 슬라이드 크기 및 순서 : 크기를 A4 용지로 설정하고 슬라이드 순서에 맞게 작성한다.
(2) 슬라이드 마스터 : 2~6슬라이드의 제목, 하단 로고, 슬라이드 번호는 슬라이드 마스터를 이용하여 작성한다.
- 제목 글꼴(돋움, 40pt, 흰색), 왼쪽 정렬, 도형(선 없음)
- 하단 로고(「내 PC₩문서₩ITQ₩Picture₩로고2.jpg」, 배경(회색) 투명색으로 설정)

[슬라이드 1] ≪표지 디자인≫ (40점)

(1) 표지 디자인 : 도형, 워드숍 및 그림을 이용하여 작성한다.

세부조건

① 도형 편집
- 도형에 그림 채우기 : 「내 PC₩문서₩ITQ₩Picture₩그림1.jpg」, 투명도 50%
- 도형 효과 : 옅은 테두리 5pt

② 워드숍
- 변환 : 위쪽 수축
- 글꼴 : 굴림, 진하게
- 반사 : 3/4 크기, 4pt

③ 그림 삽입
- 「내 PC₩문서₩ITQ₩Picture₩로고2.jpg」
- 배경(회색) 투명한 색으로 설정

[슬라이드 2] ≪목차 슬라이드≫ (60점)

(1) 출력형태와 같이 도형을 이용하여 목차를 작성한다(글꼴 : 굴림, 24pt).
(2) 도형 : 선 없음

세부조건

① 텍스트에 하이퍼링크 적용 → '슬라이드 3'

② 그림 삽입
- 「내 PC₩문서₩ITQ₩Picture₩그림4.jpg」
- 자르기 기능 이용

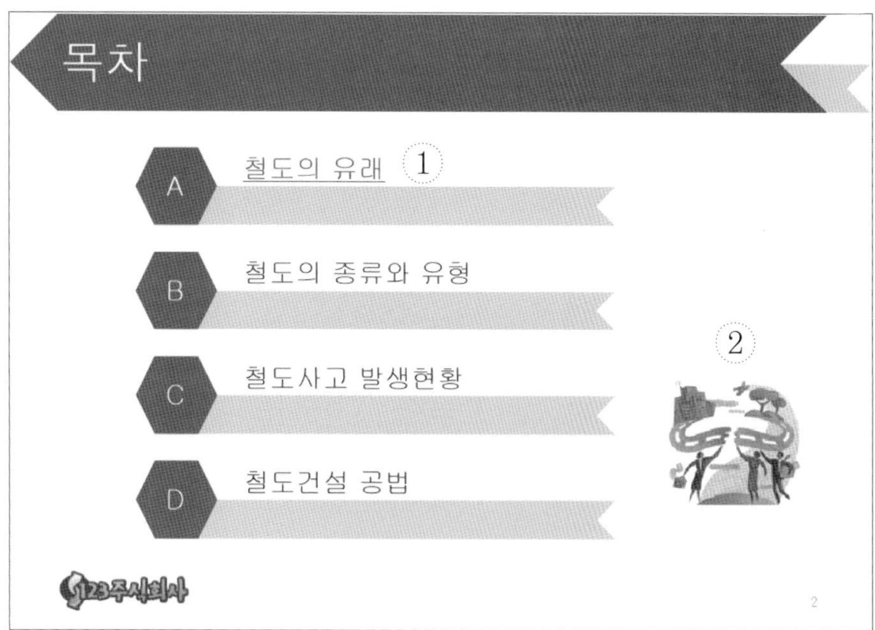

[슬라이드 3] ≪텍스트/동영상 슬라이드≫ (60점)

(1) 텍스트 작성 : 글머리 기호 사용(➢, ❖)

➢문단(굴림, 24pt, 굵게, 줄간격 : 1.5줄), ❖문단(굴림, 20pt, 줄간격 : 1.5줄)

세부조건

① 동영상 삽입 :
- 「내 PC₩문서₩ITQ₩Picture₩동영상.wmv」
- 자동실행, 반복재생 설정

A. 철도의 유래

➢ Origin of the railway

❖ Railways in 1814, this power Stevenson began with the invention of the steam locomotive finally being mechanized. The beginning of the railroad brought a breakthrough in transportation

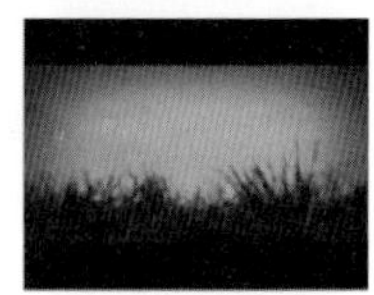

①

➢ 국가별 철도 선로

❖ 철도 선로를 한국과 일본에서는 '철도', 중국에서는 '철로', 영국에서는 '레일웨이', 독일에서는 '아이젠반', 프랑스에서는 '슈맹 드 페르' 등으로 불리고 있듯이 그 어원이 '철의 길'이라는 뜻에서 유래

3

[슬라이드 4] ≪표 슬라이드≫ (80점)

(1) 도형과 표 작성 기능을 이용하여 슬라이드를 작성한다(글꼴 : 돋움, 18pt).

세부조건

① 상단 도형 :
2개 도형의 조합으로 작성

② 좌측 도형 :
그라데이션 효과(선형 위쪽)

③ 표 스타일 :
보통 스타일 4 - 강조 6

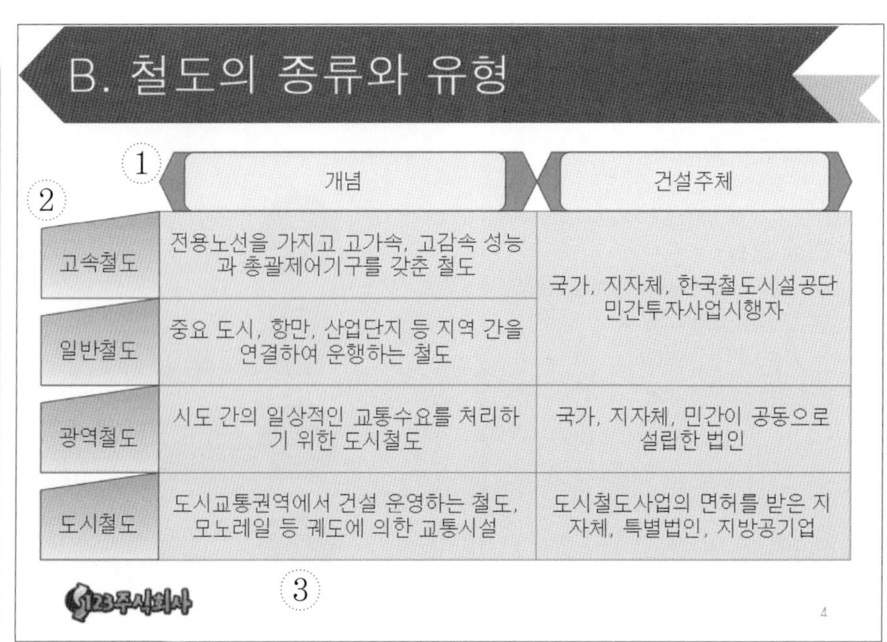

	개념	건설주체
고속철도	전용노선을 가지고 고가속, 고감속 성능과 총괄제어기구를 갖춘 철도	국가, 지자체, 한국철도시설공단 민간투자사업시행자
일반철도	중요 도시, 항만, 산업단지 등 지역 간을 연결하여 운행하는 철도	
광역철도	시도 간의 일상적인 교통수요를 처리하기 위한 도시철도	국가, 지자체, 민간이 공동으로 설립한 법인
도시철도	도시교통권역에서 건설 운영하는 철도, 모노레일 등 궤도에 의한 교통시설	도시철도사업의 면허를 받은 지자체, 특별법인, 지방공기업

[슬라이드 5] ≪차트 슬라이드≫ (100점)

(1) 차트 작성 기능을 이용하여 슬라이드를 작성한다.
(2) 차트 : 종류(표식이 있는 꺾은선형), 글꼴(굴림, 16pt), 외곽선
(3) 표 : 차트 하단에 이미지와 같이 표 그리기

세부조건

※ 차트설명
- 차트제목 : 궁서, 20pt, 진하게, 채우기(하양), 테두리, 그림자(대각선 오른쪽 아래) 【그림자(2pt)】
- 범례 위치 : 위쪽
- 전체배경 : 채우기(노랑)
- 값 표시 : 철도안전사고 계열의 2013년 요소만

① 도형 삽입
- 스타일 : 밝은 계열 – 강조 5
- 글꼴 : 굴림, 16pt

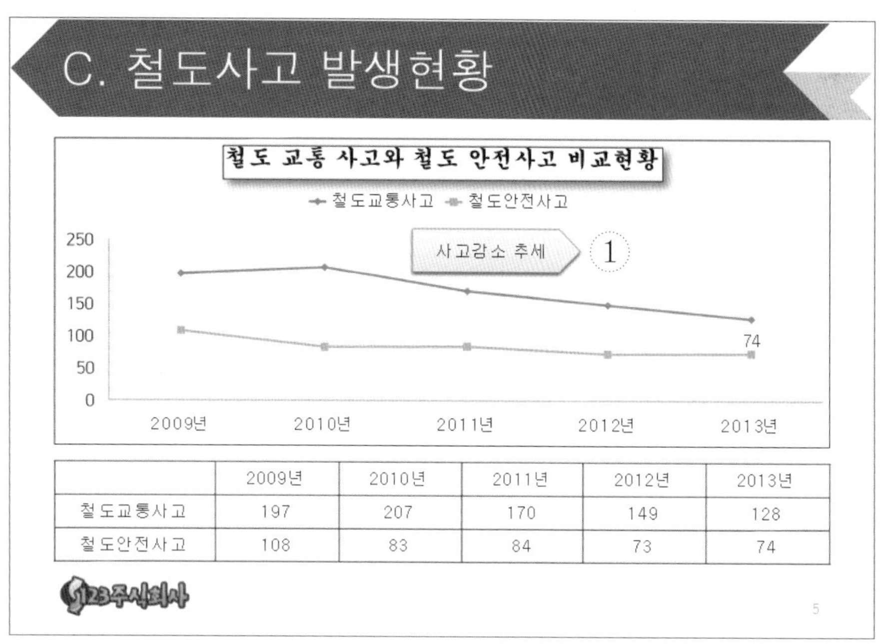

	2009년	2010년	2011년	2012년	2013년
철도교통사고	197	207	170	149	128
철도안전사고	108	83	84	73	74

[슬라이드 6] ≪도형 슬라이드≫ (100점)

(1) 슬라이드와 같이 도형을 배치한다(글꼴 : 함초롬돋움, 18pt).
(2) 애니메이션 순서 : ① ⇒ ②

세부조건

① 도형 편집
- 그룹화 후 애니메이션 효과 : 날아오기(오른쪽으로)

② 도형 편집
- 그룹화 후 애니메이션 효과 : 블라인드(세로)

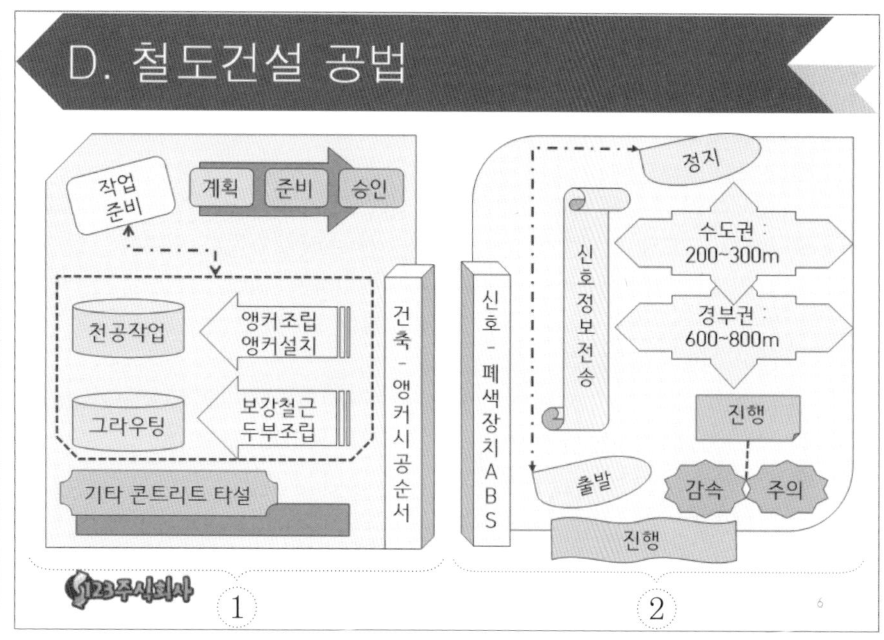

제 08 회 ITQ 실전모의고사

과목	코드	문제유형	시험시간	수험번호	성명
한쇼	1141	C	60분		

수험자 유의사항

- 수험자는 문제지를 받는 즉시 문제지와 **수험표상의 시험과목(프로그램)이 동일한지 반드시 확인**하여야 합니다.
- 파일명은 본인의 "수험번호-성명"으로 입력하여 답안폴더(내 PC₩문서₩ITQ)에 하나의 파일로 저장해야 하며, 답안문서 파일명이 "수험번호-성명"과 일치하지 않거나, 답안파일을 전송하지 않아 미제출로 처리될 경우 실격 처리합니다(예:12345678-홍길동.show).
- 답안 작성을 마치면 파일을 저장하고, '답안 전송' 버튼을 선택하여 감독위원 PC로 답안을 전송하십시오. 수험생 정보와 저장한 파일명이 다를 경우 전송되지 않으므로 주의하시기 바랍니다.
- 답안 작성 중에도 **주기적으로 저장하고, '답안 전송'**하여야 문제 발생을 줄일 수 있습니다. 작업한 내용을 저장하지 않고 전송할 경우 이전에 저장된 내용이 전송되오니 이점 유의하시기 바랍니다.
- 답안문서는 지정된 경로 외의 다른 보조기억장치에 저장하는 경우, 지정된 시험 시간 외에 작성된 파일을 활용할 경우, 기타 통신수단(이메일, 메신저, 네트워크 등)을 이용하여 타인에게 전달 또는 외부 반출하는 경우는 부정 처리합니다.
- 시험 중 부주의 또는 고의로 시스템을 파손한 경우는 수험자가 변상해야 하며, 〈수험자 유의사항〉에 기재된 방법대로 이행하지 않아 생기는 불이익은 수험생 당사자의 책임임을 알려 드립니다.
- 문제의 조건은 한컴오피스 2016 버전으로 설정되어 있고 한컴오피스 2010은 【 】에 표기되어 있으니 유의하시기 바랍니다.
- 시험을 완료한 수험자는 답안파일이 전송되었는지 확인한 후 감독위원의 지시에 따라 문제지를 제출하고 퇴실합니다.

답안 작성요령

- 온라인 답안 작성 절차
  수험자 등록 ⇒ 시험 시작 ⇒ 답안파일 저장 ⇒ 답안 전송 ⇒ 시험 종료
- 슬라이드의 크기는 A4 Paper로 설정하여 작성합니다.
- 슬라이드의 총 개수는 6개로 구성되어 있으며 슬라이드 1부터 순서대로 작업하고 반드시 문제와 세부조건대로 합니다.
- 별도의 지시사항이 없는 경우 출력형태를 참조하여 글꼴색은 검정 또는 흰색으로 작성하고, 기타사항은 전체적인 균형을 고려하여 작성합니다.
- 슬라이드 도형 및 개체에 출력형태와 다른 스타일(그림자, 외곽선 등)을 적용했을 경우 감점처리 됩니다.
- 슬라이드 번호를 작성합니다(슬라이드 1에는 생략).
- 2~6번 슬라이드 제목 도형과 하단 로고는 슬라이드 마스터를 이용하여 출력형태와 동일하게 작성합니다(슬라이드 1에는 생략).
- 문제와 세부조건, 세부조건 번호 ◌(점선원)는 입력하지 않습니다.
- 각 개체의 위치는 오른쪽의 슬라이드와 동일하게 구성합니다.
- 그림 삽입 문제의 경우 반드시 「내 PC₩문서₩ITQ₩Picture」 폴더에서 정확한 파일을 선택하여 삽입하십시오.
- 각 슬라이드를 각각의 파일로 작업해서 저장할 경우 실격 처리됩니다.

kpc 한국생산성본부

[전체구성] (60점)

(1) 슬라이드 크기 및 순서 : 크기를 A4 용지로 설정하고 슬라이드 순서에 맞게 작성한다.
(2) 슬라이드 마스터 : 2~6슬라이드의 제목, 하단 로고, 슬라이드 번호는 슬라이드 마스터를 이용하여 작성한다.
- 제목 글꼴(맑은 고딕, 40pt, 흰색), 가운데 정렬, 도형(선 없음)
- 하단 로고(「내 PC₩문서₩ITQ₩Picture₩로고1.jpg」, 배경(회색) 투명색으로 설정)

[슬라이드 1] ≪표지 디자인≫ (40점)

(1) 표지 디자인 : 도형, 워드숍 및 그림을 이용하여 작성한다.

세부조건

① 도형 편집
- 도형에 그림 채우기 : 「내 PC₩문서₩ITQ₩Picture₩그림1.jpg」, 투명도 50%
- 도형 효과 : 옅은 테두리 5pt

② 워드숍
- 변환 : 역갈매기형 수장
- 글꼴 : 궁서, 진하게
- 반사 : 3/4 크기, 4pt

③ 그림 삽입
- 「내 PC₩문서₩ITQ₩Picture₩로고1.jpg」
- 배경(회색) 투명한 색으로 설정

[슬라이드 2] ≪목차 슬라이드≫ (60점)

(1) 출력형태와 같이 도형을 이용하여 목차를 작성한다(글꼴 : 돋움, 24pt).
(2) 도형 : 선 없음

세부조건

① 텍스트에 하이퍼링크 적용
→ '슬라이드 4'

② 그림 삽입
- 「내 PC₩문서₩ITQ₩Picture₩그림5.jpg」
- 자르기 기능 이용

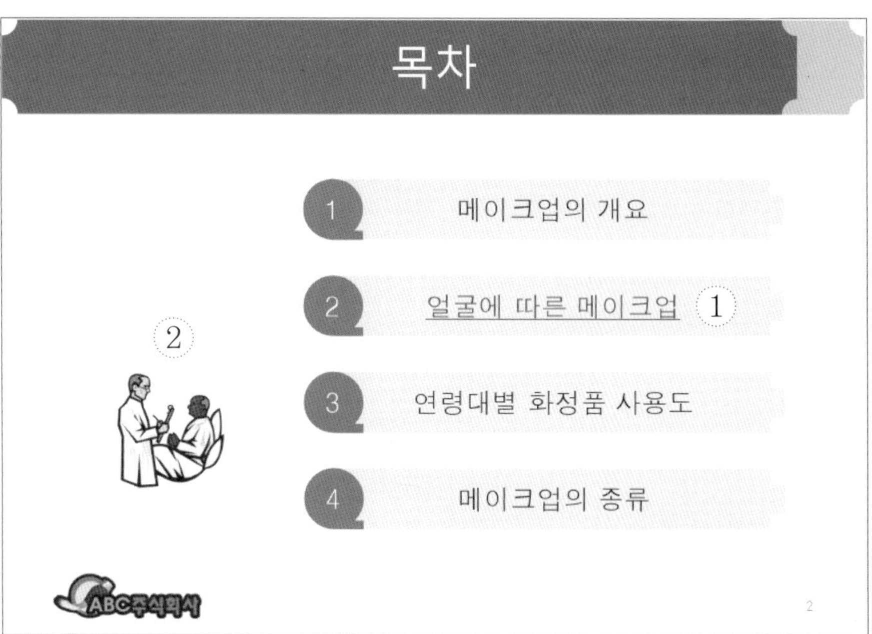

[슬라이드 3] ≪텍스트/동영상 슬라이드≫ (60점)

(1) 텍스트 작성 : 글머리 기호 사용(❖, ✓)

❖문단(맑은 고딕, 24pt, 굵게, 줄간격 : 1.5줄), ✓문단(맑은 고딕, 20pt, 줄간격 : 1.5줄)

세부조건

① 동영상 삽입 :
- 「내 PC₩문서₩ITQ₩Picture₩동영상.wmv」
- 자동실행, 반복재생 설정

1. 메이크업의 개요

❖ **Make-up(Cosmetics)**

✓ Make-up are substances to enhance the beauty of the humanbody, apart from simple cleaning

✓ Their use is widespread, especially among women in Western countries

❖ **메이크업의 구분**

①

✓ 뷰티 메이크업 : 내추럴, 스트레이트, 웨딩, 패션 등

✓ 분장 메이크업 : 무대, 영상, 수염, 상처, 사극, 노역 등

✓ 특수 메이크업 : 데드마스크, 라텍스, 폼마스크, 신체 등

3

[슬라이드 4] ≪표 슬라이드≫ (80점)

(1) 도형과 표 작성 기능을 이용하여 슬라이드를 작성한다(글꼴 : 돋움, 18pt).

세부조건

① 상단 도형 :
2개 도형의 조합으로 작성

② 좌측 도형 :
그라데이션 효과(선형 위쪽)

③ 표 스타일 :
보통 스타일 4 - 강조 1

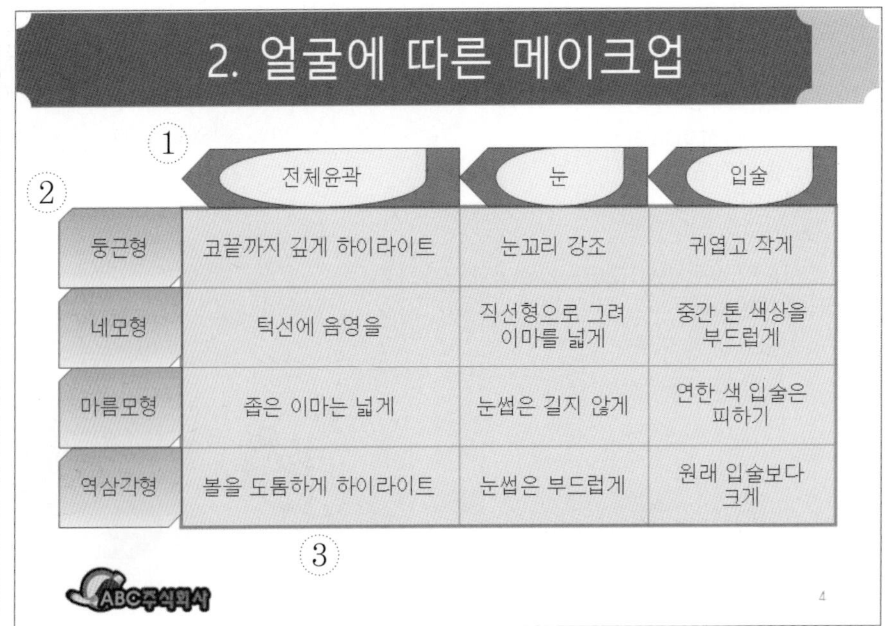

2. 얼굴에 따른 메이크업

	전체윤곽	눈	입술
둥근형	코끝까지 길게 하이라이트	눈꼬리 강조	귀엽고 작게
네모형	턱선에 음영을	직선형으로 그려 이마를 넓게	중간 톤 색상을 부드럽게
마름모형	좁은 이마는 넓게	눈썹은 길지 않게	연한 색 입술은 피하기
역삼각형	볼을 도톰하게 하이라이트	눈썹은 부드럽게	원래 입술보다 크게

[슬라이드 5] ≪차트 슬라이드≫ (100점)

(1) 차트 작성 기능을 이용하여 슬라이드를 작성한다.
(2) 차트 : 종류(묶은 세로 막대형), 글꼴(돋움, 16pt), 외곽선
(3) 표 : 차트 하단에 이미지와 같이 표 그리기

세부조건

※ 차트설명
- 차트제목 : 궁서, 20pt, 진하게, 채우기(하양), 테두리, 그림자(대각선 오른쪽 아래) 【그림자(2pt)】
- 범례 위치 : 아래쪽
- 전체배경 : 채우기(노랑)
- 값 표시 : 화장품 사용개수 계열의 30대 요소만

① 도형 삽입
- 스타일 : 밝은 계열 – 강조 5
- 글꼴 : 굴림, 16pt

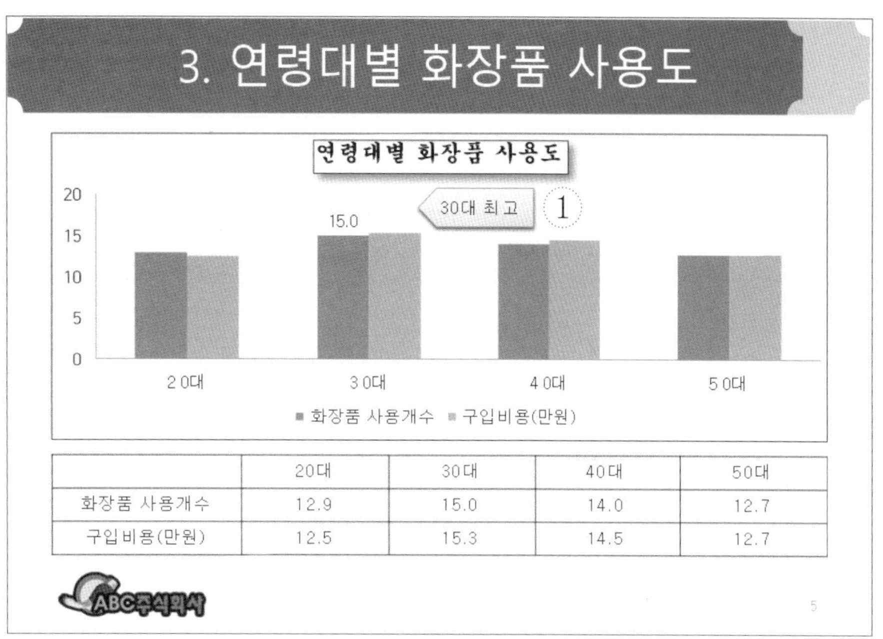

	20대	30대	40대	50대
화장품 사용개수	12.9	15.0	14.0	12.7
구입비용(만원)	12.5	15.3	14.5	12.7

[슬라이드 6] ≪도형 슬라이드≫ (100점)

(1) 슬라이드와 같이 도형을 배치한다(글꼴 : 돋움, 18pt).
(2) 애니메이션 순서 : ① ⇒ ②

세부조건

① 도형 편집
- 그룹화 후 애니메이션 효과 : 날아오기(오른쪽으로)

② 도형 편집
- 그룹화 후 애니메이션 효과 : 블라인드(세로)

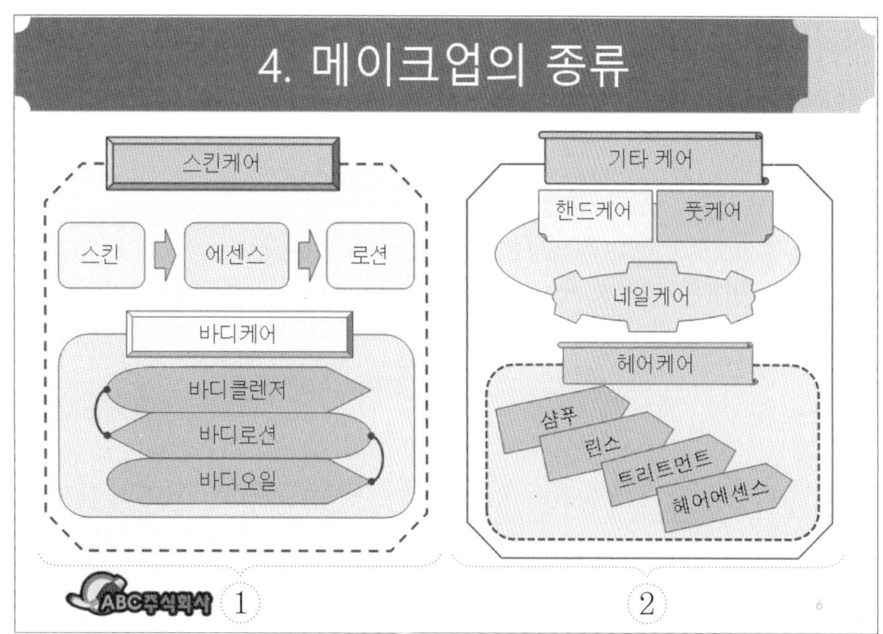

제 09 회 ITQ 실전모의고사

과목	코드	문제유형	시험시간	수험번호	성명
한쇼	1141	D	60분		

수험자 유의사항

- 수험자는 문제지를 받는 즉시 문제지와 **수험표상의 시험과목(프로그램)이 동일한지 반드시 확인**하여야 합니다.
- 파일명은 본인의 "수험번호-성명"으로 입력하여 답안폴더(내 PC₩문서₩ITQ)에 하나의 파일로 저장해야 하며, 답안문서 파일명이 "수험번호-성명"과 일치하지 않거나, 답안파일을 전송하지 않아 미제출로 처리될 경우 실격 처리합니다(예:12345678-홍길동.show).
- 답안 작성을 마치면 파일을 저장하고, '답안 전송' 버튼을 선택하여 감독위원 PC로 답안을 전송하십시오. 수험생 정보와 저장한 파일명이 다를 경우 전송되지 않으므로 주의하시기 바랍니다.
- 답안 작성 중에도 **주기적으로 저장하고, '답안 전송'**하여야 문제 발생을 줄일 수 있습니다. 작업한 내용을 저장하지 않고 전송할 경우 이전에 저장된 내용이 전송되오니 이점 유의하시기 바랍니다.
- 답안문서는 지정된 경로 외의 다른 보조기억장치에 저장하는 경우, 지정된 시험 시간 외에 작성된 파일을 활용할 경우, 기타 통신수단(이메일, 메신저, 네트워크 등)을 이용하여 타인에게 전달 또는 외부 반출하는 경우는 부정 처리합니다.
- 시험 중 부주의 또는 고의로 시스템을 파손한 경우는 수험자가 변상해야 하며, 〈수험자 유의사항〉에 기재된 방법대로 이행하지 않아 생기는 불이익은 수험생 당사자의 책임임을 알려 드립니다.
- 문제의 조건은 한컴오피스 2016 버전으로 설정되어 있고 한컴오피스 2010은 【 】에 표기되어 있으니 유의하시기 바랍니다.
- 시험을 완료한 수험자는 답안파일이 전송되었는지 확인한 후 감독위원의 지시에 따라 문제지를 제출하고 퇴실합니다.

답안 작성요령

- 온라인 답안 작성 절차
  수험자 등록 ⇒ 시험 시작 ⇒ 답안파일 저장 ⇒ 답안 전송 ⇒ 시험 종료
- 슬라이드의 크기는 A4 Paper로 설정하여 작성합니다.
- 슬라이드의 총 개수는 6개로 구성되어 있으며 슬라이드 1부터 순서대로 작업하고 반드시 문제와 세부조건대로 합니다.
- 별도의 지시사항이 없는 경우 출력형태를 참조하여 글꼴색은 검정 또는 흰색으로 작성하고, 기타사항은 전체적인 균형을 고려하여 작성합니다.
- 슬라이드 도형 및 개체에 출력형태와 다른 스타일(그림자, 외곽선 등)을 적용했을 경우 감점처리 됩니다.
- 슬라이드 번호를 작성합니다(슬라이드 1에는 생략).
- 2~6번 슬라이드 제목 도형과 하단 로고는 슬라이드 마스터를 이용하여 출력형태와 동일하게 작성합니다(슬라이드 1에는 생략).
- 문제와 세부조건, 세부조건 번호 ◌(점선원)는 입력하지 않습니다.
- 각 개체의 위치는 오른쪽의 슬라이드와 동일하게 구성합니다.
- 그림 삽입 문제의 경우 반드시 「내 PC₩문서₩ITQ₩Picture」 폴더에서 정확한 파일을 선택하여 삽입하십시오.
- 각 슬라이드를 각각의 파일로 작업해서 저장할 경우 실격 처리됩니다.

kpc 한국생산성본부

[전체구성] (60점)

(1) 슬라이드 크기 및 순서 : 크기를 A4 용지로 설정하고 슬라이드 순서에 맞게 작성한다.
(2) 슬라이드 마스터 : 2~6슬라이드의 제목, 하단 로고, 슬라이드 번호는 슬라이드 마스터를 이용하여 작성한다.
- 제목 글꼴(돋움, 40pt, 흰색), 왼쪽 정렬, 도형(선 없음)
- 하단 로고(「내 PC₩문서₩ITQ₩Picture₩로고1.jpg」, 배경(회색) 투명색으로 설정)

[슬라이드 1] ≪표지 디자인≫ (40점)

(1) 표지 디자인 : 도형, 워드숍 및 그림을 이용하여 작성한다.

세부조건

① 도형 편집
- 도형에 그림 채우기 : 「내 PC₩문서₩ITQ₩Picture₩그림1.jpg」, 투명도 50%
- 도형 효과 : 옅은 테두리 5pt

② 워드숍
- 변환 : 위로 기울기
- 글꼴 : 돋움, 진하게
- 반사 : 3/4 크기, 근접

③ 그림 삽입
- 「내 PC₩문서₩ITQ₩Picture₩로고1.jpg」
- 배경(회색) 투명한 색으로 설정

[슬라이드 2] ≪목차 슬라이드≫ (60점)

(1) 출력형태와 같이 도형을 이용하여 목차를 작성한다(글꼴 : 돋움, 24pt).
(2) 도형 : 선 없음

세부조건

① 텍스트에 하이퍼링크 적용
→ '슬라이드 6'

② 그림 삽입
- 「내 PC₩문서₩ITQ₩Picture₩그림4.jpg」
- 자르기 기능 이용

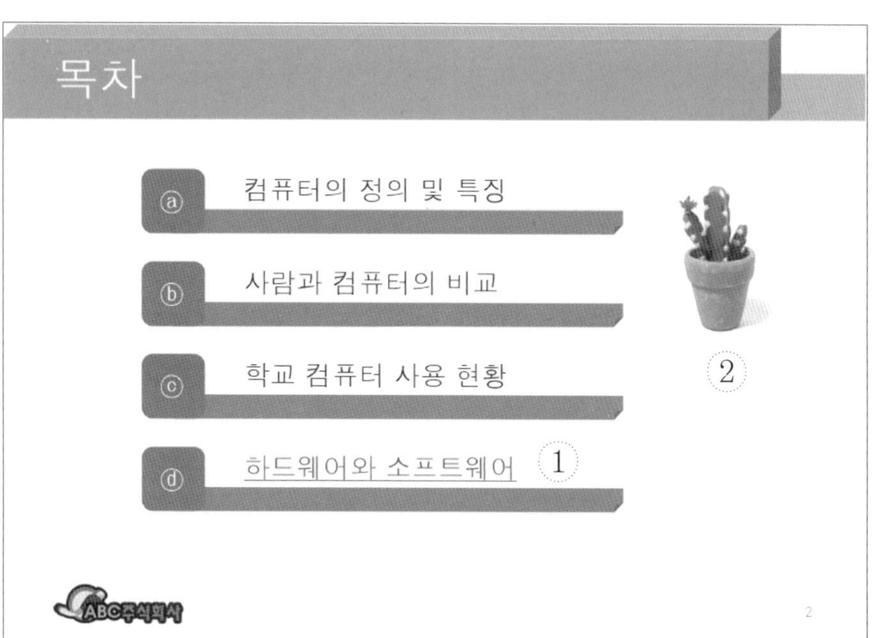

[슬라이드 3] ≪텍스트/동영상 슬라이드≫ (60점)

(1) 텍스트 작성 : 글머리 기호 사용(◆, ✓)
◆문단(굴림, 24pt, 굵게, 줄간격 : 1.5줄), ✓문단(굴림, 20pt, 줄간격 : 1.5줄)

세부조건

① 동영상 삽입 :
- 「내 PC₩문서₩ITQ₩Picture₩동영상.wmv」
- 자동실행, 반복재생 설정

ⓐ 컴퓨터의 정의 및 특징

◆ Computer is?

✓ An electronic device that stores, retrieves, and processes data, and can programmed with instructions. A computer is composed of hardware and software, and can exist in a variety of sizes and configurations

◆ 컴퓨터의 특징

✓ 다량의 데이터를 고속으로 처리, 데이터 처리 결과의 정확성, 컴퓨터의 이용의 다양성, 대용량 데이터의 저장 및 재이용, 통신망을 이용한 정보 이동 및 공유

①

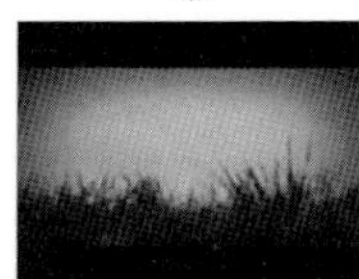

3

[슬라이드 4] ≪표 슬라이드≫ (80점)

(1) 도형과 표 작성 기능을 이용하여 슬라이드를 작성한다(글꼴 : 굴림, 20pt).

세부조건

① 상단 도형 :
2개 도형의 조합으로 작성

② 좌측 도형 :
그라데이션 효과(선형 위쪽)

③ 표 스타일 :
보통 스타일 4 - 강조 3

ⓑ 사람과 컴퓨터의 비교

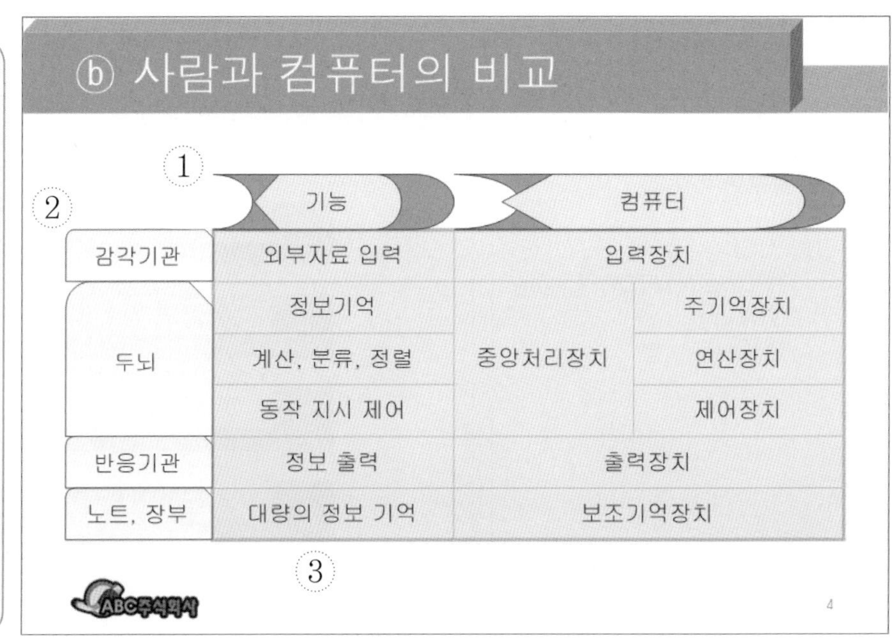

외부자료 입력	입력장치	
정보기억	중앙처리장치	주기억장치
계산, 분류, 정렬		연산장치
동작 지시 제어		제어장치
정보 출력	출력장치	
대량의 정보 기억	보조기억장치	

ABC주식회사

4

[슬라이드 5] ≪차트 슬라이드≫ (100점)

(1) 차트 작성 기능을 이용하여 슬라이드를 작성한다.
(2) 차트 : 종류(묶은 세로 막대형), 글꼴(굴림, 16pt), 외곽선
(3) 표 : 차트 하단에 이미지와 같이 표 그리기

세부조건

※ 차트설명
- 차트제목 : 궁서, 20pt, 진하게, 채우기(하양), 테두리, 그림자(대각선 오른쪽 아래) 【그림자(2pt)】
- 범례 위치 : 오른쪽
- 전체배경 : 채우기(노랑)
- 값 표시 : 한국 계열

① 도형 삽입
- 스타일 : 밝은 계열 – 강조 5
- 글꼴 : 굴림, 18pt

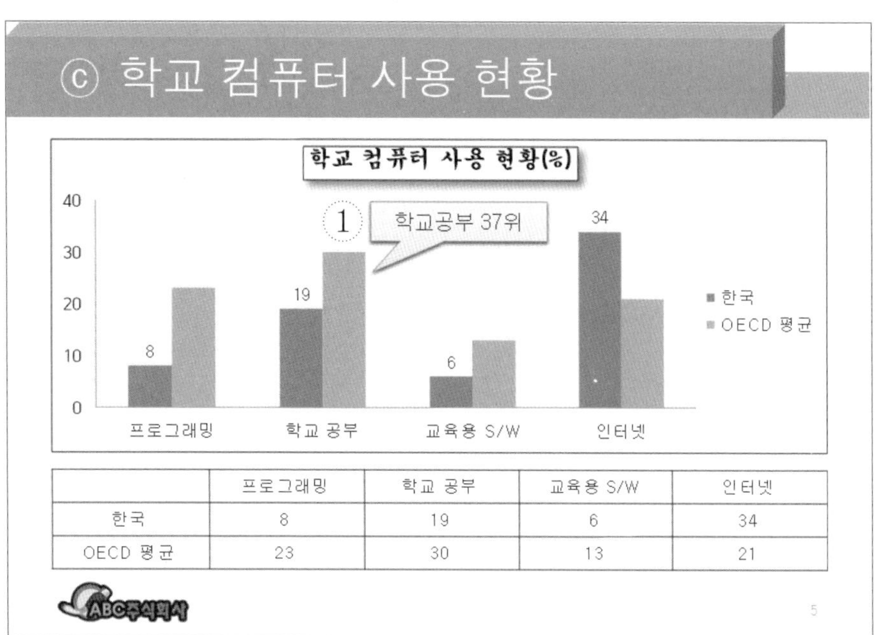

	프로그래밍	학교 공부	교육용 S/W	인터넷
한국	8	19	6	34
OECD 평균	23	30	13	21

[슬라이드 6] ≪도형 슬라이드≫ (100점)

(1) 슬라이드와 같이 도형을 배치한다(글꼴 : 돋움, 18pt).
(2) 애니메이션 순서 : ② ⇒ ①

세부조건

① 도형 편집
- 그룹화 후 애니메이션 효과 : 날아오기(왼쪽으로)

② 도형 편집
- 그룹화 후 애니메이션 효과 : 블라인드(세로)

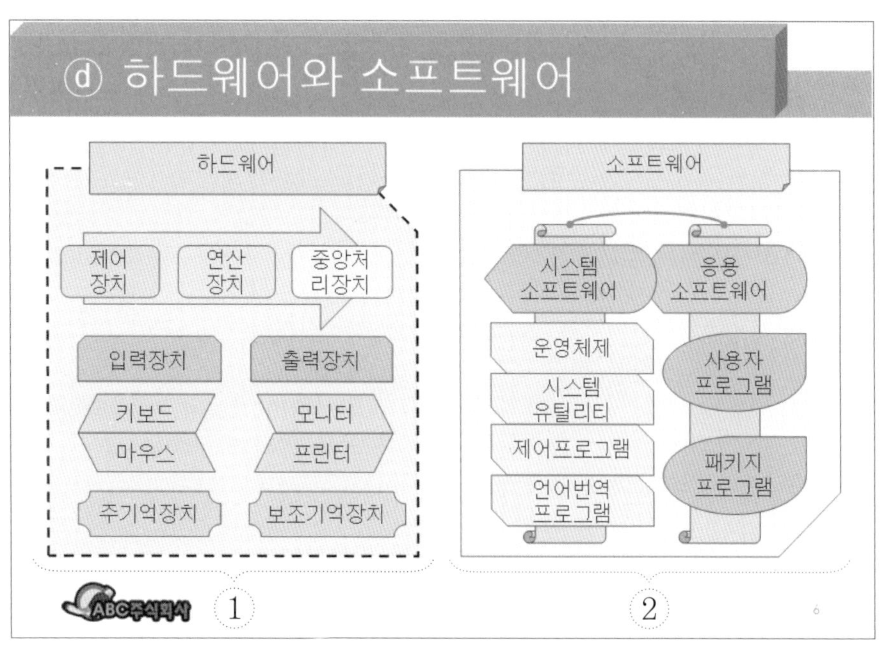

제 10 회 ITQ 실전모의고사

과목	코드	문제유형	시험시간	수험번호	성명
한쇼	1141	E	60분		

수험자 유의사항

- 수험자는 문제지를 받는 즉시 문제지와 **수험표상의 시험과목(프로그램)이 동일한지 반드시 확인**하여야 합니다.
- 파일명은 본인의 "수험번호-성명"으로 입력하여 답안폴더(내 PC₩문서₩ITQ)에 하나의 파일로 저장해야 하며, 답안문서 파일명이 "수험번호-성명"과 일치하지 않거나, 답안파일을 전송하지 않아 미제출로 처리될 경우 실격 처리합니다(예:12345678-홍길동.show).
- 답안 작성을 마치면 파일을 저장하고, '답안 전송' 버튼을 선택하여 감독위원 PC로 답안을 전송하십시오. 수험생 정보와 저장한 파일명이 다를 경우 전송되지 않으므로 주의하시기 바랍니다.
- 답안 작성 중에도 **주기적으로 저장하고, '답안 전송'**하여야 문제 발생을 줄일 수 있습니다. 작업한 내용을 저장하지 않고 전송할 경우 이전에 저장된 내용이 전송되오니 이점 유의하시기 바랍니다.
- 답안문서는 지정된 경로 외의 다른 보조기억장치에 저장하는 경우, 지정된 시험 시간 외에 작성된 파일을 활용할 경우, 기타 통신수단(이메일, 메신저, 네트워크 등)을 이용하여 타인에게 전달 또는 외부 반출하는 경우는 부정 처리합니다.
- 시험 중 부주의 또는 고의로 시스템을 파손한 경우는 수험자가 변상해야 하며, 〈수험자 유의사항〉에 기재된 방법대로 이행하지 않아 생기는 불이익은 수험생 당사자의 책임임을 알려 드립니다.
- 문제의 조건은 한컴오피스 2016 버전으로 설정되어 있고 한컴오피스 2010은 【 】에 표기되어 있으니 유의하시기 바랍니다.
- 시험을 완료한 수험자는 답안파일이 전송되었는지 확인한 후 감독위원의 지시에 따라 문제지를 제출하고 퇴실합니다.

답안 작성요령

- 온라인 답안 작성 절차
  수험자 등록 ⇒ 시험 시작 ⇒ 답안파일 저장 ⇒ 답안 전송 ⇒ 시험 종료
- 슬라이드의 크기는 A4 Paper로 설정하여 작성합니다.
- 슬라이드의 총 개수는 6개로 구성되어 있으며 슬라이드 1부터 순서대로 작업하고 반드시 문제와 세부조건대로 합니다.
- 별도의 지시사항이 없는 경우 출력형태를 참조하여 글꼴색은 검정 또는 흰색으로 작성하고, 기타사항은 전체적인 균형을 고려하여 작성합니다.
- 슬라이드 도형 및 개체에 출력형태와 다른 스타일(그림자, 외곽선 등)을 적용했을 경우 감점처리 됩니다.
- 슬라이드 번호를 작성합니다(슬라이드 1에는 생략).
- 2~6번 슬라이드 제목 도형과 하단 로고는 슬라이드 마스터를 이용하여 출력형태와 동일하게 작성합니다(슬라이드 1에는 생략).
- 문제와 세부조건, 세부조건 번호 ◌(점선원)는 입력하지 않습니다.
- 각 개체의 위치는 오른쪽의 슬라이드와 동일하게 구성합니다.
- 그림 삽입 문제의 경우 반드시 「내 PC₩문서₩ITQ₩Picture」 폴더에서 정확한 파일을 선택하여 삽입하십시오.
- 각 슬라이드를 각각의 파일로 작업해서 저장할 경우 실격 처리됩니다.

kpc 한국생산성본부

[전체구성] (60점)

(1) 슬라이드 크기 및 순서 : 크기를 A4 용지로 설정하고 슬라이드 순서에 맞게 작성한다.
(2) 슬라이드 마스터 : 2~6슬라이드의 제목, 하단 로고, 슬라이드 번호는 슬라이드 마스터를 이용하여 작성한다.
- 제목 글꼴(돋움, 40pt, 흰색), 가운데 정렬, 도형(선 없음)
- 하단 로고(「내 PC₩문서₩ITQ₩Picture₩로고1.jpg」, 배경(회색) 투명색으로 설정)

[슬라이드 1] ≪표지 디자인≫ (40점)

(1) 표지 디자인 : 도형, 워드숍 및 그림을 이용하여 작성한다.

세부조건

① 도형 편집
- 도형에 그림 채우기 : 「내 PC₩문서₩ITQ₩Picture₩그림3.jpg」, 투명도 50%
- 도형 효과 : 옅은 테두리 5pt

② 워드숍
- 변환 : 위로 계단식
- 글꼴 : 함초롬돋움, 진하게
- 반사 : 1/2 크기, 4pt

③ 그림 삽입
- 「내 PC₩문서₩ITQ₩Picture₩로고1.jpg」
- 배경(회색) 투명한 색으로 설정

[슬라이드 2] ≪목차 슬라이드≫ (60점)

(1) 출력형태와 같이 도형을 이용하여 목차를 작성한다(글꼴 : 돋움, 24pt).
(2) 도형 : 선 없음

세부조건

① 텍스트에 하이퍼링크 적용
→ '슬라이드 5'

② 그림 삽입
- 「내 PC₩문서₩ITQ₩Picture₩그림4.jpg」
- 자르기 기능 이용

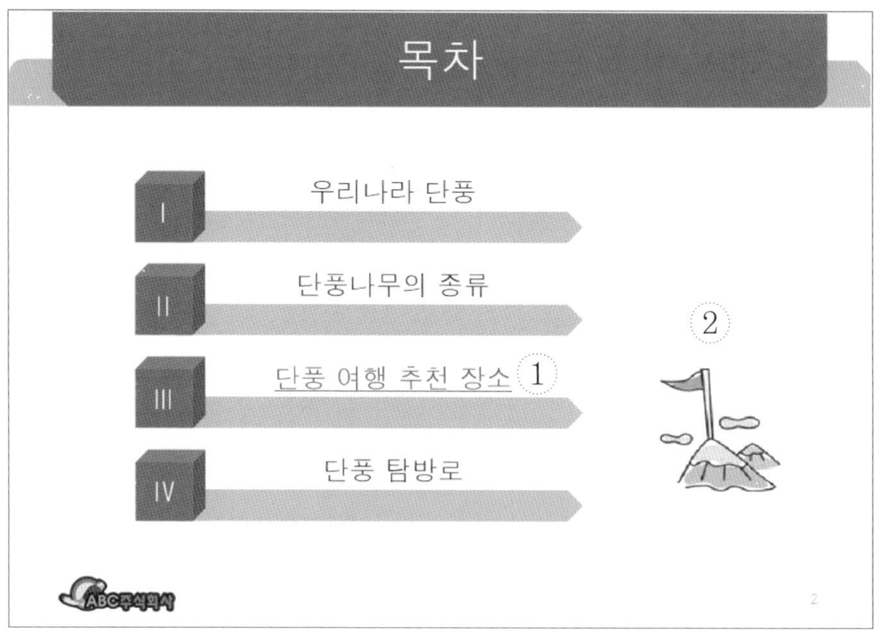

[슬라이드 3] ≪텍스트/동영상 슬라이드≫ (60점)

(1) 텍스트 작성 : 글머리 기호 사용(❖, ✓)

❖문단(굴림, 24pt, 굵게, 줄간격 : 1.5줄), ✓문단(굴림, 20pt, 줄간격 : 1.5줄)

세부조건

① 동영상 삽입 :
- 「내 PC₩문서₩ITQ₩Picture₩동영상.wmv」
- 자동실행, 반복재생 설정

Ⅰ. 우리나라 단풍

❖ Autumnal Colors

✓ Autumnal colors turn shades of red, yellow, and orange in autumn, and residents enjoy taking trips to see the strking colors

1

❖ 우리나라 단풍

✓ 우리나라는 아름다운 단풍이 들기 좋은 최적의 기후 조건을 갖고 있어 설악산, 지리산, 내장산 등의 단풍이 세계적으로 유명해지면서 외국인 관광객도 증가하고 있음

3

[슬라이드 4] ≪표 슬라이드≫ (80점)

(1) 도형과 표 작성 기능을 이용하여 슬라이드를 작성한다(글꼴 : 굴림, 18pt).

세부조건

① 상단 도형 :
2개 도형의 조합으로 작성

② 좌측 도형 :
그라데이션 효과(선형 위쪽)

③ 표 스타일 :
보통 스타일 4 - 강조 5

Ⅱ. 단풍나무의 종류

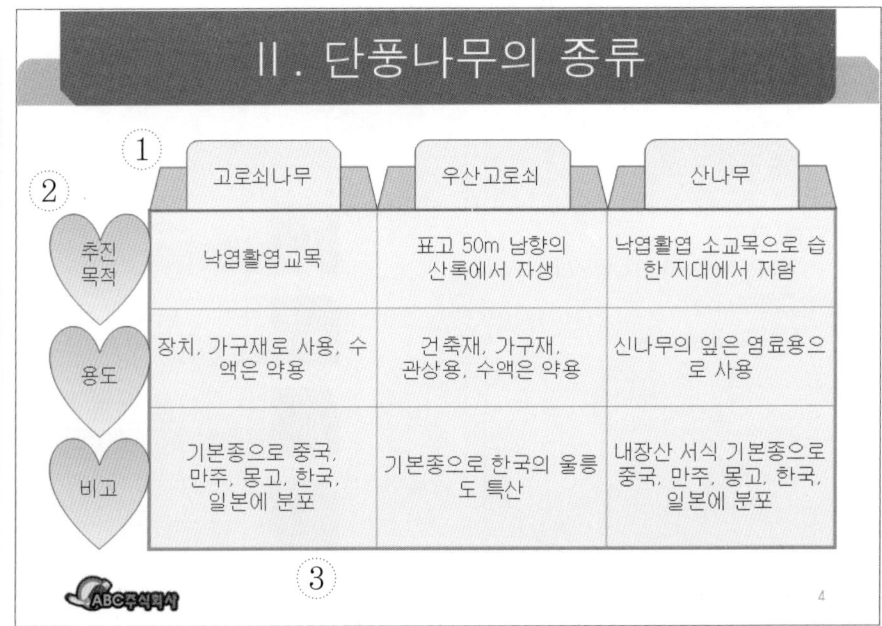

	고로쇠나무	우산고로쇠	산나무
추진목적	낙엽활엽교목	표고 50m 남향의 산록에서 자생	낙엽활엽 소교목으로 습한 지대에서 자람
용도	장치, 가구재로 사용, 수액은 약용	건축재, 가구재, 관상용, 수액은 약용	신나무의 잎은 염료용으로 사용
비고	기본종으로 중국, 만주, 몽고, 한국, 일본에 분포	기본종으로 한국의 울릉도 특산	내장산 서식 기본종으로 중국, 만주, 몽고, 한국, 일본에 분포

[슬라이드 5] ≪차트 슬라이드≫ (100점)

(1) 차트 작성 기능을 이용하여 슬라이드를 작성한다.
(2) 차트 : 종류(묶은 세로 막대형), 글꼴(굴림, 16pt), 외곽선
(3) 표 : 차트 하단에 이미지와 같이 표 그리기

세부조건

※ 차트설명
- 차트제목 : 궁서, 20pt, 진하게, 채우기(하양), 테두리, 그림자(대각선 오른쪽 아래) 【그림자(2pt)】
- 범례 위치 : 오른쪽
- 전체배경 : 채우기(노랑)
- 값 표시 : 남자 계열의 남이섬 요소만

① 도형 삽입
- 스타일 : 밝은 계열 - 강조 5
- 글꼴 : 굴림, 16pt

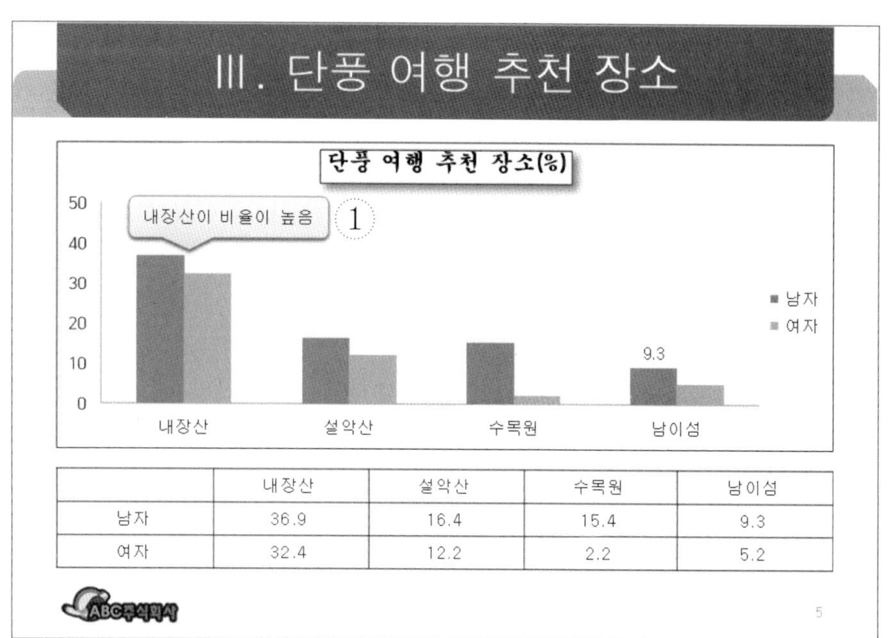

	내장산	설악산	수목원	남이섬
남자	36.9	16.4	15.4	9.3
여자	32.4	12.2	2.2	5.2

[슬라이드 6] ≪도형 슬라이드≫ (100점)

(1) 슬라이드와 같이 도형을 배치한다(글꼴 : 함초롬돋움, 18pt).
(2) 애니메이션 순서 : ① ⇒ ②

세부조건

① 도형 편집
- 그룹화 후 애니메이션 효과 : 닦아내기(아래로)

② 도형 편집
- 그룹화 후 애니메이션 효과 : 밝기 변화

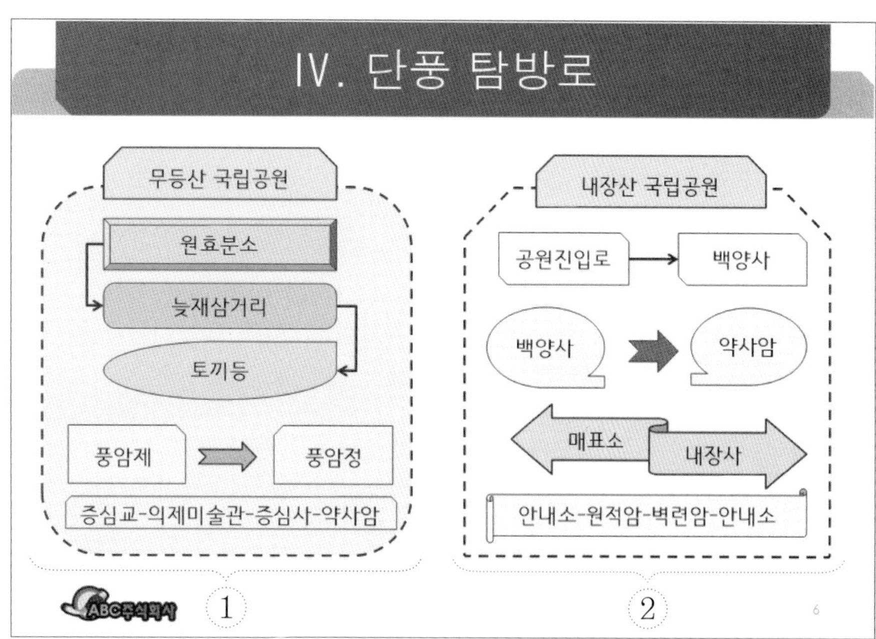

제 11 회 ITQ 실전모의고사

과목	코드	문제유형	시험시간	수험번호	성명
한쇼	1141	A	60분		

수험자 유의사항

- 수험자는 문제지를 받는 즉시 문제지와 **수험표상의 시험과목(프로그램)이 동일한지 반드시 확인**하여야 합니다.
- 파일명은 본인의 "수험번호-성명"으로 입력하여 답안폴더(내 PC₩문서₩ITQ)에 하나의 파일로 저장해야 하며, 답안문서 파일명이 "수험번호-성명"과 일치하지 않거나, 답안파일을 전송하지 않아 미제출로 처리될 경우 실격 처리합니다(예:12345678-홍길동.show).
- 답안 작성을 마치면 파일을 저장하고, '답안 전송' 버튼을 선택하여 감독위원 PC로 답안을 전송하십시오. 수험생 정보와 저장한 파일명이 다를 경우 전송되지 않으므로 주의하시기 바랍니다.
- 답안 작성 중에도 **주기적으로 저장하고, '답안 전송'**하여야 문제 발생을 줄일 수 있습니다. 작업한 내용을 저장하지 않고 전송할 경우 이전에 저장된 내용이 전송되오니 이점 유의하시기 바랍니다.
- 답안문서는 지정된 경로 외의 다른 보조기억장치에 저장하는 경우, 지정된 시험 시간 외에 작성된 파일을 활용할 경우, 기타 통신수단(이메일, 메신저, 네트워크 등)을 이용하여 타인에게 전달 또는 외부 반출하는 경우는 부정 처리합니다.
- 시험 중 부주의 또는 고의로 시스템을 파손한 경우는 수험자가 변상해야 하며, 〈수험자 유의사항〉에 기재된 방법대로 이행하지 않아 생기는 불이익은 수험생 당사자의 책임임을 알려 드립니다.
- 문제의 조건은 한컴오피스 2016 버전으로 설정되어 있고 한컴오피스 2010은 【 】에 표기되어 있으니 유의하시기 바랍니다.
- 시험을 완료한 수험자는 답안파일이 전송되었는지 확인한 후 감독위원의 지시에 따라 문제지를 제출하고 퇴실합니다.

답안 작성요령

- 온라인 답안 작성 절차
  수험자 등록 ⇒ 시험 시작 ⇒ 답안파일 저장 ⇒ 답안 전송 ⇒ 시험 종료
- 슬라이드의 크기는 A4 Paper로 설정하여 작성합니다.
- 슬라이드의 총 개수는 6개로 구성되어 있으며 슬라이드 1부터 순서대로 작업하고 반드시 문제와 세부조건대로 합니다.
- 별도의 지시사항이 없는 경우 출력형태를 참조하여 글꼴색은 검정 또는 흰색으로 작성하고, 기타사항은 전체적인 균형을 고려하여 작성합니다.
- 슬라이드 도형 및 개체에 출력형태와 다른 스타일(그림자, 외곽선 등)을 적용했을 경우 감점처리 됩니다.
- 슬라이드 번호를 작성합니다(슬라이드 1에는 생략).
- 2~6번 슬라이드 제목 도형과 하단 로고는 슬라이드 마스터를 이용하여 출력형태와 동일하게 작성합니다(슬라이드 1에는 생략).
- 문제와 세부조건, 세부조건 번호 ◌(점선원)는 입력하지 않습니다.
- 각 개체의 위치는 오른쪽의 슬라이드와 동일하게 구성합니다.
- 그림 삽입 문제의 경우 반드시 「내 PC₩문서₩ITQ₩Picture」 폴더에서 정확한 파일을 선택하여 삽입하십시오.
- 각 슬라이드를 각각의 파일로 작업해서 저장할 경우 실격 처리됩니다.

kpc 한국생산성본부

[전체구성] (60점)

(1) 슬라이드 크기 및 순서 : 크기를 A4 용지로 설정하고 슬라이드 순서에 맞게 작성한다.

(2) 슬라이드 마스터 : 2~6슬라이드의 제목, 하단 로고, 슬라이드 번호는 슬라이드 마스터를 이용하여 작성한다.

- 제목 글꼴(돋움, 40pt, 흰색), 왼쪽 정렬, 도형(선 없음)
- 하단 로고(「내 PC₩문서₩ITQ₩Picture₩로고3.jpg」, 배경(연보라) 투명색으로 설정)

[슬라이드 1] ≪표지 디자인≫ (40점)

(1) 표지 디자인 : 도형, 워드숍 및 그림을 이용하여 작성한다.

세부조건

① 도형 편집
- 도형에 그림 채우기 : 「내 PC₩문서₩ITQ₩Picture₩그림3.jpg」, 투명도 50%
- 도형 효과 : 옅은 테두리 5pt

② 워드숍
- 변환 : 원통 위
- 글꼴 : 돋움, 진하게
- 반사 : 1/2 크기, 근접

③ 그림 삽입
- 「내 PC₩문서₩ITQ₩Picture₩로고3.jpg」
- 배경(연보라) 투명한 색으로 설정

[슬라이드 2] ≪목차 슬라이드≫ (60점)

(1) 출력형태와 같이 도형을 이용하여 목차를 작성한다(글꼴 : 돋움, 24pt).

(2) 도형 : 선 없음

세부조건

① 텍스트에 하이퍼링크 적용
→ '슬라이드 6'

② 그림 삽입
- 「내 PC₩문서₩ITQ₩Picture₩그림4.jpg」
- 자르기 기능 이용

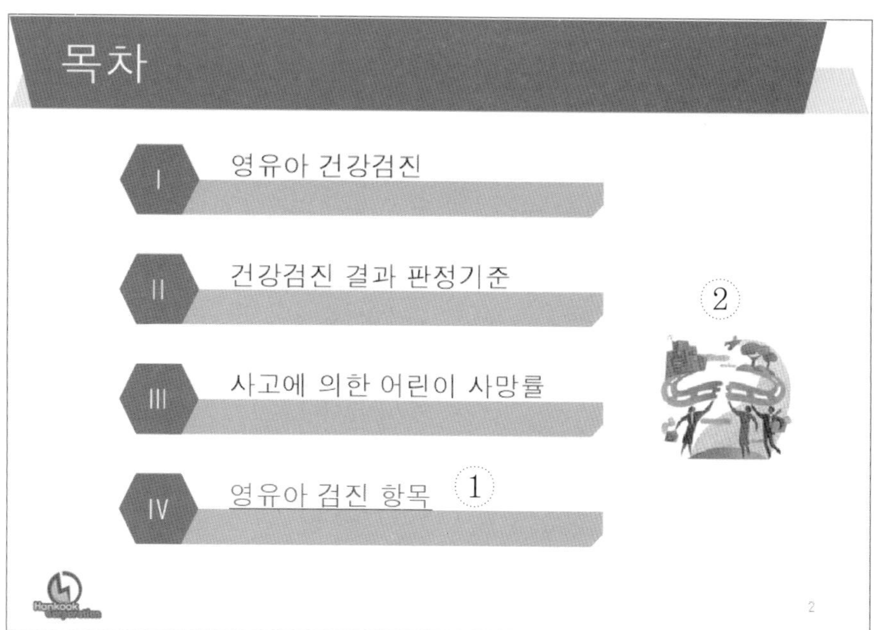

[슬라이드 3] ≪텍스트/동영상 슬라이드≫ (60점)

(1) 텍스트 작성 : 글머리 기호 사용(❖, ✓)

❖문단(돋움, 24pt, 굵게, 줄간격 : 1.5줄), ✓문단(돋움, 20pt, 줄간격 : 1.5줄)

세부조건

① 동영상 삽입 :
- 「내 PC₩문서₩ITQ₩Picture₩동영상.wmv」
- 자동실행, 반복재생 설정

Ⅰ. 영유아 건강검진

❖ Child Health Check

✓ Protection of children's safety and human rights will also be strengthened through expanded infrastructure

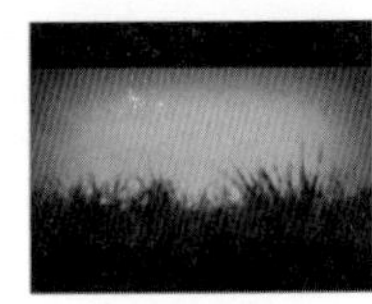

①

❖ 영유아 건강검진

✓ 만 6세 미만 모든 영유아를 대상으로 검진기관 지정 인근 병원 및 보건기관에서 영유아 건강검진 7회, 구강검진 3회를 지원하여 영유아의 건강증진 도모

3

[슬라이드 4] ≪표 슬라이드≫ (80점)

(1) 도형과 표 작성 기능을 이용하여 슬라이드를 작성한다(글꼴 : 돋움, 20pt).

세부조건

① 상단 도형 :
2개 도형의 조합으로 작성

② 좌측 도형 :
그라데이션 효과(선형 위쪽)

③ 표 스타일 :
보통 스타일 4 - 강조 4

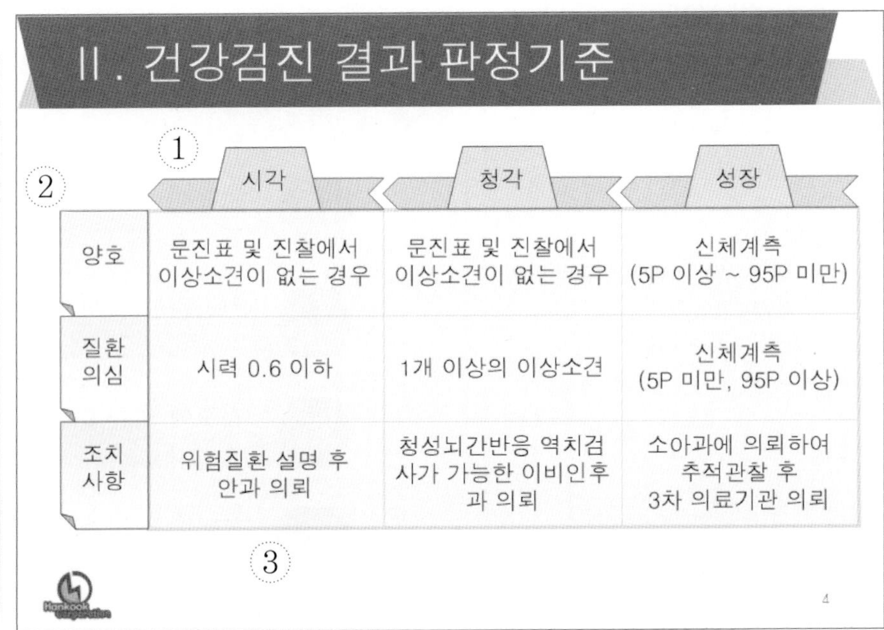

	시각	청각	성장
양호	문진표 및 진찰에서 이상소견이 없는 경우	문진표 및 진찰에서 이상소견이 없는 경우	신체계측 (5P 이상 ~ 95P 미만)
질환 의심	시력 0.6 이하	1개 이상의 이상소견	신체계측 (5P 미만, 95P 이상)
조치 사항	위험질환 설명 후 안과 의뢰	청성뇌간반응 역치검사가 가능한 이비인후과 의뢰	소아과에 의뢰하여 추적관찰 후 3차 의료기관 의뢰

[슬라이드 5] ≪차트 슬라이드≫ (100점)

(1) 차트 작성 기능을 이용하여 슬라이드를 작성한다.
(2) 차트 : 종류(묶은 세로 막대형), 글꼴(굴림, 16pt), 외곽선
(3) 표 : 차트 하단에 이미지와 같이 표 그리기

세부조건

※ 차트설명
- 차트제목 : 돋움, 20pt, 진하게, 채우기(하양), 테두리, 그림자(대각선 오른쪽 아래) 【그림자(2pt)】
- 범례 위치 : 오른쪽
- 전체배경 : 채우기(노랑)
- 값 표시 : 1-3세 계열의 2020년 요소만

① 도형 삽입
- 스타일 : 밝은 계열 - 강조 5
- 글꼴 : 돋움, 18pt

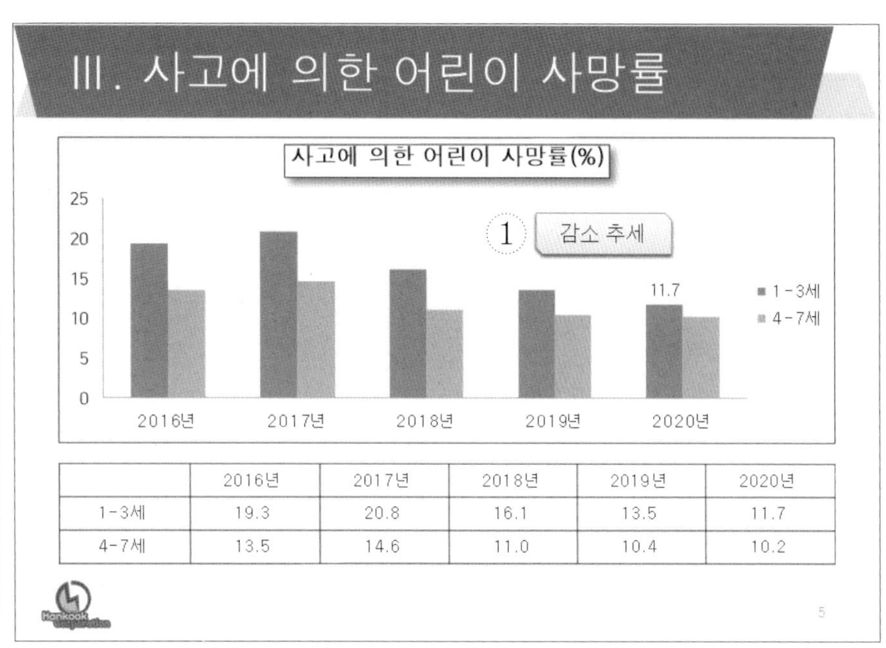

	2016년	2017년	2018년	2019년	2020년
1-3세	19.3	20.8	16.1	13.5	11.7
4-7세	13.5	14.6	11.0	10.4	10.2

[슬라이드 6] ≪도형 슬라이드≫ (100점)

(1) 슬라이드와 같이 도형을 배치한다(글꼴 : 돋움, 18pt).
(2) 애니메이션 순서 : ① ⇒ ②

세부조건

① 도형 편집
- 그룹화 후 애니메이션 효과 : 날아오기(오른쪽으로)

② 도형 편집
- 그룹화 후 애니메이션 효과 : 블라인드(세로)

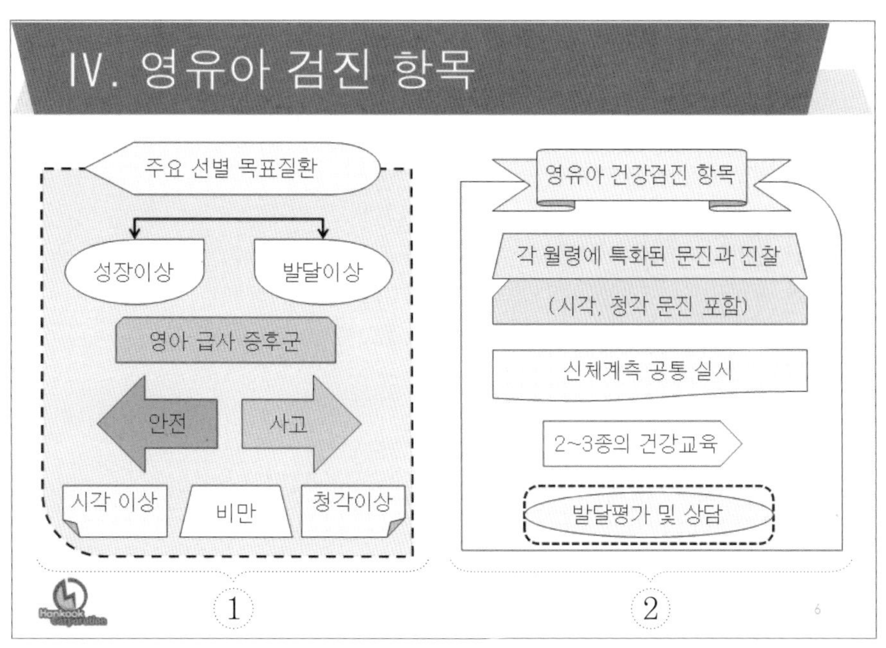

제 12 회 ITQ 실전모의고사

과목	코드	문제유형	시험시간	수험번호	성명
한쇼	1141	B	60분		

수험자 유의사항

- 수험자는 문제지를 받는 즉시 문제지와 **수험표상의 시험과목(프로그램)이 동일한지 반드시 확인**하여야 합니다.
- 파일명은 본인의 "수험번호-성명"으로 입력하여 답안폴더(내 PC₩문서₩ITQ)에 하나의 파일로 저장해야 하며, 답안문서 파일명이 "수험번호-성명"과 일치하지 않거나, 답안파일을 전송하지 않아 미제출로 처리될 경우 실격 처리합니다(예:12345678-홍길동.show).
- 답안 작성을 마치면 파일을 저장하고, '답안 전송' 버튼을 선택하여 감독위원 PC로 답안을 전송하십시오. 수험생 정보와 저장한 파일명이 다를 경우 전송되지 않으므로 주의하시기 바랍니다.
- 답안 작성 중에도 **주기적으로 저장하고, '답안 전송'**하여야 문제 발생을 줄일 수 있습니다. 작업한 내용을 저장하지 않고 전송할 경우 이전에 저장된 내용이 전송되오니 이점 유의하시기 바랍니다.
- 답안문서는 지정된 경로 외의 다른 보조기억장치에 저장하는 경우, 지정된 시험 시간 외에 작성된 파일을 활용할 경우, 기타 통신수단(이메일, 메신저, 네트워크 등)을 이용하여 타인에게 전달 또는 외부 반출하는 경우는 부정 처리합니다.
- 시험 중 부주의 또는 고의로 시스템을 파손한 경우는 수험자가 변상해야 하며, 〈수험자 유의사항〉에 기재된 방법대로 이행하지 않아 생기는 불이익은 수험생 당사자의 책임임을 알려 드립니다.
- 문제의 조건은 한컴오피스 2016 버전으로 설정되어 있고 한컴오피스 2010은 【 】에 표기되어 있으니 유의하시기 바랍니다.
- 시험을 완료한 수험자는 답안파일이 전송되었는지 확인한 후 감독위원의 지시에 따라 문제지를 제출하고 퇴실합니다.

답안 작성요령

- 온라인 답안 작성 절차
  수험자 등록 ⇒ 시험 시작 ⇒ 답안파일 저장 ⇒ 답안 전송 ⇒ 시험 종료
- 슬라이드의 크기는 A4 Paper로 설정하여 작성합니다.
- 슬라이드의 총 개수는 6개로 구성되어 있으며 슬라이드 1부터 순서대로 작업하고 반드시 문제와 세부 조건대로 합니다.
- 별도의 지시사항이 없는 경우 출력형태를 참조하여 글꼴색은 검정 또는 흰색으로 작성하고, 기타사항은 전체적인 균형을 고려하여 작성합니다.
- 슬라이드 도형 및 개체에 출력형태와 다른 스타일(그림자, 외곽선 등)을 적용했을 경우 감점처리 됩니다.
- 슬라이드 번호를 작성합니다(슬라이드 1에는 생략).
- 2~6번 슬라이드 제목 도형과 하단 로고는 슬라이드 마스터를 이용하여 출력형태와 동일하게 작성합니다(슬라이드 1에는 생략).
- 문제와 세부조건, 세부조건 번호 ◌(점선원)는 입력하지 않습니다.
- 각 개체의 위치는 오른쪽의 슬라이드와 동일하게 구성합니다.
- 그림 삽입 문제의 경우 반드시 「내 PC₩문서₩ITQ₩Picture」 폴더에서 정확한 파일을 선택하여 삽입하십시오.
- 각 슬라이드를 각각의 파일로 작업해서 저장할 경우 실격 처리됩니다.

[전체구성] (60점)

(1) 슬라이드 크기 및 순서 : 크기를 A4 용지로 설정하고 슬라이드 순서에 맞게 작성한다.

(2) 슬라이드 마스터 : 2~6슬라이드의 제목, 하단 로고, 슬라이드 번호는 슬라이드 마스터를 이용하여 작성한다.

- 제목 글꼴(맑은 고딕, 40pt, 흰색), 가운데 정렬, 도형(선 없음)
- 하단 로고(「내 PC₩문서₩ITQ₩Picture₩로고2.jpg」, 배경(회색) 투명색으로 설정)

[슬라이드 1] ≪표지 디자인≫ (40점)

(1) 표지 디자인 : 도형, 워드숍 및 그림을 이용하여 작성한다.

세부조건

① 도형 편집
- 도형에 그림 채우기 : 「내 PC₩문서₩ITQ₩Picture₩그림3.jpg」, 투명도 50%
- 도형 효과 : 옅은 테두리 5pt

② 워드숍
- 변환 : 갈매기형 수장
- 글꼴 : 궁서, 진하게
- 반사 : 3/4 크기, 4pt

③ 그림 삽입
- 「내 PC₩문서₩ITQ₩Picture₩로고2.jpg」
- 배경(회색) 투명한 색으로 설정

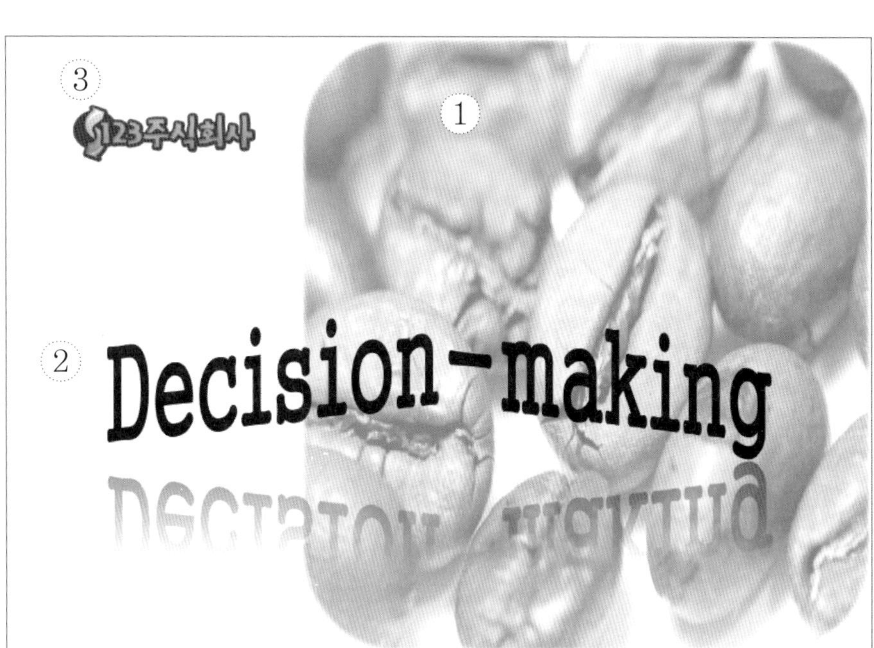

[슬라이드 2] ≪목차 슬라이드≫ (60점)

(1) 출력형태와 같이 도형을 이용하여 목차를 작성한다(글꼴 : 돋움, 24pt).

(2) 도형 : 선 없음

세부조건

① 텍스트에 하이퍼링크 적용
→ '슬라이드 4'

② 그림 삽입
- 「내 PC₩문서₩ITQ₩Picture₩그림4.jpg」
- 자르기 기능 이용

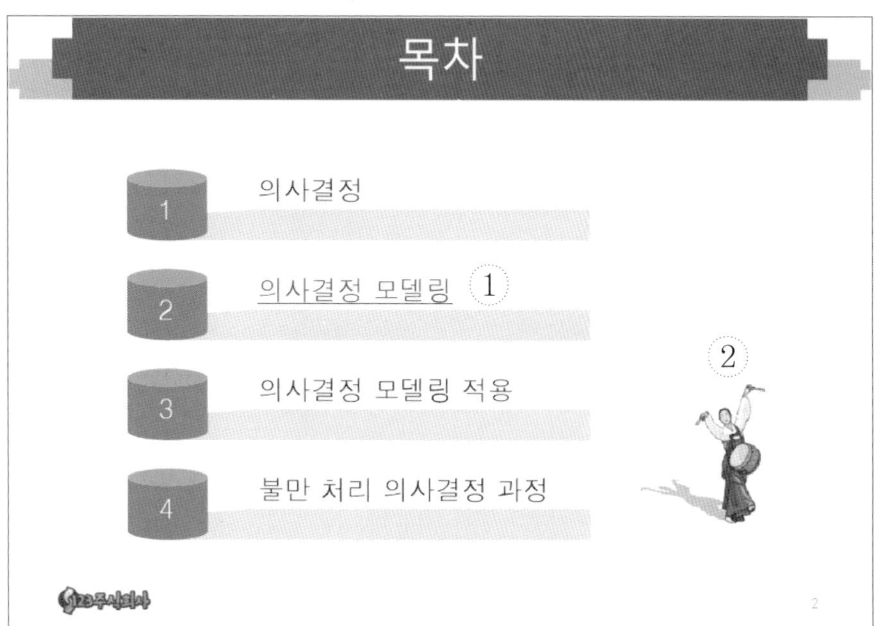

[슬라이드 3] ≪텍스트/동영상 슬라이드≫ (60점)

(1) 텍스트 작성 : 글머리 기호 사용(➢, ✓)

➢문단(맑은 고딕, 24pt, 굵게, 줄간격 : 1.5줄), ✓문단(맑은 고딕, 20pt, 줄간격 : 1.5줄)

세부조건

① 동영상 삽입 :
- 「내 PC₩문서₩ITQ₩Picture₩동영상.wmv」
- 자동실행, 반복재생 설정

1. 의사결정

➢ **Decision Analysis**

✓ Decision analysis is a prescriptive approach designed for normally intelligent people who want to think about some important problems

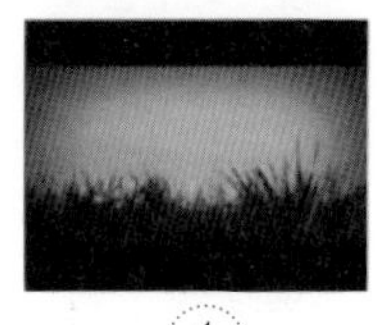

①

➢ **의사결정이란?**

✓ 어떤 목적을 달성하기 위해 몇 개의 행동집합에서 특정의 행동을 선택하는 과정

✓ 기업의 소유자 또는 경영자가 기업 및 경영 상태 전반에 대한 방향을 결정하는 일

3

[슬라이드 4] ≪표 슬라이드≫ (80점)

(1) 도형과 표 작성 기능을 이용하여 슬라이드를 작성한다(글꼴 : 돋움, 20pt).

세부조건

① 상단 도형 :
2개 도형의 조합으로 작성

② 좌측 도형 :
그라데이션 효과(선형 위쪽)

③ 표 스타일 :
보통 스타일 4 - 강조 1

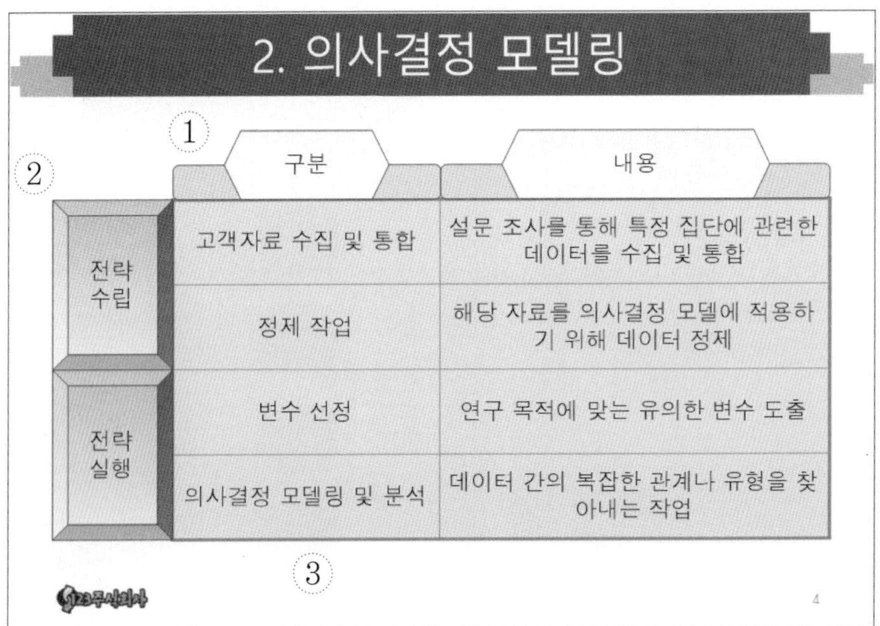

	구분	내용
전략 수립	고객자료 수집 및 통합	설문 조사를 통해 특정 집단에 관련한 데이터를 수집 및 통합
	정제 작업	해당 자료를 의사결정 모델에 적용하기 위해 데이터 정제
전략 실행	변수 선정	연구 목적에 맞는 유의한 변수 도출
	의사결정 모델링 및 분석	데이터 간의 복잡한 관계나 유형을 찾아내는 작업

[슬라이드 5] ≪차트 슬라이드≫ (100점)

(1) 차트 작성 기능을 이용하여 슬라이드를 작성한다.
(2) 차트 : 종류(표식이 있는 꺾은선형), 글꼴(맑은 고딕, 16pt), 외곽선
(3) 표 : 차트 하단에 이미지와 같이 표 그리기

세부조건

※ 차트설명
- 차트제목 : 굴림, 20pt, 진하게, 채우기(하양), 테두리, 그림자(대각선 오른쪽 아래) 【그림자(2pt)】
- 범례 위치 : 오른쪽
- 전체배경 : 채우기(노랑)
- 값 표시 : 교육기관 계열

① 도형 삽입
- 스타일 : 밝은 계열 – 강조 5
- 글꼴 : 굴림, 16pt

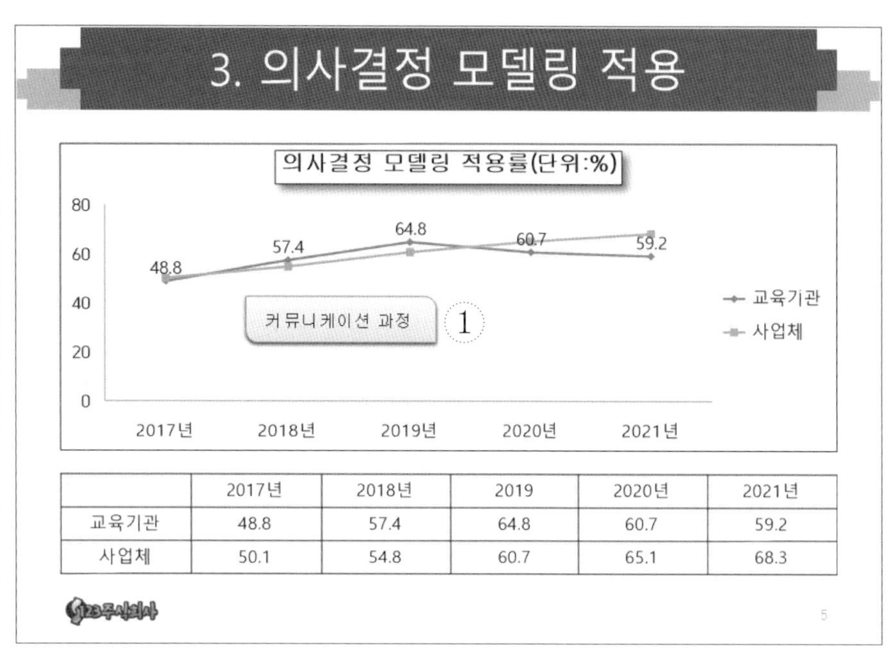

	2017년	2018년	2019	2020년	2021년
교육기관	48.8	57.4	64.8	60.7	59.2
사업체	50.1	54.8	60.7	65.1	68.3

[슬라이드 6] ≪도형 슬라이드≫ (100점)

(1) 슬라이드와 같이 도형을 배치한다(글꼴 : 돋움, 18pt).
(2) 애니메이션 순서 : ① ⇒ ②

세부조건

① 도형 편집
- 그룹화 후 애니메이션 효과 : 시계 방향 회전

② 도형 편집
- 그룹화 후 애니메이션 효과 : 닦아내기(아래로)

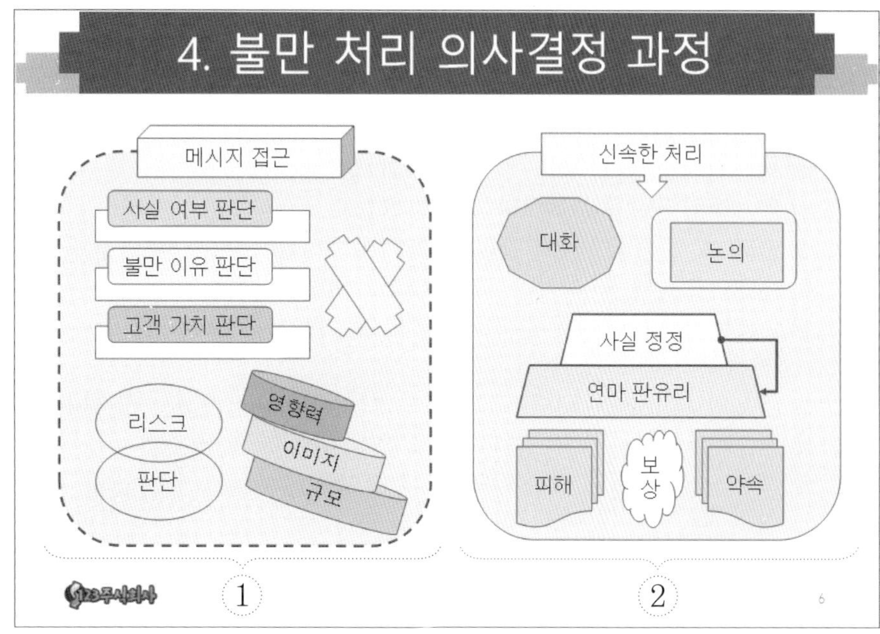

제 13 회 ITQ 실전모의고사

과목	코드	문제유형	시험시간	수험번호	성명
한쇼	1141	C	60분		

수험자 유의사항

- 수험자는 문제지를 받는 즉시 문제지와 **수험표상의 시험과목(프로그램)이 동일한지 반드시 확인**하여야 합니다.
- 파일명은 본인의 "수험번호-성명"으로 입력하여 답안폴더(내 PC₩문서₩ITQ)에 하나의 파일로 저장해야 하며, 답안문서 파일명이 "수험번호-성명"과 일치하지 않거나, 답안파일을 전송하지 않아 미제출로 처리될 경우 실격 처리합니다(예:12345678-홍길동.show).
- 답안 작성을 마치면 파일을 저장하고, '답안 전송' 버튼을 선택하여 감독위원 PC로 답안을 전송하십시오. 수험생 정보와 저장한 파일명이 다를 경우 전송되지 않으므로 주의하시기 바랍니다.
- 답안 작성 중에도 **주기적으로 저장하고, '답안 전송'**하여야 문제 발생을 줄일 수 있습니다. 작업한 내용을 저장하지 않고 전송할 경우 이전에 저장된 내용이 전송되오니 이점 유의하시기 바랍니다.
- 답안문서는 지정된 경로 외의 다른 보조기억장치에 저장하는 경우, 지정된 시험 시간 외에 작성된 파일을 활용할 경우, 기타 통신수단(이메일, 메신저, 네트워크 등)을 이용하여 타인에게 전달 또는 외부 반출하는 경우는 부정 처리합니다.
- 시험 중 부주의 또는 고의로 시스템을 파손한 경우는 수험자가 변상해야 하며, 〈수험자 유의사항〉에 기재된 방법대로 이행하지 않아 생기는 불이익은 수험생 당사자의 책임임을 알려 드립니다.
- 문제의 조건은 한컴오피스 2016 버전으로 설정되어 있고 한컴오피스 2010은 【 】에 표기되어 있으니 유의하시기 바랍니다.
- 시험을 완료한 수험자는 답안파일이 전송되었는지 확인한 후 감독위원의 지시에 따라 문제지를 제출하고 퇴실합니다.

답안 작성요령

- 온라인 답안 작성 절차
  수험자 등록 ⇒ 시험 시작 ⇒ 답안파일 저장 ⇒ 답안 전송 ⇒ 시험 종료
- 슬라이드의 크기는 A4 Paper로 설정하여 작성합니다.
- 슬라이드의 총 개수는 6개로 구성되어 있으며 슬라이드 1부터 순서대로 작업하고 반드시 문제와 세부조건대로 합니다.
- 별도의 지시사항이 없는 경우 출력형태를 참조하여 글꼴색은 검정 또는 흰색으로 작성하고, 기타사항은 전체적인 균형을 고려하여 작성합니다.
- 슬라이드 도형 및 개체에 출력형태와 다른 스타일(그림자, 외곽선 등)을 적용했을 경우 감점처리 됩니다.
- 슬라이드 번호를 작성합니다(슬라이드 1에는 생략).
- 2~6번 슬라이드 제목 도형과 하단 로고는 슬라이드 마스터를 이용하여 출력형태와 동일하게 작성합니다(슬라이드 1에는 생략).
- 문제와 세부조건, 세부조건 번호 ◌(점선원)는 입력하지 않습니다.
- 각 개체의 위치는 오른쪽의 슬라이드와 동일하게 구성합니다.
- 그림 삽입 문제의 경우 반드시 「내 PC₩문서₩ITQ₩Picture」 폴더에서 정확한 파일을 선택하여 삽입하십시오.
- 각 슬라이드를 각각의 파일로 작업해서 저장할 경우 실격 처리됩니다.

kpc 한국생산성본부

[전체구성] (60점)

(1) 슬라이드 크기 및 순서 : 크기를 A4 용지로 설정하고 슬라이드 순서에 맞게 작성한다.

(2) 슬라이드 마스터 : 2~6슬라이드의 제목, 하단 로고, 슬라이드 번호는 슬라이드 마스터를 이용하여 작성한다.

- 제목 글꼴(돋움, 40pt, 흰색), 왼쪽 정렬, 도형(선 없음)
- 하단 로고(「내 PC₩문서₩ITQ₩Picture₩로고1.jpg」, 배경(회색) 투명색으로 설정)

[슬라이드 1] ≪표지 디자인≫ (40점)

(1) 표지 디자인 : 도형, 워드숍 및 그림을 이용하여 작성한다.

세부조건

① 도형 편집
- 도형에 그림 채우기 : 「내 PC₩문서₩ITQ₩Picture₩그림1.jpg」, 투명도 50%
- 도형 효과 : 옅은 테두리 5pt

② 워드숍
- 변환 : 위로 기울기
- 글꼴 : 함초롬돋움, 진하게
- 반사 : 3/4 크기, 근접

③ 그림 삽입
- 「내 PC₩문서₩ITQ₩Picture₩로고1.jpg」
- 배경(회색) 투명한 색으로 설정

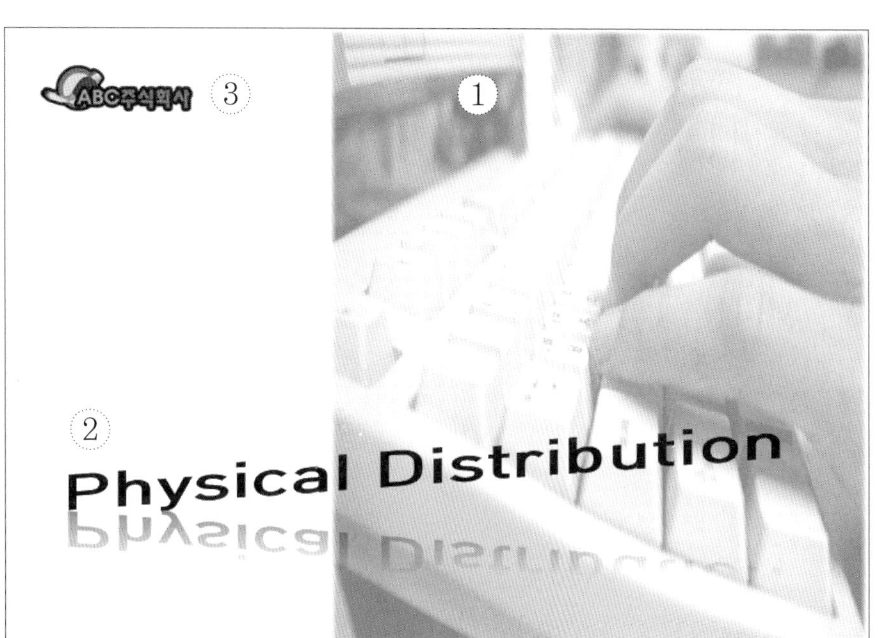

[슬라이드 2] ≪목차 슬라이드≫ (60점)

(1) 출력형태와 같이 도형을 이용하여 목차를 작성한다(글꼴 : 함초롬돋움, 24pt).

(2) 도형 : 선 없음

세부조건

① 텍스트에 하이퍼링크 적용 → '슬라이드 5'

② 그림 삽입
- 「내 PC₩문서₩ITQ₩Picture₩그림4.jpg」
- 자르기 기능 이용

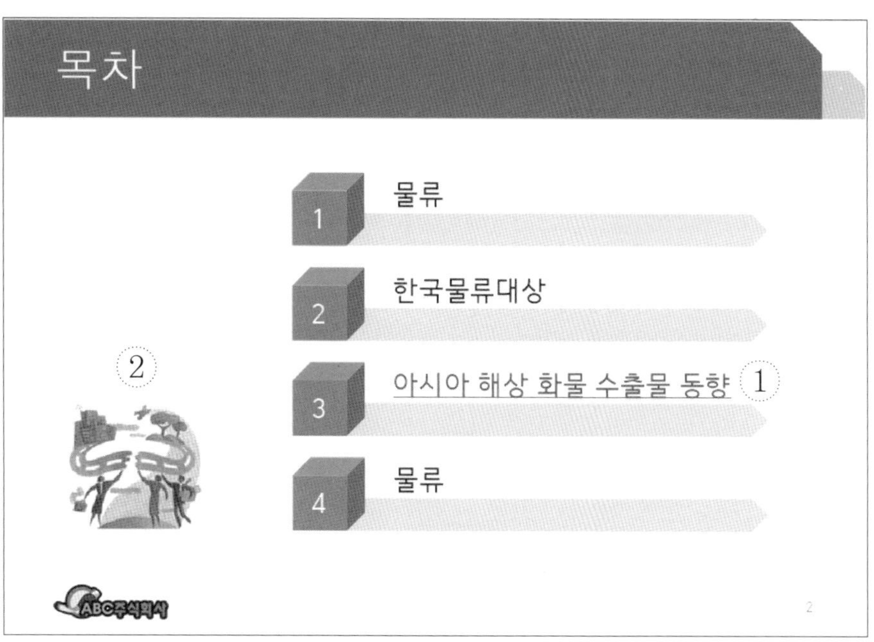

[슬라이드 3] ≪텍스트/동영상 슬라이드≫ (60점)

(1) 텍스트 작성 : 글머리 기호 사용(◆, ✓)

◆문단(함초롬돋움, 24pt, 굵게, 줄간격 : 1.5줄), ✓문단(함초롬돋움, 20pt, 줄간격 : 1.5줄)

세부조건

① 동영상 삽입 :
- 「내 PC₩문서₩ITQ₩Picture₩동영상.wmv」
- 자동실행, 반복재생 설정

1. 물류

◆ **Logistics**

✓ Logistics is the art and science of managine and controlling the flow of goods, information and other resources like products, services and people from the source of production to the marketplace

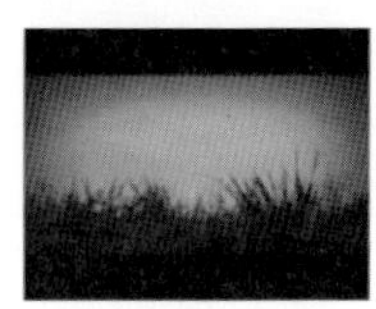

①

◆ **물류**

✓ 물적 유통, 즉 생산자로부터 소비자까지의 물건의 흐름과 그 과정

✓ 생산된 상품을 수송, 하역, 보관, 포장하는 과정과 유통 가공이나 수송시설 등 물자 유통 과정을 모두 포함

3

[슬라이드 4] ≪표 슬라이드≫ (80점)

(1) 도형과 표 작성 기능을 이용하여 슬라이드를 작성한다(글꼴 : 돋움, 20pt).

세부조건

① 상단 도형 :
2개 도형의 조합으로 작성

② 좌측 도형 :
그라데이션 효과(선형 위쪽)

③ 표 스타일 :
보통 스타일 4 - 강조 2

2. 한국물류대상

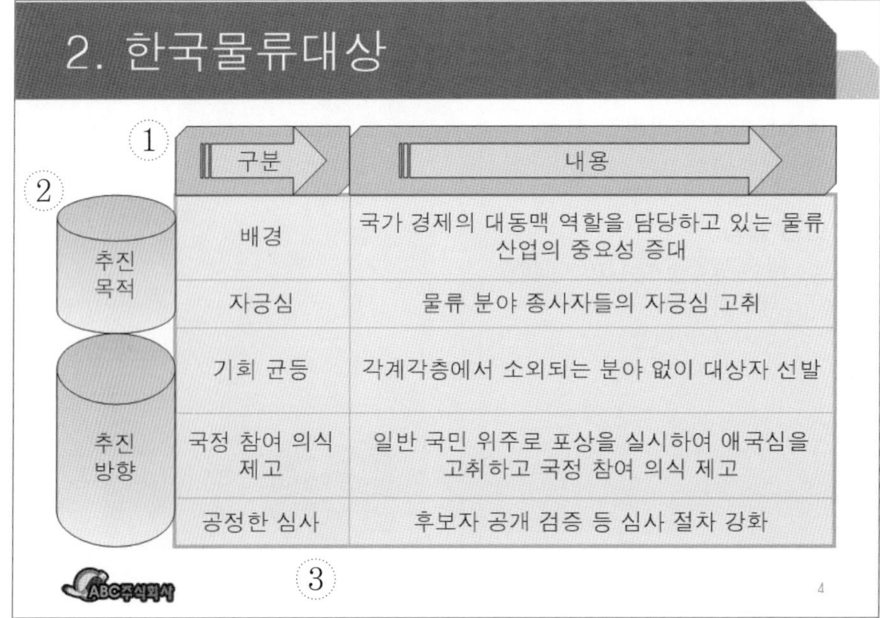

	구분	내용
추진 목적	배경	국가 경제의 대동맥 역할을 담당하고 있는 물류 산업의 중요성 증대
	자긍심	물류 분야 종사자들의 자긍심 고취
추진 방향	기회 균등	각계각층에서 소외되는 분야 없이 대상자 선발
	국정 참여 의식 제고	일반 국민 위주로 포상을 실시하여 애국심을 고취하고 국정 참여 의식 제고
	공정한 심사	후보자 공개 검증 등 심사 절차 강화

[슬라이드 5] ≪차트 슬라이드≫ (100점)

(1) 차트 작성 기능을 이용하여 슬라이드를 작성한다.
(2) 차트 : 종류(묶은 세로 막대형), 글꼴(굴림, 16pt), 외곽선
(3) 표 : 차트 하단에 이미지와 같이 표 그리기

세부조건

※ 차트설명
- 차트제목 : 궁서, 20pt, 진하게, 채우기(하양), 테두리, 그림자(대각선 오른쪽 아래) 【그림자(2pt)】
- 범례 위치 : 오른쪽
- 전체배경 : 채우기(노랑)
- 값 표시 : 비중 계열

① 도형 삽입
- 스타일 : 밝은 계열 - 강조 2
- 글꼴 : 돋움, 18pt

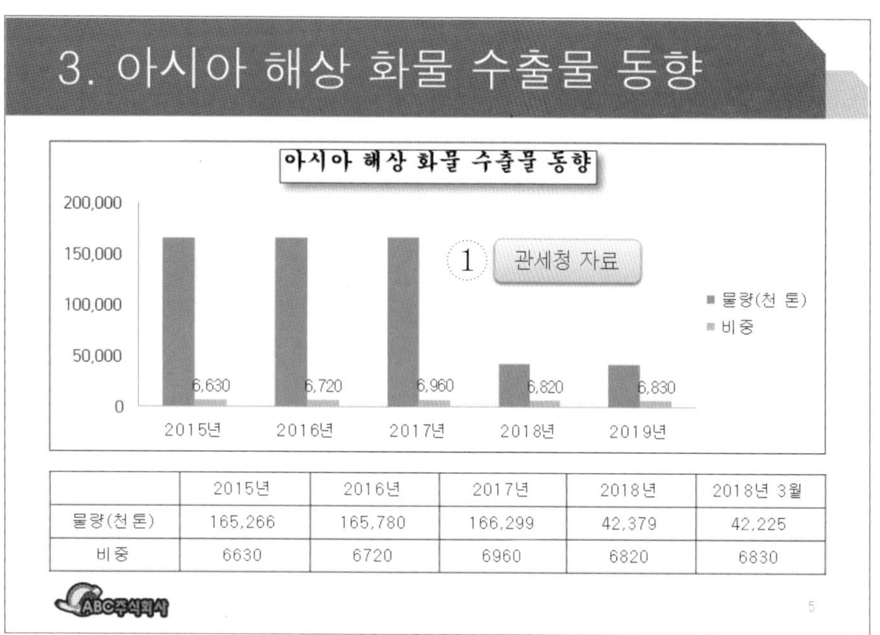

	2015년	2016년	2017년	2018년	2018년 3월
물량(천 톤)	165,266	165,780	166,299	42,379	42,225
비중	6630	6720	6960	6820	6830

[슬라이드 6] ≪도형 슬라이드≫ (100점)

(1) 슬라이드와 같이 도형을 배치한다(글꼴 : 굴림, 18pt).
(2) 애니메이션 순서 : ① ⇒ ②

세부조건

① 도형 편집
- 그룹화 후 애니메이션 효과 : 날아오기(왼쪽으로)

② 도형 편집
- 그룹화 후 애니메이션 효과 : 사각형(밖으로)

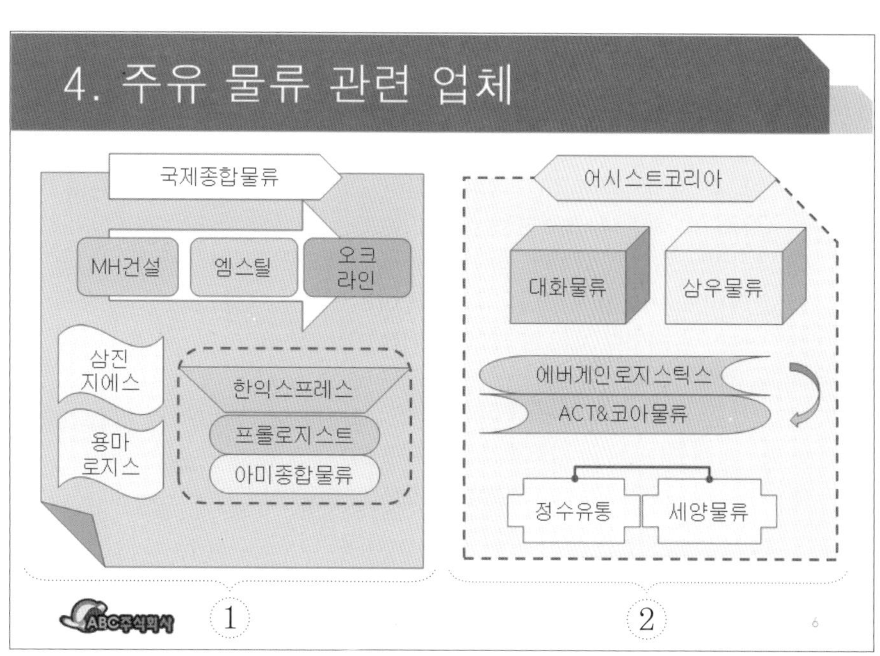

제 14 회 ITQ 실전모의고사

과목	코드	문제유형	시험시간	수험번호	성명
한쇼	1141	D	60분		

수험자 유의사항

- 수험자는 문제지를 받는 즉시 문제지와 **수험표상의 시험과목(프로그램)이 동일한지 반드시 확인**하여야 합니다.
- 파일명은 본인의 "수험번호-성명"으로 입력하여 답안폴더(내 PC₩문서₩ITQ)에 하나의 파일로 저장해야 하며, 답안문서 파일명이 "수험번호-성명"과 일치하지 않거나, 답안파일을 전송하지 않아 미제출로 처리될 경우 실격 처리합니다(예:12345678-홍길동.show).
- 답안 작성을 마치면 파일을 저장하고, '답안 전송' 버튼을 선택하여 감독위원 PC로 답안을 전송하십시오. 수험생 정보와 저장한 파일명이 다를 경우 전송되지 않으므로 주의하시기 바랍니다.
- 답안 작성 중에도 **주기적으로 저장하고, '답안 전송'**하여야 문제 발생을 줄일 수 있습니다. 작업한 내용을 저장하지 않고 전송할 경우 이전에 저장된 내용이 전송되오니 이점 유의하시기 바랍니다.
- 답안문서는 지정된 경로 외의 다른 보조기억장치에 저장하는 경우, 지정된 시험 시간 외에 작성된 파일을 활용할 경우, 기타 통신수단(이메일, 메신저, 네트워크 등)을 이용하여 타인에게 전달 또는 외부 반출하는 경우는 부정 처리합니다.
- 시험 중 부주의 또는 고의로 시스템을 파손한 경우는 수험자가 변상해야 하며, 〈수험자 유의사항〉에 기재된 방법대로 이행하지 않아 생기는 불이익은 수험생 당사자의 책임임을 알려 드립니다.
- 문제의 조건은 한컴오피스 2016 버전으로 설정되어 있고 한컴오피스 2010은 【 】에 표기되어 있으니 유의하시기 바랍니다.
- 시험을 완료한 수험자는 답안파일이 전송되었는지 확인한 후 감독위원의 지시에 따라 문제지를 제출하고 퇴실합니다.

답안 작성요령

- 온라인 답안 작성 절차
  수험자 등록 ⇒ 시험 시작 ⇒ 답안파일 저장 ⇒ 답안 전송 ⇒ 시험 종료
- 슬라이드의 크기는 A4 Paper로 설정하여 작성합니다.
- 슬라이드의 총 개수는 6개로 구성되어 있으며 슬라이드 1부터 순서대로 작업하고 반드시 문제와 세부조건대로 합니다.
- 별도의 지시사항이 없는 경우 출력형태를 참조하여 글꼴색은 검정 또는 흰색으로 작성하고, 기타사항은 전체적인 균형을 고려하여 작성합니다.
- 슬라이드 도형 및 개체에 출력형태와 다른 스타일(그림자, 외곽선 등)을 적용했을 경우 감점처리 됩니다.
- 슬라이드 번호를 작성합니다(슬라이드 1에는 생략).
- 2~6번 슬라이드 제목 도형과 하단 로고는 슬라이드 마스터를 이용하여 출력형태와 동일하게 작성합니다(슬라이드 1에는 생략).
- 문제와 세부조건, 세부조건 번호 ◌(점선원)는 입력하지 않습니다.
- 각 개체의 위치는 오른쪽의 슬라이드와 동일하게 구성합니다.
- 그림 삽입 문제의 경우 반드시 「내 PC₩문서₩ITQ₩Picture」 폴더에서 정확한 파일을 선택하여 삽입하십시오.
- 각 슬라이드를 각각의 파일로 작업해서 저장할 경우 실격 처리됩니다.

kpc 한국생산성본부

[전체구성] (60점)

(1) 슬라이드 크기 및 순서 : 크기를 A4 용지로 설정하고 슬라이드 순서에 맞게 작성한다.
(2) 슬라이드 마스터 : 2~6슬라이드의 제목, 하단 로고, 슬라이드 번호는 슬라이드 마스터를 이용하여 작성한다.
- 제목 글꼴(맑은 고딕, 40pt, 빨강), 가운데 정렬, 도형(선 없음)
- 하단 로고(「내 PC₩문서₩ITQ₩Picture₩로고2.jpg」, 배경(회색) 투명색으로 설정)

[슬라이드 1] ≪표지 디자인≫ (40점)

(1) 표지 디자인 : 도형, 워드숍 및 그림을 이용하여 작성한다.

세부조건

① 도형 편집
- 도형에 그림 채우기 : 「내 PC₩문서₩ITQ₩Picture₩그림1.jpg」, 투명도 50%
- 도형 효과 : 옅은 테두리 5pt

② 워드숍
- 변환 : 위로 기울기
- 글꼴 : 함초롬돋움, 진하게
- 반사 : 3/4 크기, 근접

③ 그림 삽입
- 「내 PC₩문서₩ITQ₩Picture₩로고2.jpg」
- 배경(회색) 투명한 색으로 설정

[슬라이드 2] ≪목차 슬라이드≫ (60점)

(1) 출력형태와 같이 도형을 이용하여 목차를 작성한다(글꼴 : 궁서, 24pt).
(2) 도형 : 선 없음

세부조건

① 텍스트에 하이퍼링크 적용 → '슬라이드 4'

② 그림 삽입
- 「내 PC₩문서₩ITQ₩Picture₩그림4.jpg」
- 자르기 기능 이용

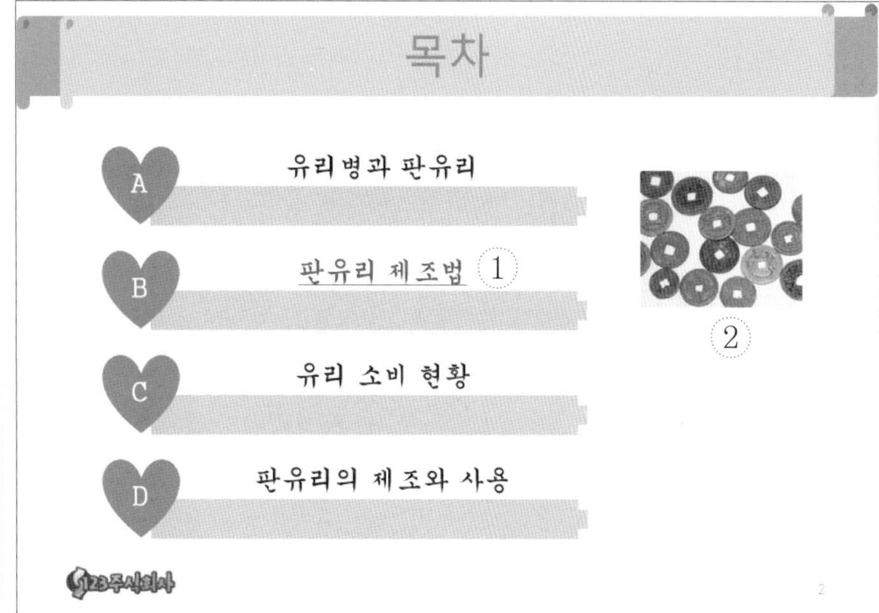

[슬라이드 3] ≪텍스트/동영상 슬라이드≫ (60점)

(1) 텍스트 작성 : 글머리 기호 사용(❖, ➢)

❖문단(굴림, 24pt, 굵게, 줄간격 : 1.5줄), ➢문단(굴림, 20pt, 줄간격 : 1.5줄)

세부조건

① 동영상 삽입 :
- 「내 PC₩문서₩ITQ₩Picture₩동영상.wmv」
- 자동실행, 반복재생 설정

A. 유리병과 판유리

❖ Glass bottle

➢ Flint : juice bottles, IV bottles, bottles to contain foods, alcoholic beverage bottles, cosmetic bottles

➢ Amber : bottles to hold eergy drinks, beer bottles, bottles to store sesame oil

❖ 판유리의 역사

①

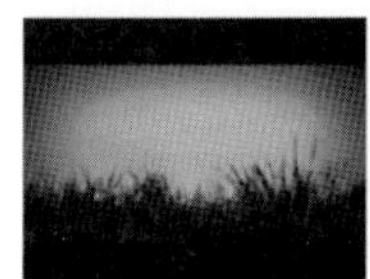

➢ 중세 시대부터 제조되었으며, 사원 건축용 자재로 가장 널리 사용되기 시작함

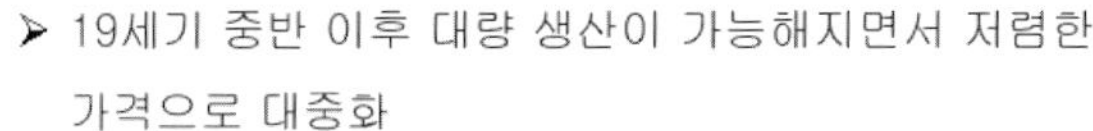

➢ 19세기 중반 이후 대량 생산이 가능해지면서 저렴한 가격으로 대중화

123주식회사 3

[슬라이드 4] ≪표 슬라이드≫ (80점)

(1) 도형과 표 작성 기능을 이용하여 슬라이드를 작성한다(글꼴 : 궁서, 20pt).

세부조건

① 상단 도형 :
2개 도형의 조합으로 작성

② 좌측 도형 :
그라데이션 효과(선형 위쪽)

③ 표 스타일 :
보통 스타일 4 - 강조 2

B. 판유리 제조법

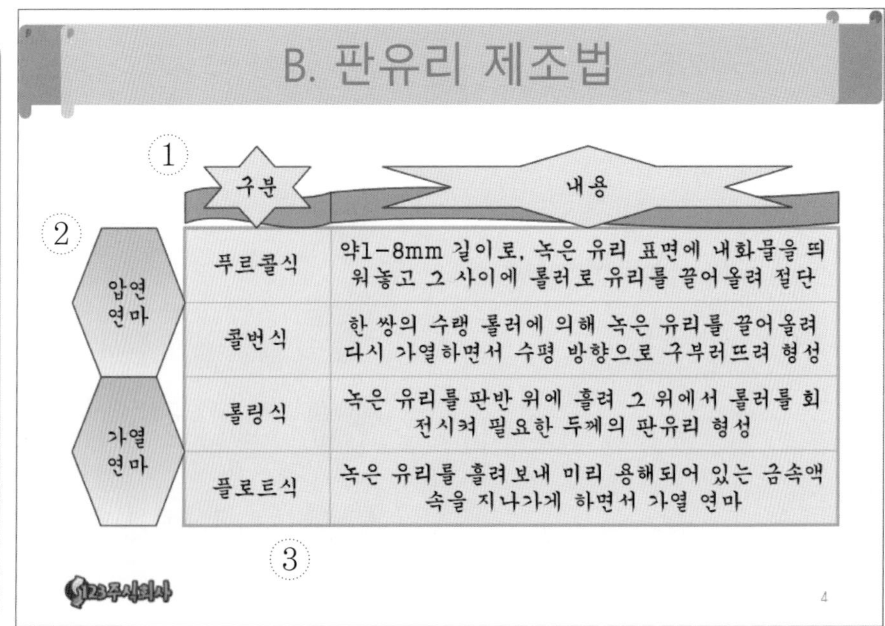

123주식회사 4

[슬라이드 5] ≪차트 슬라이드≫ (100점)

(1) 차트 작성 기능을 이용하여 슬라이드를 작성한다.
(2) 차트 : 종류(묶은 세로 막대형), 글꼴(궁서, 16pt), 외곽선
(3) 표 : 차트 하단에 이미지와 같이 표 그리기

세부조건

※ 차트설명
- 차트제목 : 굴림, 20pt, 진하게, 채우기(하양), 테두리, 그림자(대각선 오른쪽 아래) 【그림자(2pt)】
- 범례 위치 : 아래쪽
- 전체배경 : 채우기(노랑)
- 값 표시 : 2018년 계열의 기타 요소만

① 도형 삽입
- 스타일 : 밝은 계열 - 강조 5
- 글꼴 : 굴림, 18pt

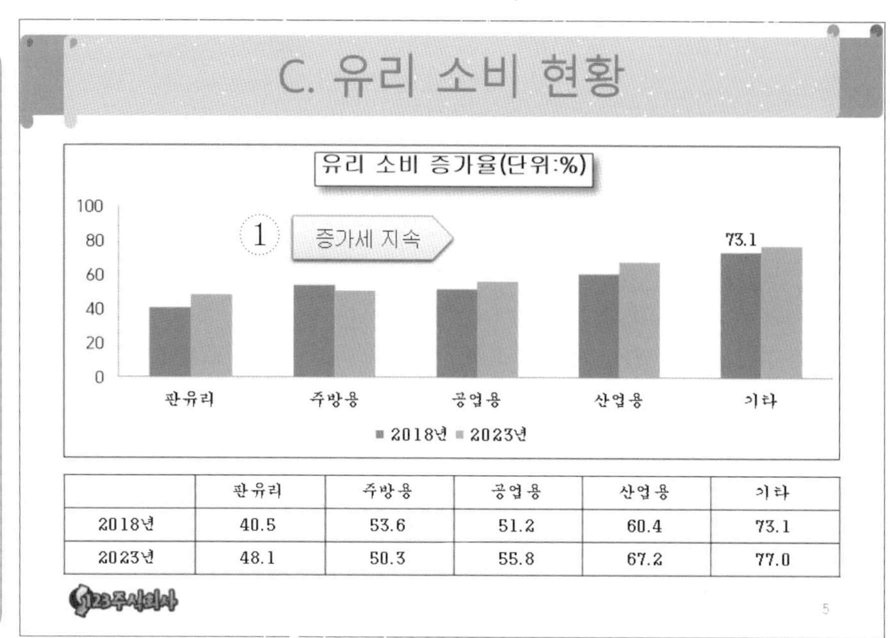

	판유리	주방용	공업용	산업용	기타
2018년	40.5	53.6	51.2	60.4	73.1
2023년	48.1	50.3	55.8	67.2	77.0

[슬라이드 6] ≪도형 슬라이드≫ (100점)

(1) 슬라이드와 같이 도형을 배치한다(글꼴 : 돋움, 18pt).
(2) 애니메이션 순서 : ① ⇒ ②

세부조건

① 도형 편집
- 그룹화 후 애니메이션 효과 : 밝기 변화

② 도형 편집
- 그룹화 후 애니메이션 효과 : 닦아내기(아래로)

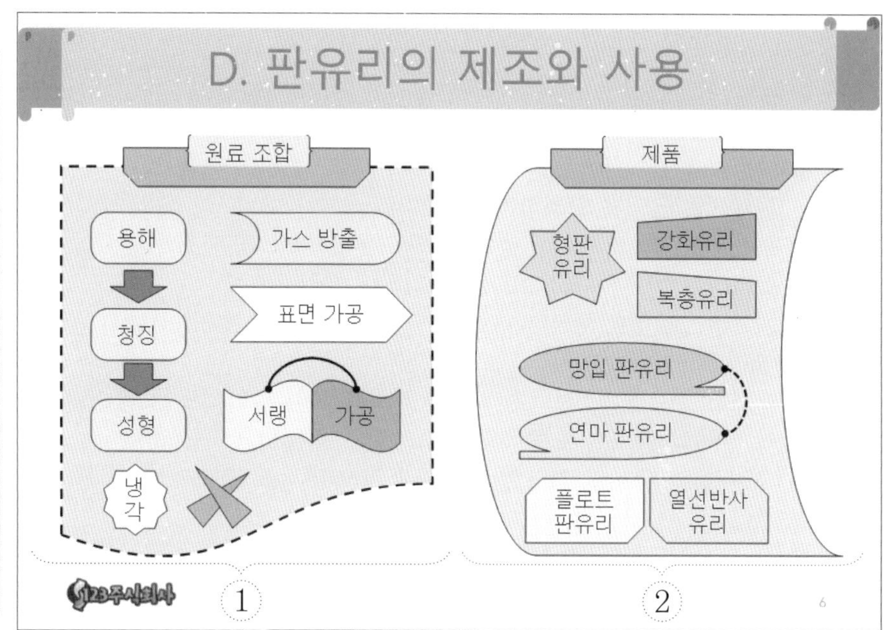

제 15 회 ITQ 실전모의고사

과목	코드	문제유형	시험시간	수험번호	성명
한쇼	1141	E	60분		

수험자 유의사항

- 수험자는 문제지를 받는 즉시 문제지와 **수험표상의 시험과목(프로그램)이 동일한지 반드시 확인**하여야 합니다.
- 파일명은 본인의 "수험번호-성명"으로 입력하여 답안폴더(내 PC₩문서₩ITQ)에 하나의 파일로 저장해야 하며, 답안문서 파일명이 "수험번호-성명"과 일치하지 않거나, 답안파일을 전송하지 않아 미제출로 처리될 경우 실격 처리합니다(예:12345678-홍길동.show).
- 답안 작성을 마치면 파일을 저장하고, '답안 전송' 버튼을 선택하여 감독위원 PC로 답안을 전송하십시오. 수험생 정보와 저장한 파일명이 다를 경우 전송되지 않으므로 주의하시기 바랍니다.
- 답안 작성 중에도 **주기적으로 저장하고, '답안 전송'**하여야 문제 발생을 줄일 수 있습니다. 작업한 내용을 저장하지 않고 전송할 경우 이전에 저장된 내용이 전송되오니 이점 유의하시기 바랍니다.
- 답안문서는 지정된 경로 외의 다른 보조기억장치에 저장하는 경우, 지정된 시험 시간 외에 작성된 파일을 활용할 경우, 기타 통신수단(이메일, 메신저, 네트워크 등)을 이용하여 타인에게 전달 또는 외부 반출하는 경우는 부정 처리합니다.
- 시험 중 부주의 또는 고의로 시스템을 파손한 경우는 수험자가 변상해야 하며, 〈수험자 유의사항〉에 기재된 방법대로 이행하지 않아 생기는 불이익은 수험생 당사자의 책임임을 알려 드립니다.
- 문제의 조건은 한컴오피스 2016 버전으로 설정되어 있고 한컴오피스 2010은 【 】에 표기되어 있으니 유의하시기 바랍니다.
- 시험을 완료한 수험자는 답안파일이 전송되었는지 확인한 후 감독위원의 지시에 따라 문제지를 제출하고 퇴실합니다.

답안 작성요령

- 온라인 답안 작성 절차
  수험자 등록 ⇒ 시험 시작 ⇒ 답안파일 저장 ⇒ 답안 전송 ⇒ 시험 종료
- 슬라이드의 크기는 A4 Paper로 설정하여 작성합니다.
- 슬라이드의 총 개수는 6개로 구성되어 있으며 슬라이드 1부터 순서대로 작업하고 반드시 문제와 세부조건대로 합니다.
- 별도의 지시사항이 없는 경우 출력형태를 참조하여 글꼴색은 검정 또는 흰색으로 작성하고, 기타사항은 전체적인 균형을 고려하여 작성합니다.
- 슬라이드 도형 및 개체에 출력형태와 다른 스타일(그림자, 외곽선 등)을 적용했을 경우 감점처리 됩니다.
- 슬라이드 번호를 작성합니다(슬라이드 1에는 생략).
- 2~6번 슬라이드 제목 도형과 하단 로고는 슬라이드 마스터를 이용하여 출력형태와 동일하게 작성합니다(슬라이드 1에는 생략).
- 문제와 세부조건, 세부조건 번호 ◌(점선원)는 입력하지 않습니다.
- 각 개체의 위치는 오른쪽의 슬라이드와 동일하게 구성합니다.
- 그림 삽입 문제의 경우 반드시 「내 PC₩문서₩ITQ₩Picture」 폴더에서 정확한 파일을 선택하여 삽입하십시오.
- 각 슬라이드를 각각의 파일로 작업해서 저장할 경우 실격 처리됩니다.

kpc 한국생산성본부

[전체구성] (60점)

(1) 슬라이드 크기 및 순서 : 크기를 A4 용지로 설정하고 슬라이드 순서에 맞게 작성한다.
(2) 슬라이드 마스터 : 2~6슬라이드의 제목, 하단 로고, 슬라이드 번호는 슬라이드 마스터를 이용하여 작성한다.
- 제목 글꼴(돋움, 40pt, 흰색), 가운데 정렬, 도형(선 없음)
- 하단 로고(「내 PC₩문서₩ITQ₩Picture₩로고1.jpg」, 배경(회색) 투명색으로 설정)

[슬라이드 1] ≪표지 디자인≫ (40점)

(1) 표지 디자인 : 도형, 워드숍 및 그림을 이용하여 작성한다.

세부조건

① 도형 편집
- 도형에 그림 채우기 : 「내 PC₩문서₩ITQ₩Picture₩그림2.jpg」, 투명도 50%
- 도형 효과 : 옅은 테두리 5pt

② 워드숍
- 변환 : 위로 계단식
- 글꼴 : 돋움, 진하게
- 반사 : 1/2 크기, 근접

③ 그림 삽입
- 「내 PC₩문서₩ITQ₩Picture₩로고1.jpg」
- 배경(회색) 투명한 색으로 설정

[슬라이드 2] ≪목차 슬라이드≫ (60점)

(1) 출력형태와 같이 도형을 이용하여 목차를 작성한다(글꼴 : 돋움, 24pt).
(2) 도형 : 선 없음

세부조건

① 텍스트에 하이퍼링크 적용 → '슬라이드 3'

② 그림 삽입
- 「내 PC₩문서₩ITQ₩Picture₩그림5.jpg」
- 자르기 기능 이용

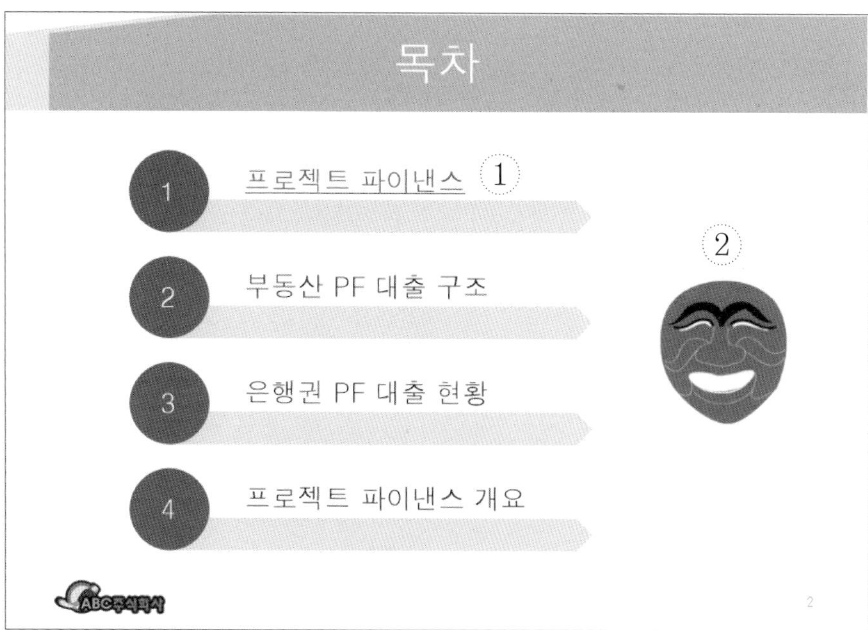

[슬라이드 3] ≪텍스트/동영상 슬라이드≫ (60점)

(1) 텍스트 작성 : 글머리 기호 사용(◆, ✓)
◆문단(굴림, 24pt, 굵게, 줄간격 : 1.5줄), ✓문단(굴림, 20pt, 줄간격 : 1.5줄)

세부조건

① 동영상 삽입 :
- 「내 PC₩문서₩ITQ₩Picture₩동영상.wmv」
- 자동실행, 반복재생 설정

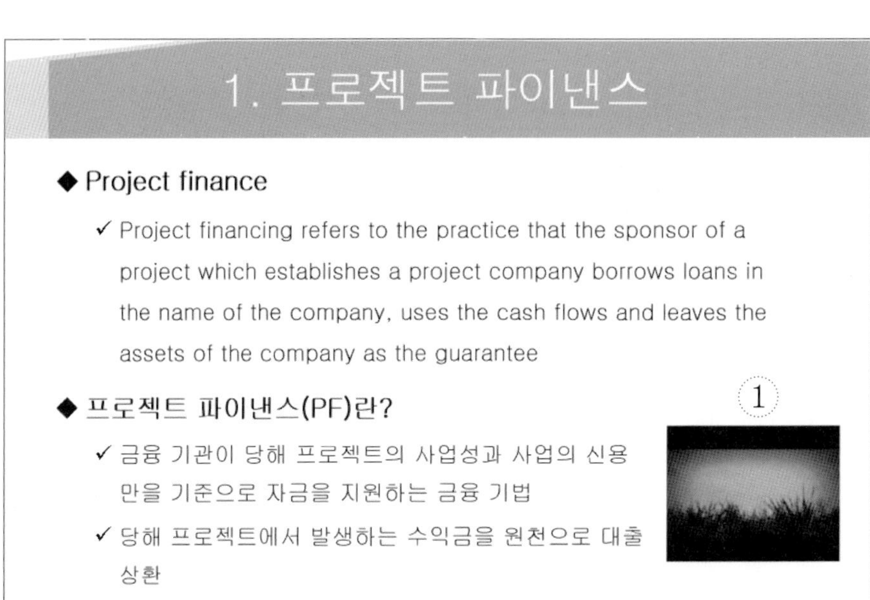

[슬라이드 4] ≪표 슬라이드≫ (80점)

(1) 도형과 표 작성 기능을 이용하여 슬라이드를 작성한다(글꼴 : 돋움, 20pt).

세부조건

① 상단 도형 :
2개 도형의 조합으로 작성

② 좌측 도형 :
그라데이션 효과(선형 위쪽)

③ 표 스타일 :
보통 스타일 4 - 강조 4

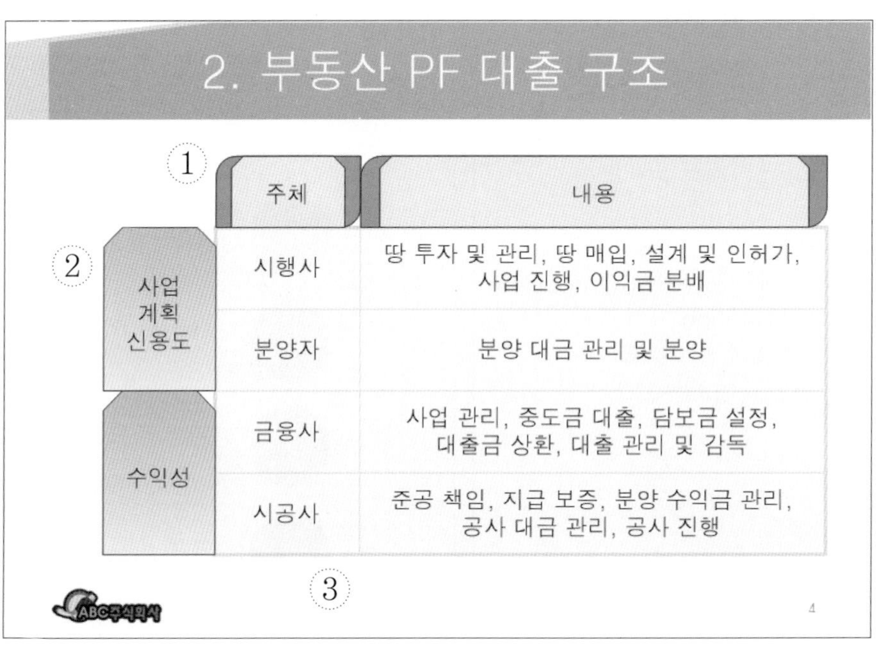

[슬라이드 5] ≪차트 슬라이드≫ (100점)

(1) 차트 작성 기능을 이용하여 슬라이드를 작성한다.
(2) 차트 : 종류(묶은 세로 막대형), 글꼴(돋움, 16pt), 외곽선
(3) 표 : 차트 하단에 이미지와 같이 표 그리기

세부조건

※ 차트설명
- 차트제목 : 궁서, 20pt, 진하게, 채우기(하양), 테두리, 그림자(대각선 오른쪽 아래)【그림자(2pt)】
- 범례 위치 : 오른쪽
- 전체배경 : 채우기(노랑)
- 값 표시 : 연체율(%) 계열

① 도형 삽입
- 스타일 : 밝은 계열 - 강조 5
- 글꼴 : 굴림, 16pt

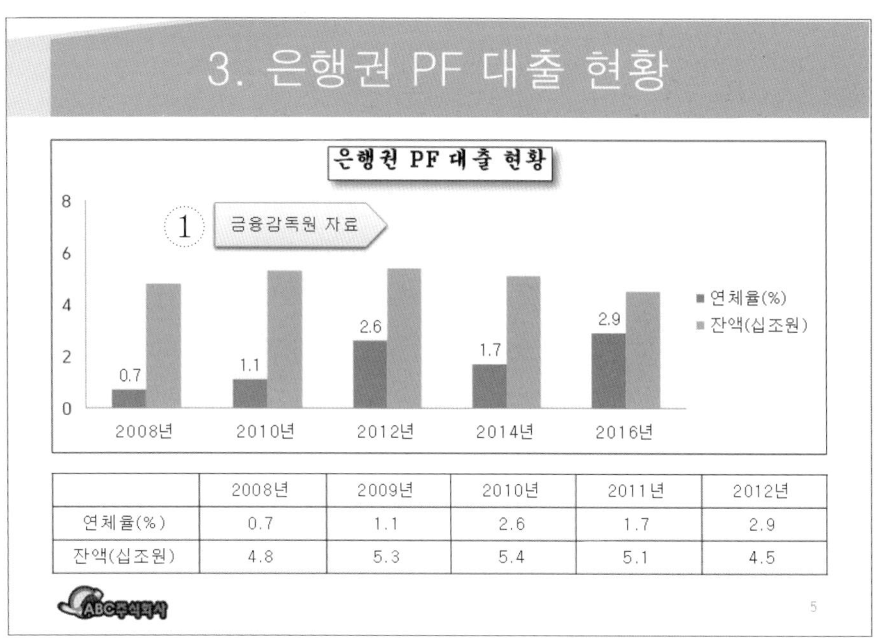

	2008년	2009년	2010년	2011년	2012년
연체율(%)	0.7	1.1	2.6	1.7	2.9
잔액(십조원)	4.8	5.3	5.4	5.1	4.5

[슬라이드 6] ≪도형 슬라이드≫ (100점)

(1) 슬라이드와 같이 도형을 배치한다(글꼴 : 맑은 고딕, 18pt).
(2) 애니메이션 순서 : ② ⇒ ①

세부조건

① 도형 편집
- 그룹화 후 애니메이션 효과 : 날아오기(오른쪽으로)

② 도형 편집
- 그룹화 후 애니메이션 효과 : 밝기 변화

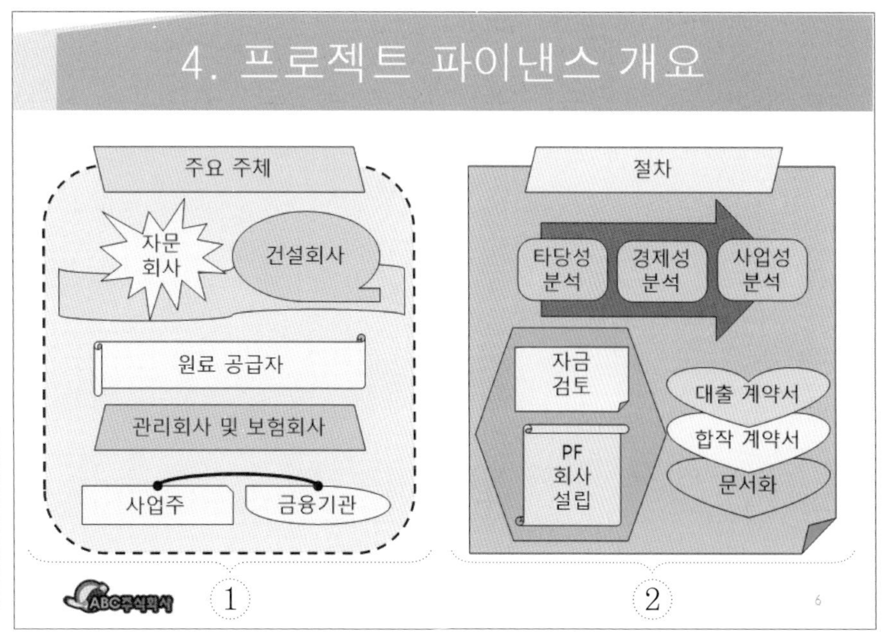

MEMO

PART 03

기출예상문제

제 01 회 정보기술자격(ITQ) 시험

한컴오피스

과목	코드	문제유형	시험시간	수험번호	성명
한쇼	1141	A	60분		

수험자 유의사항

- 수험자는 문제지를 받는 즉시 문제지와 **수험표상의 시험과목(프로그램)이 동일한지 반드시 확인**하여야 합니다.
- 파일명은 본인의 "수험번호-성명"으로 입력하여 답안폴더(내 PC₩문서₩ITQ)에 하나의 파일로 저장해야 하며, 답안문서 파일명이 "수험번호-성명"과 일치하지 않거나, 답안파일을 전송하지 않아 미제출로 처리될 경우 실격 처리합니다(예:12345678-홍길동.show).
- 답안 작성을 마치면 파일을 저장하고, '답안 전송' 버튼을 선택하여 감독위원 PC로 답안을 전송하십시오. 수험생 정보와 저장한 파일명이 다를 경우 전송되지 않으므로 주의하시기 바랍니다.
- 답안 작성 중에도 **주기적으로 저장하고, '답안 전송'**하여야 문제 발생을 줄일 수 있습니다. 작업한 내용을 저장하지 않고 전송할 경우 이전에 저장된 내용이 전송되오니 이점 유의하시기 바랍니다.
- 답안문서는 지정된 경로 외의 다른 보조기억장치에 저장하는 경우, 지정된 시험 시간 외에 작성된 파일을 활용할 경우, 기타 통신수단(이메일, 메신저, 네트워크 등)을 이용하여 타인에게 전달 또는 외부 반출하는 경우는 부정 처리합니다.
- 시험 중 부주의 또는 고의로 시스템을 파손한 경우는 수험자가 변상해야 하며, 〈수험자 유의사항〉에 기재된 방법대로 이행하지 않아 생기는 불이익은 수험생 당사자의 책임임을 알려 드립니다.
- 문제의 조건은 한컴오피스 2016 버전으로 설정되어 있고 한컴오피스 2010은 【 】에 표기되어 있으니 유의하시기 바랍니다.
- 시험을 완료한 수험자는 답안파일이 전송되었는지 확인한 후 감독위원의 지시에 따라 문제지를 제출하고 퇴실합니다.

답안 작성요령

- 온라인 답안 작성 절차
  수험자 등록 ⇒ 시험 시작 ⇒ 답안파일 저장 ⇒ 답안 전송 ⇒ 시험 종료
- 슬라이드의 크기는 A4 Paper로 설정하여 작성합니다.
- 슬라이드의 총 개수는 6개로 구성되어 있으며 슬라이드 1부터 순서대로 작업하고 반드시 문제와 세부조건대로 합니다.
- 별도의 지시사항이 없는 경우 출력형태를 참조하여 글꼴색은 검정 또는 흰색으로 작성하고, 기타사항은 전체적인 균형을 고려하여 작성합니다.
- 슬라이드 도형 및 개체에 출력형태와 다른 스타일(그림자, 외곽선 등)을 적용했을 경우 감점처리 됩니다.
- 슬라이드 번호를 작성합니다(슬라이드 1에는 생략).
- 2~6번 슬라이드 제목 도형과 하단 로고는 슬라이드 마스터를 이용하여 출력형태와 동일하게 작성합니다(슬라이드 1에는 생략).
- 문제와 세부조건, 세부조건 번호 ◌(점선원)는 입력하지 않습니다.
- 각 개체의 위치는 오른쪽의 슬라이드와 동일하게 구성합니다.
- 그림 삽입 문제의 경우 반드시 「내 PC₩문서₩ITQ₩Picture」 폴더에서 정확한 파일을 선택하여 삽입하십시오.
- 각 슬라이드를 각각의 파일로 작업해서 저장할 경우 실격 처리됩니다.

kpc 한국생산성본부

[슬라이드 5] ≪차트 슬라이드≫ (100점)

(1) 차트 작성 기능을 이용하여 슬라이드를 작성한다.
(2) 차트 : 종류(표식이 있는 꺾은선형), 글꼴(맑은 고딕, 16pt), 외곽선
(3) 표 : 차트 하단에 이미지와 같이 표 그리기

세부조건

※ 차트설명
- 차트제목 : 궁서, 20pt, 진하게, 채우기(하양), 테두리, 그림자(대각선 오른쪽 아래) 【그림자(2pt)】
- 범례 위치 : 아래쪽
- 전체배경 : 채우기(노랑)
- 값 표시 : 2015년 계열의 60대 요소만

① 도형 삽입
- 스타일 : 밝은 계열 – 강조 2
- 글꼴 : 굴림, 16pt

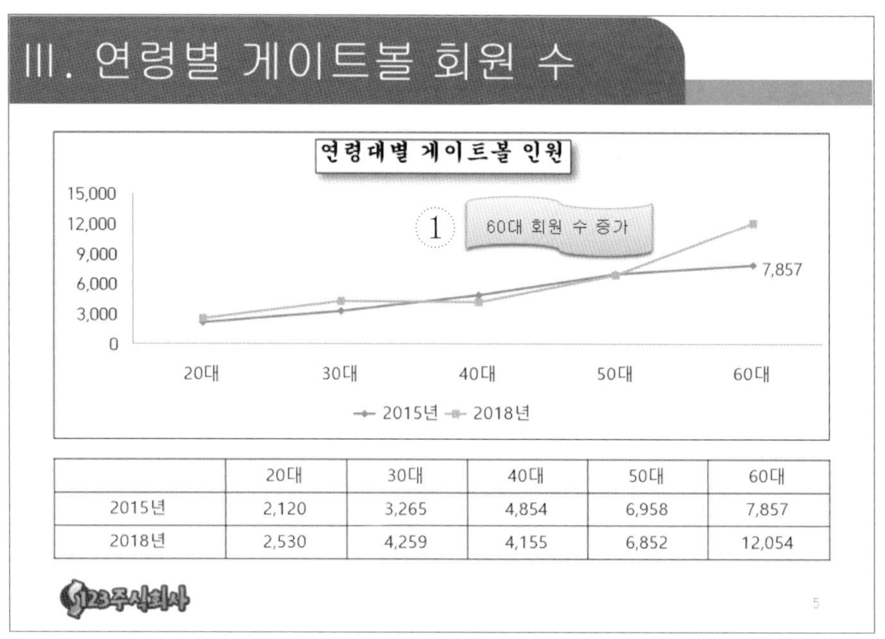

	20대	30대	40대	50대	60대
2015년	2,120	3,265	4,854	6,958	7,857
2018년	2,530	4,259	4,155	6,852	12,054

[슬라이드 6] ≪도형 슬라이드≫ (100점)

(1) 슬라이드와 같이 도형을 배치한다(글꼴 : 맑은 고딕, 18pt).
(2) 애니메이션 순서 : ① ⇒ ②

세부조건

① 도형 편집
- 그룹화 후 애니메이션 효과 : 블라인드(세로)

② 도형 편집
- 그룹화 후 애니메이션 효과 : 사각형(밖으로)

제 02회 정보기술자격(ITQ) 시험

한컴오피스

과목	코드	문제유형	시험시간	수험번호	성명
한쇼	1141	B	60분		

수험자 유의사항

- 수험자는 문제지를 받는 즉시 문제지와 **수험표상의 시험과목(프로그램)이 동일한지 반드시 확인**하여야 합니다.
- 파일명은 본인의 "수험번호-성명"으로 입력하여 답안폴더(내 PC₩문서₩ITQ)에 하나의 파일로 저장해야 하며, 답안문서 파일명이 "수험번호-성명"과 일치하지 않거나, 답안파일을 전송하지 않아 미제출로 처리될 경우 실격 처리합니다(예:12345678-홍길동.show).
- 답안 작성을 마치면 파일을 저장하고, '답안 전송' 버튼을 선택하여 감독위원 PC로 답안을 전송하십시오. 수험생 정보와 저장한 파일명이 다를 경우 전송되지 않으므로 주의하시기 바랍니다.
- 답안 작성 중에도 **주기적으로 저장하고, '답안 전송'**하여야 문제 발생을 줄일 수 있습니다. 작업한 내용을 저장하지 않고 전송할 경우 이전에 저장된 내용이 전송되오니 이점 유의하시기 바랍니다.
- 답안문서는 지정된 경로 외의 다른 보조기억장치에 저장하는 경우, 지정된 시험 시간 외에 작성된 파일을 활용할 경우, 기타 통신수단(이메일, 메신저, 네트워크 등)을 이용하여 타인에게 전달 또는 외부 반출하는 경우는 부정 처리합니다.
- 시험 중 부주의 또는 고의로 시스템을 파손한 경우는 수험자가 변상해야 하며, 〈수험자 유의사항〉에 기재된 방법대로 이행하지 않아 생기는 불이익은 수험생 당사자의 책임임을 알려 드립니다.
- 문제의 조건은 한컴오피스 2016 버전으로 설정되어 있고 한컴오피스 2010은 【 】에 표기되어 있으니 유의하시기 바랍니다.
- 시험을 완료한 수험자는 답안파일이 전송되었는지 확인한 후 감독위원의 지시에 따라 문제지를 제출하고 퇴실합니다.

답안 작성요령

- 온라인 답안 작성 절차
  수험자 등록 ⇒ 시험 시작 ⇒ 답안파일 저장 ⇒ 답안 전송 ⇒ 시험 종료
- 슬라이드의 크기는 A4 Paper로 설정하여 작성합니다.
- 슬라이드의 총 개수는 6개로 구성되어 있으며 슬라이드 1부터 순서대로 작업하고 반드시 문제와 세부조건대로 합니다.
- 별도의 지시사항이 없는 경우 출력형태를 참조하여 글꼴색은 검정 또는 흰색으로 작성하고, 기타사항은 전체적인 균형을 고려하여 작성합니다.
- 슬라이드 도형 및 개체에 출력형태와 다른 스타일(그림자, 외곽선 등)을 적용했을 경우 감점처리 됩니다.
- 슬라이드 번호를 작성합니다(슬라이드 1에는 생략).
- 2~6번 슬라이드 제목 도형과 하단 로고는 슬라이드 마스터를 이용하여 출력형태와 동일하게 작성합니다(슬라이드 1에는 생략).
- 문제와 세부조건, 세부조건 번호 ◌(점선원)는 입력하지 않습니다.
- 각 개체의 위치는 오른쪽의 슬라이드와 동일하게 구성합니다.
- 그림 삽입 문제의 경우 반드시 「내 PC₩문서₩ITQ₩Picture」 폴더에서 정확한 파일을 선택하여 삽입하십시오.
- 각 슬라이드를 각각의 파일로 작업해서 저장할 경우 실격 처리됩니다.

kpc 한국생산성본부

[전체구성] (60점)

(1) 슬라이드 크기 및 순서 : 크기를 A4 용지로 설정하고 슬라이드 순서에 맞게 작성한다.
(2) 슬라이드 마스터 : 2~6슬라이드의 제목, 하단 로고, 슬라이드 번호는 슬라이드 마스터를 이용하여 작성한다.
- 제목 글꼴(궁서, 40pt, 흰색), 왼쪽 정렬, 도형(선 없음)
- 하단 로고(「내 PC₩문서₩ITQ₩Picture₩로고3.jpg」, 배경(연보라) 투명색으로 설정)

[슬라이드 1] ≪표지 디자인≫ (40점)

(1) 표지 디자인 : 도형, 워드숍 및 그림을 이용하여 작성한다.

세부조건

① 도형 편집
- 도형에 그림 채우기 : 「내 PC₩문서₩ITQ₩Picture₩그림2.jpg」, 투명도 50%
- 도형 효과 : 옅은 테두리 5pt

② 워드숍
- 변환 : 역삼각형
- 글꼴 : 함초롬돋움, 진하게
- 반사 : 3/4 크기, 4pt

③ 그림 삽입
- 「내 PC₩문서₩ITQ₩Picture₩로고3.jpg」
- 배경(연보라) 투명한 색으로 설정

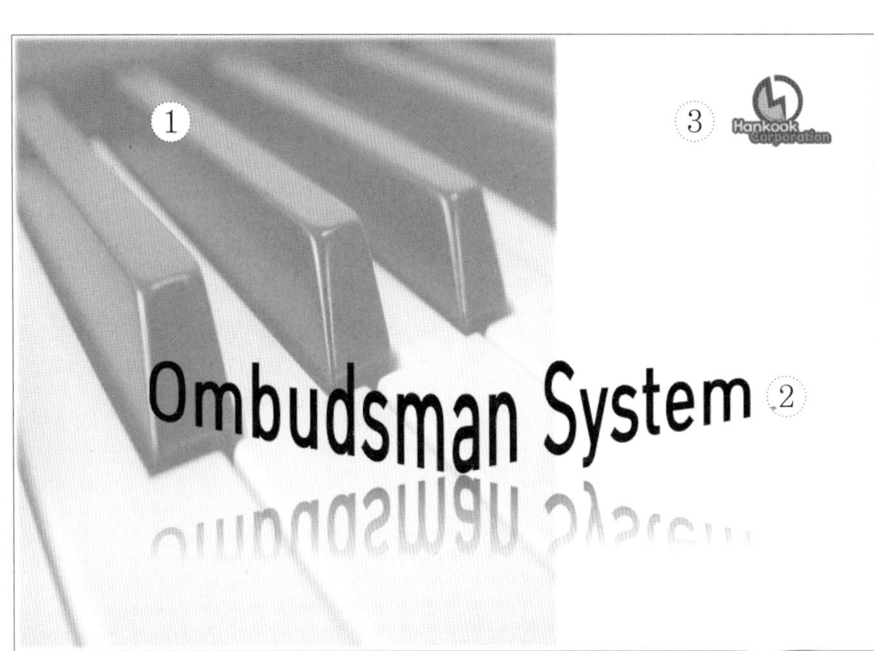

[슬라이드 2] ≪목차 슬라이드≫ (60점)

(1) 출력형태와 같이 도형을 이용하여 목차를 작성한다(글꼴 : 굴림, 24pt).
(2) 도형 : 선 없음

세부조건

① 텍스트에 하이퍼링크 적용
→ '슬라이드 6'

② 그림 삽입
- 「내 PC₩문서₩ITQ₩Picture₩그림5.jpg」
- 자르기 기능 이용

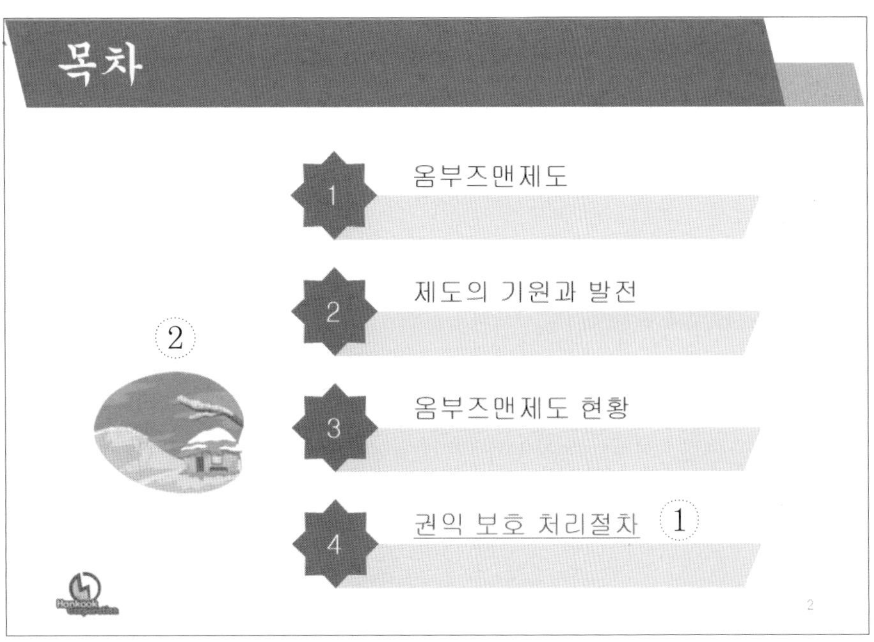

[슬라이드 3] ≪텍스트/동영상 슬라이드≫ (60점)

(1) 텍스트 작성 : 글머리 기호 사용(➢, ✓)

➢문단(굴림, 24pt, 굵게, 줄간격 : 1.5줄), ✓문단(굴림, 20pt, 줄간격 : 1.5줄)

세부조건

① 동영상 삽입 :
- 「내 PC₩문서₩ITQ₩Picture₩동영상.wmv」
- 자동실행, 반복재생 설정

1. 옴부즈맨제도

➢ How to file grievances

✓ The Please contact a specialist counselor via phone, fax or e-mail

✓ Filed grievances will be processed onfidentially and will not be disclosed without prior consent

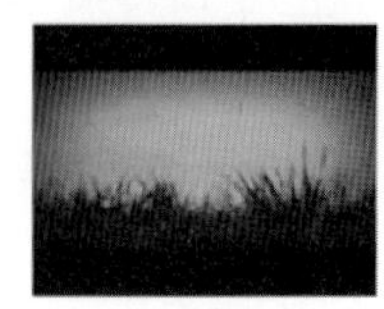

①

➢ 옴부즈맨제도의 유래

✓ 국회를 통해 임명된 조사관이 공무원의 권력 남용 등을 조사 및 감시하는 행정통제제도

✓ 행정 기능의 확대와 강화에 대한 입법부 및 사법부의 통제가 실효를 거두지 못하자 이에 대한 보완책으로 등장

Hankook Corporation

3

[슬라이드 4] ≪표 슬라이드≫ (80점)

(1) 도형과 표 작성 기능을 이용하여 슬라이드를 작성한다(글꼴 : 돋움, 20pt).

세부조건

① 상단 도형 :
2개 도형의 조합으로 작성

② 좌측 도형 :
그라데이션 효과(선형 위쪽)

③ 표 스타일 :
보통 스타일 4 - 강조 1

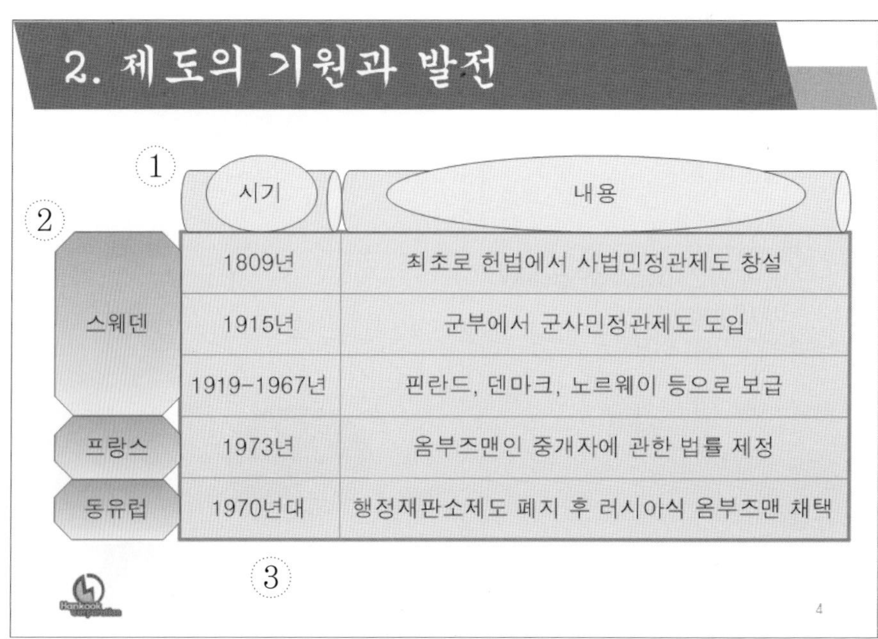

	시기	내용
스웨덴	1809년	최초로 헌법에서 사법민정관제도 창설
	1915년	군부에서 군사민정관제도 도입
	1919-1967년	핀란드, 덴마크, 노르웨이 등으로 보급
프랑스	1973년	옴부즈맨인 중개자에 관한 법률 제정
동유럽	1970년대	행정재판소제도 폐지 후 러시아식 옴부즈맨 채택

[슬라이드 5] ≪차트 슬라이드≫ (100점)

(1) 차트 작성 기능을 이용하여 슬라이드를 작성한다.
(2) 차트 : 종류(묶은 세로 막대형), 글꼴(굴림, 16pt), 외곽선
(3) 표 : 차트 하단에 이미지와 같이 표 그리기

세부조건

※ 차트설명
- 차트제목 : 궁서, 20pt, 진하게, 채우기(하양), 테두리, 그림자(대각선 오른쪽 아래) 【그림자(2pt)】
- 범례 위치 : 오른쪽
- 전체배경 : 채우기(노랑)
- 값 표시 : 신문사 계열의 제보 요소만

① 도형 삽입
- 스타일 : 밝은 계열 – 강조 5
- 글꼴 : 돋움, 16pt

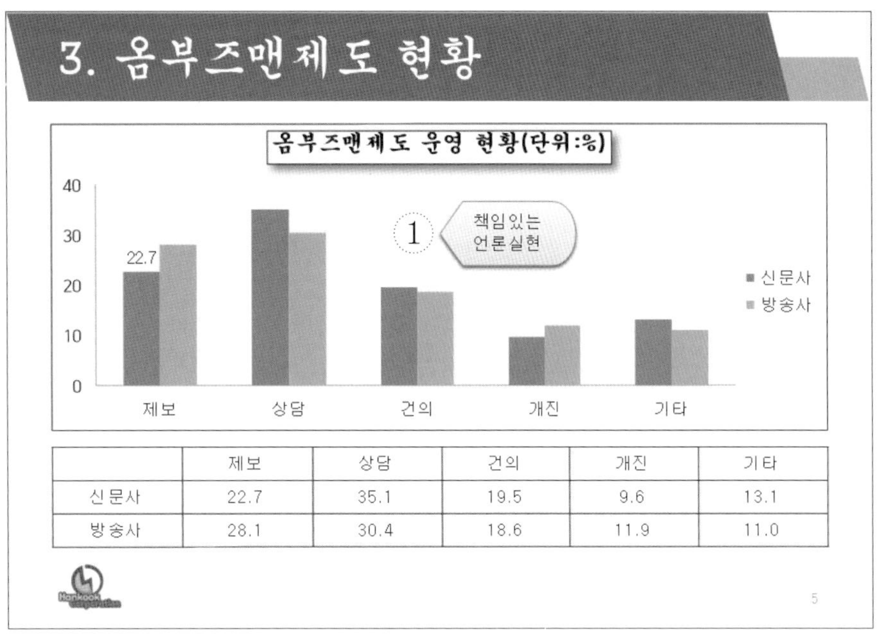

	제보	상담	건의	개진	기타
신문사	22.7	35.1	19.5	9.6	13.1
방송사	28.1	30.4	18.6	11.9	11.0

[슬라이드 6] ≪도형 슬라이드≫ (100점)

(1) 슬라이드와 같이 도형을 배치한다(글꼴 : 굴림, 18pt).
(2) 애니메이션 순서 : ① ⇒ ②

세부조건

① 도형 편집
- 그룹화 후 애니메이션 효과 : 날아오기(오른쪽으로)

② 도형 편집
- 그룹화 후 애니메이션 효과 : 블라인드(세로)

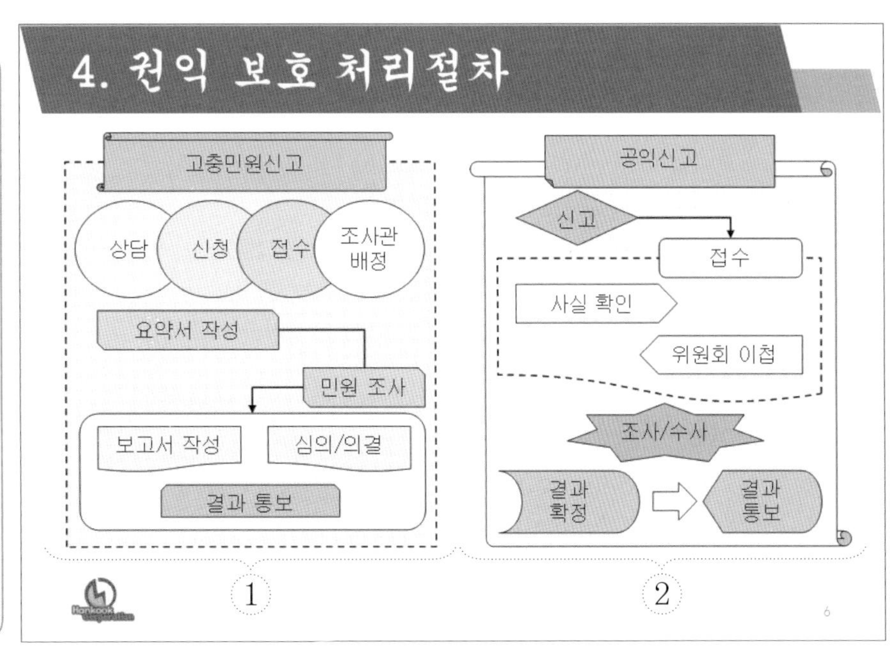

제 03 회 정보기술자격(ITQ) 시험

한컴오피스

과목	코드	문제유형	시험시간	수험번호	성명
한쇼	1141	C	60분		

수험자 유의사항

- 수험자는 문제지를 받는 즉시 문제지와 **수험표상의 시험과목(프로그램)이 동일한지 반드시 확인**하여야 합니다.
- 파일명은 본인의 "수험번호-성명"으로 입력하여 답안폴더(내 PC₩문서₩ITQ)에 하나의 파일로 저장해야 하며, 답안문서 파일명이 "수험번호-성명"과 일치하지 않거나, 답안파일을 전송하지 않아 미제출로 처리될 경우 실격 처리합니다(예:12345678-홍길동.show).
- 답안 작성을 마치면 파일을 저장하고, '답안 전송' 버튼을 선택하여 감독위원 PC로 답안을 전송하십시오. 수험생 정보와 저장한 파일명이 다를 경우 전송되지 않으므로 주의하시기 바랍니다.
- 답안 작성 중에도 **주기적으로 저장하고, '답안 전송'**하여야 문제 발생을 줄일 수 있습니다. 작업한 내용을 저장하지 않고 전송할 경우 이전에 저장된 내용이 전송되오니 이점 유의하시기 바랍니다.
- 답안문서는 지정된 경로 외의 다른 보조기억장치에 저장하는 경우, 지정된 시험 시간 외에 작성된 파일을 활용할 경우, 기타 통신수단(이메일, 메신저, 네트워크 등)을 이용하여 타인에게 전달 또는 외부 반출하는 경우는 부정 처리합니다.
- 시험 중 부주의 또는 고의로 시스템을 파손한 경우는 수험자가 변상해야 하며, 〈수험자 유의사항〉에 기재된 방법대로 이행하지 않아 생기는 불이익은 수험생 당사자의 책임임을 알려 드립니다.
- 문제의 조건은 한컴오피스 2016 버전으로 설정되어 있고 한컴오피스 2010은 【 】에 표기되어 있으니 유의하시기 바랍니다.
- 시험을 완료한 수험자는 답안파일이 전송되었는지 확인한 후 감독위원의 지시에 따라 문제지를 제출하고 퇴실합니다.

답안 작성요령

- 온라인 답안 작성 절차
  수험자 등록 ⇒ 시험 시작 ⇒ 답안파일 저장 ⇒ 답안 전송 ⇒ 시험 종료
- 슬라이드의 크기는 A4 Paper로 설정하여 작성합니다.
- 슬라이드의 총 개수는 6개로 구성되어 있으며 슬라이드 1부터 순서대로 작업하고 반드시 문제와 세부조건대로 합니다.
- 별도의 지시사항이 없는 경우 출력형태를 참조하여 글꼴색은 검정 또는 흰색으로 작성하고, 기타사항은 전체적인 균형을 고려하여 작성합니다.
- 슬라이드 도형 및 개체에 출력형태와 다른 스타일(그림자, 외곽선 등)을 적용했을 경우 감점처리 됩니다.
- 슬라이드 번호를 작성합니다(슬라이드 1에는 생략).
- 2~6번 슬라이드 제목 도형과 하단 로고는 슬라이드 마스터를 이용하여 출력형태와 동일하게 작성합니다(슬라이드 1에는 생략).
- 문제와 세부조건, 세부조건 번호 ◌(점선원)는 입력하지 않습니다.
- 각 개체의 위치는 오른쪽의 슬라이드와 동일하게 구성합니다.
- 그림 삽입 문제의 경우 반드시 「내 PC₩문서₩ITQ₩Picture」 폴더에서 정확한 파일을 선택하여 삽입하십시오.
- 각 슬라이드를 각각의 파일로 작업해서 저장할 경우 실격 처리됩니다.

kpc 한국생산성본부

[전체구성] (60점)

(1) 슬라이드 크기 및 순서 : 크기를 A4 용지로 설정하고 슬라이드 순서에 맞게 작성한다.
(2) 슬라이드 마스터 : 2~6슬라이드의 제목, 하단 로고, 슬라이드 번호는 슬라이드 마스터를 이용하여 작성한다.
- 제목 글꼴(굴림, 40pt, 흰색), 왼쪽 정렬, 도형(선 없음)
- 하단 로고(「내 PC₩문서₩ITQ₩Picture₩로고2.jpg」, 배경(회색) 투명색으로 설정)

[슬라이드 1] ≪표지 디자인≫ (40점)

(1) 표지 디자인 : 도형, 워드숍 및 그림을 이용하여 작성한다.

세부조건

① 도형 편집
- 도형에 그림 채우기 : 「내 PC₩문서₩ITQ₩Picture₩그림1.jpg」, 투명도 50%
- 도형 효과 : 옅은 테두리 5pt

② 워드숍
- 변환 : 갈매기형 수장
- 글꼴 : 궁서, 진하게
- 반사 : 전체 반사, 8pt

③ 그림 삽입
- 「내 PC₩문서₩ITQ₩Picture₩로고2.jpg」
- 배경(회색) 투명한 색으로 설정

[슬라이드 2] ≪목차 슬라이드≫ (60점)

(1) 출력형태와 같이 도형을 이용하여 목차를 작성한다(글꼴 : 맑은 고딕, 24pt).
(2) 도형 : 선 없음

세부조건

① 텍스트에 하이퍼링크 적용 → '슬라이드 4'

② 그림 삽입
- 「내 PC₩문서₩ITQ₩Picture₩그림5.jpg」
- 자르기 기능 이용

[슬라이드 3] ≪텍스트/동영상 슬라이드≫ (60점)

(1) 텍스트 작성 : 글머리 기호 사용(❖, ■)

❖문단(굴림, 24pt, 굵게, 줄간격 : 1.5줄), ■문단(굴림, 20pt, 줄간격 : 1.5줄)

세부조건

① 동영상 삽입 :
- 「내 PC₩문서₩ITQ₩Picture₩동영상.wmv」
- 자동실행, 반복재생 설정

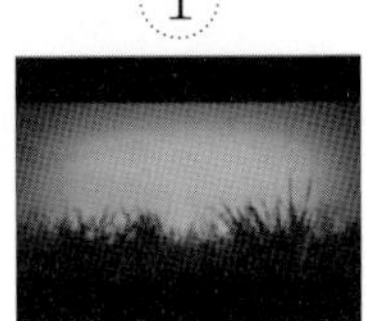

[슬라이드 4] ≪표 슬라이드≫ (80점)

(1) 도형과 표 작성 기능을 이용하여 슬라이드를 작성한다(글꼴 : 맑은 고딕, 18pt).

세부조건

① 상단 도형 :
2개 도형의 조합으로 작성

② 좌측 도형 :
그라데이션 효과(선형 위쪽)

③ 표 스타일 :
보통 스타일 4 - 강조 5

2. 세대별 스마트 팜 모델

	1세대	2세대	3세대
기본 구성	각종 센서 데이터 수집, 네트워크 연결	지상부 복합환경 제어	복합에너지 관리
	네트워크로부터 제어명령 수신	클라우드 서비스	스마트 농작업 (로봇, 지능형 농기계)
특징	농민이 영상을 통해 직접 원격제어	작물의 지상부/지하부 생육환경을 자동제어	스마트 온실 시스템의 최적의 에너지관리와 로봇 농작업

① ② ③ 4

[슬라이드 5] ≪차트 슬라이드≫ (100점)

(1) 차트 작성 기능을 이용하여 슬라이드를 작성한다.
(2) 차트 : 종류(묶은 세로 막대형), 글꼴(맑은 고딕, 16pt), 외곽선
(3) 표 : 차트 하단에 이미지와 같이 표 그리기

세부조건

※ 차트설명
- 차트제목 : 궁서, 20pt, 진하게, 채우기(하양), 테두리, 그림자(대각선 오른쪽 아래) 【그림자(2pt)】
- 범례 위치 : 위쪽
- 전체배경 : 채우기(노랑)
- 값 표시 : 세계시장(십만 달러) 계열의2020년 요소만

① 도형 삽입
- 스타일 : 밝은 계열 – 강조 5
- 글꼴 : 굴림, 16pt

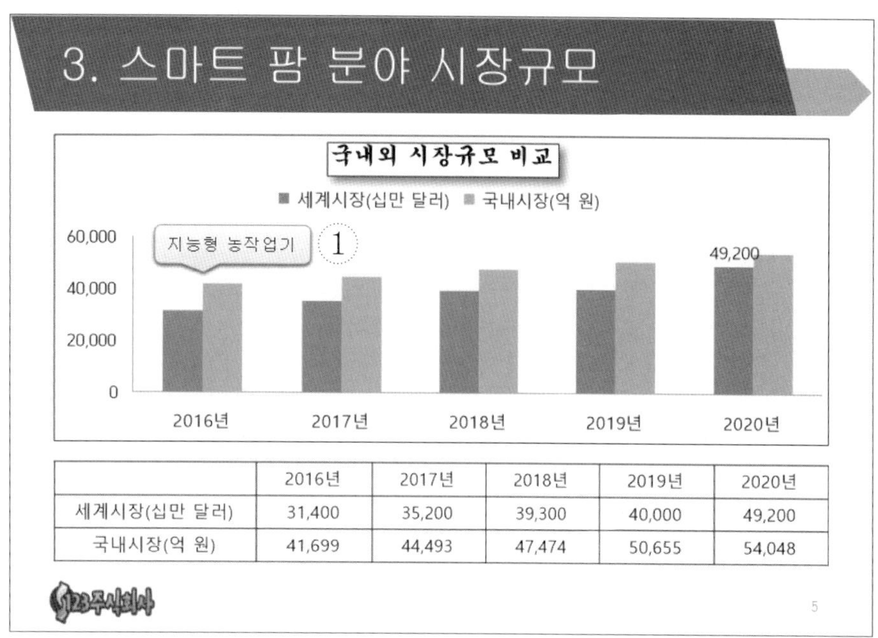

	2016년	2017년	2018년	2019년	2020년
세계시장(십만 달러)	31,400	35,200	39,300	40,000	49,200
국내시장(억 원)	41,699	44,493	47,474	50,655	54,048

[슬라이드 6] ≪도형 슬라이드≫ (100점)

(1) 슬라이드와 같이 도형을 배치한다(글꼴 : 맑은 고딕, 18pt).
(2) 애니메이션 순서 : ① ⇒ ②

세부조건

① 도형 편집
- 그룹화 후 애니메이션 효과 : 흩어뿌리기

② 도형 편집
- 그룹화 후 애니메이션 효과 : 실선 무늬(세로)

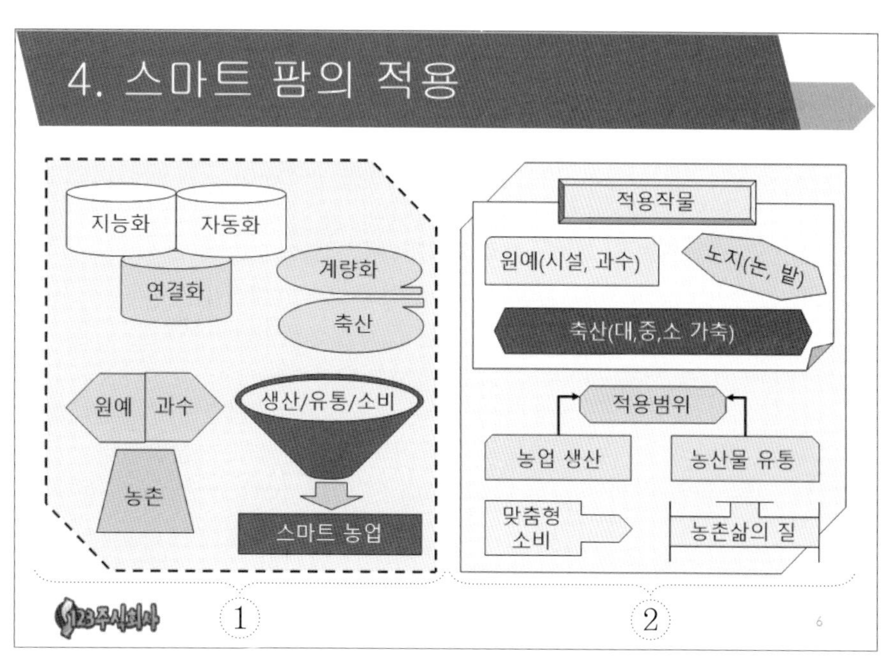

제 04 회 정보기술자격(ITQ) 시험

한컴오피스

과목	코드	문제유형	시험시간	수험번호	성명
한쇼	1141	D	60분		

수험자 유의사항

- 수험자는 문제지를 받는 즉시 문제지와 **수험표상의 시험과목(프로그램)이 동일한지 반드시 확인**하여야 합니다.
- 파일명은 본인의 "수험번호-성명"으로 입력하여 답안폴더(내 PC₩문서₩ITQ)에 하나의 파일로 저장해야 하며, 답안문서 파일명이 "수험번호-성명"과 일치하지 않거나, 답안파일을 전송하지 않아 미제출로 처리될 경우 실격 처리합니다(예:12345678-홍길동.show).
- 답안 작성을 마치면 파일을 저장하고, '답안 전송' 버튼을 선택하여 감독위원 PC로 답안을 전송하십시오. 수험생 정보와 저장한 파일명이 다를 경우 전송되지 않으므로 주의하시기 바랍니다.
- 답안 작성 중에도 **주기적으로 저장하고, '답안 전송'**하여야 문제 발생을 줄일 수 있습니다. 작업한 내용을 저장하지 않고 전송할 경우 이전에 저장된 내용이 전송되오니 이점 유의하시기 바랍니다.
- 답안문서는 지정된 경로 외의 다른 보조기억장치에 저장하는 경우, 지정된 시험 시간 외에 작성된 파일을 활용할 경우, 기타 통신수단(이메일, 메신저, 네트워크 등)을 이용하여 타인에게 전달 또는 외부 반출하는 경우는 부정 처리합니다.
- 시험 중 부주의 또는 고의로 시스템을 파손한 경우는 수험자가 변상해야 하며, 〈수험자 유의사항〉에 기재된 방법대로 이행하지 않아 생기는 불이익은 수험생 당사자의 책임임을 알려 드립니다.
- 문제의 조건은 한컴오피스 2016 버전으로 설정되어 있고 한컴오피스 2010은 【 】에 표기되어 있으니 유의하시기 바랍니다.
- 시험을 완료한 수험자는 답안파일이 전송되었는지 확인한 후 감독위원의 지시에 따라 문제지를 제출하고 퇴실합니다.

답안 작성요령

- 온라인 답안 작성 절차
  수험자 등록 ⇒ 시험 시작 ⇒ 답안파일 저장 ⇒ 답안 전송 ⇒ 시험 종료
- 슬라이드의 크기는 A4 Paper로 설정하여 작성합니다.
- 슬라이드의 총 개수는 6개로 구성되어 있으며 슬라이드 1부터 순서대로 작업하고 반드시 문제와 세부조건대로 합니다.
- 별도의 지시사항이 없는 경우 출력형태를 참조하여 글꼴색은 검정 또는 흰색으로 작성하고, 기타사항은 전체적인 균형을 고려하여 작성합니다.
- 슬라이드 도형 및 개체에 출력형태와 다른 스타일(그림자, 외곽선 등)을 적용했을 경우 감점처리 됩니다.
- 슬라이드 번호를 작성합니다(슬라이드 1에는 생략).
- 2~6번 슬라이드 제목 도형과 하단 로고는 슬라이드 마스터를 이용하여 출력형태와 동일하게 작성합니다(슬라이드 1에는 생략).
- 문제와 세부조건, 세부조건 번호 ◌(점선원)는 입력하지 않습니다.
- 각 개체의 위치는 오른쪽의 슬라이드와 동일하게 구성합니다.
- 그림 삽입 문제의 경우 반드시 「내 PC₩문서₩ITQ₩Picture」 폴더에서 정확한 파일을 선택하여 삽입하십시오.
- 각 슬라이드를 각각의 파일로 작업해서 저장할 경우 실격 처리됩니다.

kpc 한국생산성본부

[전체구성] (60점)

(1) 슬라이드 크기 및 순서 : 크기를 A4 용지로 설정하고 슬라이드 순서에 맞게 작성한다.
(2) 슬라이드 마스터 : 2~6슬라이드의 제목, 하단 로고, 슬라이드 번호는 슬라이드 마스터를 이용하여 작성한다.
- 제목 글꼴(굴림, 40pt, 흰색), 왼쪽 정렬, 도형(선 없음)
- 하단 로고(「내 PC₩문서₩ITQ₩Picture₩로고2.jpg」, 배경(회색) 투명색으로 설정)

[슬라이드 1] ≪표지 디자인≫ (40점)

(1) 표지 디자인 : 도형, 워드숍 및 그림을 이용하여 작성한다.

세부조건

① 도형 편집
- 도형에 그림 채우기 : 「내 PC₩문서₩ITQ₩Picture₩그림1.jpg」, 투명도 50%
- 도형 효과 : 옅은 테두리 5pt

② 워드숍
- 변환 : 역삼각형
- 글꼴 : 궁서, 진하게
- 반사 : 1/2 크기, 근접

③ 그림 삽입
- 「내 PC₩문서₩ITQ₩Picture₩로고2.jpg」
- 배경(회색) 투명한 색으로 설정

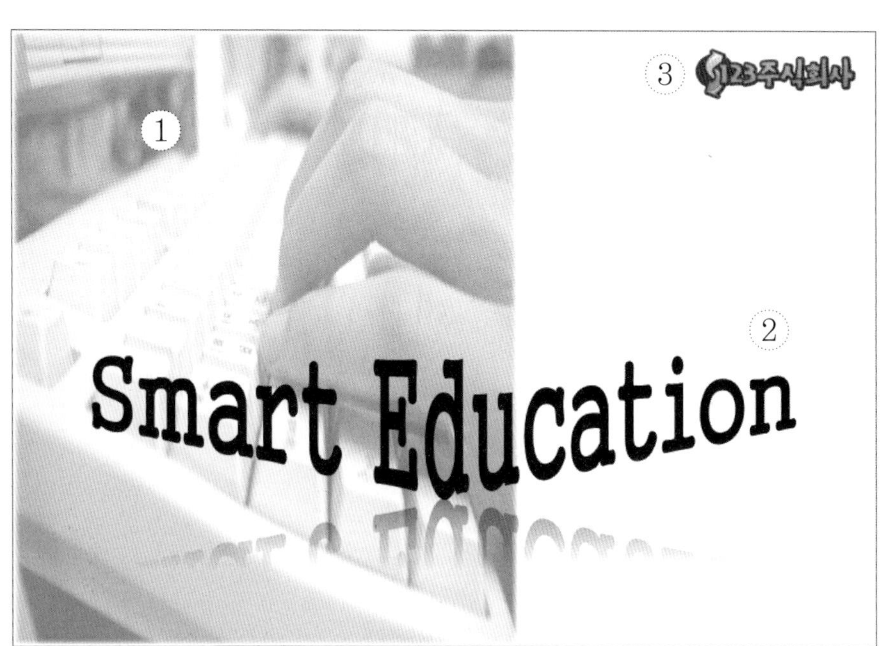

[슬라이드 2] ≪목차 슬라이드≫ (60점)

(1) 출력형태와 같이 도형을 이용하여 목차를 작성한다(글꼴 : 맑은 고딕, 24pt).
(2) 도형 : 선 없음

세부조건

① 텍스트에 하이퍼링크 적용 → '슬라이드 4'

② 그림 삽입
- 「내 PC₩문서₩ITQ₩Picture₩그림4.jpg」
- 자르기 기능 이용

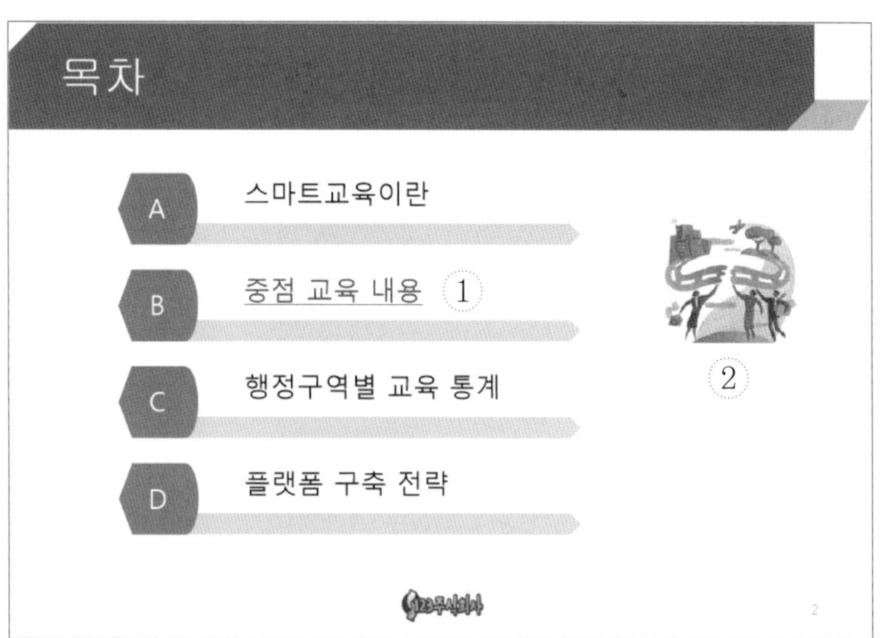

[슬라이드 3] ≪텍스트/동영상 슬라이드≫ (60점)

(1) 텍스트 작성 : 글머리 기호 사용(❖, ■)
❖문단(굴림, 24pt, 굵게, 줄간격 : 1.5줄), ■문단(굴림, 20pt, 줄간격 : 1.5줄)

세부조건

① 동영상 삽입 :
- 「내 PC₩문서₩ITQ₩Picture₩동영상.wmv」
- 자동실행, 반복재생 설정

A. 스마트교육이란

❖ Smart Education

- ▪ Smart Education is all the rage in South Korea, driven by both the public and private sectors efforts to create state-of-the-art learning environment

①

❖ 스마트교육

- ▪ 교육 내용, 방법, 평가 환경 등 교육 체제를 혁신함으로써 모든 학생의 재능을 발굴, 육성하는 교육 패러다임
- ▪ 풍부한 자료와 정보통신기술을 활용하여 학습을 유도

3

[슬라이드 4] ≪표 슬라이드≫ (80점)

(1) 도형과 표 작성 기능을 이용하여 슬라이드를 작성한다(글꼴 : 맑은 고딕, 18pt).

세부조건

① 상단 도형 :
2개 도형의 조합으로 작성

② 좌측 도형 :
그라데이션 효과(선형 위쪽)

③ 표 스타일 :
보통 스타일 4 - 강조 2

B. 중점 교육 내용

① ② ③

	교육 내용	교육 환경
교원 스마트교육 역량 강화	디지털 교과서 확대 및 적용	교육콘텐츠 자유이용 및 안전한 환경 조성
	디지털 교과서 단계적 개발 및 법, 제도 정비	교육콘텐츠 공공목적 이용 활성화
클라우드 교육서비스 기반 조성	스마트학습 모델 개발 및 적용	역기능 해소를 위한 정보통신 윤리 교육 강화

4

[슬라이드 5] ≪차트 슬라이드≫ (100점)

(1) 차트 작성 기능을 이용하여 슬라이드를 작성한다.
(2) 차트 : 종류(표식이 있는 꺾은선형), 글꼴(맑은 고딕, 16pt), 외곽선
(3) 표 : 차트 하단에 이미지와 같이 표 그리기

세부조건

※ 차트설명
- 차트제목 : 궁서, 20pt, 진하게, 채우기(하양), 테두리, 그림자(대각선 오른쪽 아래) 【그림자(2pt)】
- 범례 위치 : 오른쪽
- 전체배경 : 채우기(노랑)
- 값 표시 : 2018년 계열

① 도형 삽입
- 스타일 : 밝은 계열 – 강조 5
- 글꼴 : 굴림, 18pt

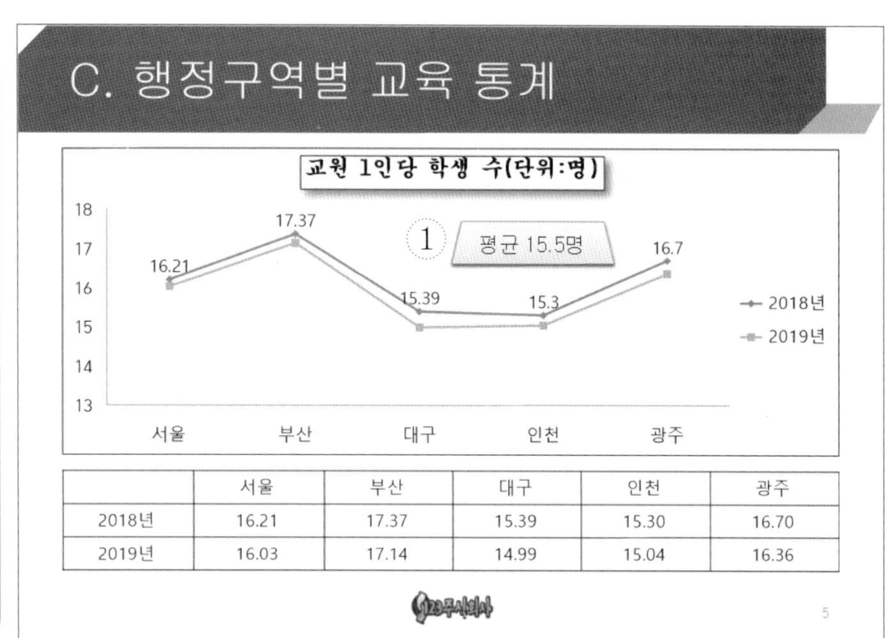

	서울	부산	대구	인천	광주
2018년	16.21	17.37	15.39	15.30	16.70
2019년	16.03	17.14	14.99	15.04	16.36

[슬라이드 6] ≪도형 슬라이드≫ (100점)

(1) 슬라이드와 같이 도형을 배치한다(글꼴 : 맑은 고딕, 18pt).
(2) 애니메이션 순서 : ① ⇒ ②

세부조건

① 도형 편집
- 그룹화 후 애니메이션 효과 : 바운드

② 도형 편집
- 그룹화 후 애니메이션 효과 : 수직 분할

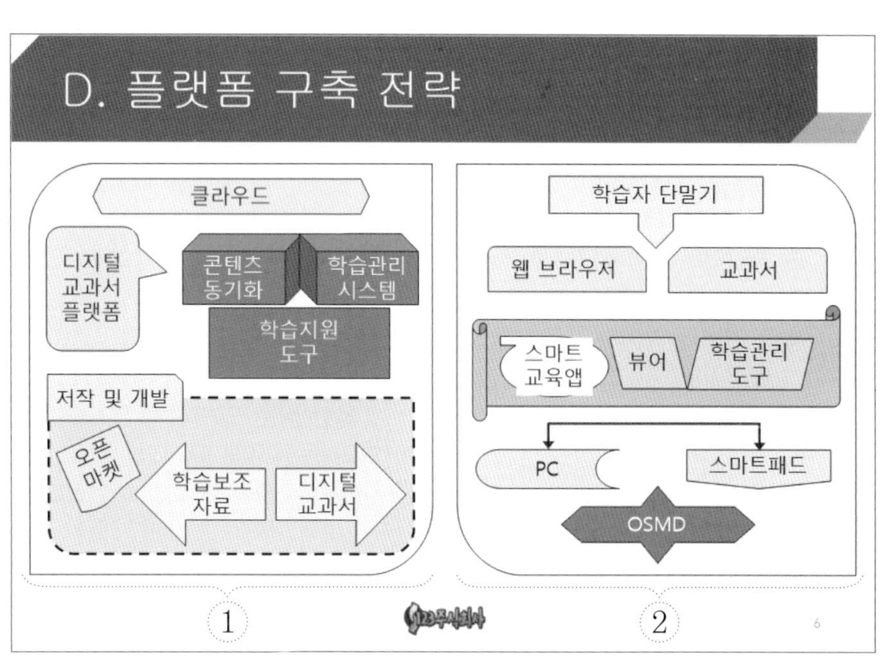

제 05 회 정보기술자격(ITQ) 시험

한컴오피스

과목	코드	문제유형	시험시간	수험번호	성명
한쇼	1141	E	60분		

수험자 유의사항

- 수험자는 문제지를 받는 즉시 문제지와 **수험표상의 시험과목(프로그램)이 동일한지 반드시 확인**하여야 합니다.
- 파일명은 본인의 "수험번호-성명"으로 입력하여 답안폴더(내 PC₩문서₩ITQ)에 하나의 파일로 저장해야 하며, 답안문서 파일명이 "수험번호-성명"과 일치하지 않거나, 답안파일을 전송하지 않아 미제출로 처리될 경우 실격 처리합니다(예:12345678-홍길동.show).
- 답안 작성을 마치면 파일을 저장하고, '답안 전송' 버튼을 선택하여 감독위원 PC로 답안을 전송하십시오. 수험생 정보와 저장한 파일명이 다를 경우 전송되지 않으므로 주의하시기 바랍니다.
- 답안 작성 중에도 **주기적으로 저장하고, '답안 전송'**하여야 문제 발생을 줄일 수 있습니다. 작업한 내용을 저장하지 않고 전송할 경우 이전에 저장된 내용이 전송되오니 이점 유의하시기 바랍니다.
- 답안문서는 지정된 경로 외의 다른 보조기억장치에 저장하는 경우, 지정된 시험 시간 외에 작성된 파일을 활용할 경우, 기타 통신수단(이메일, 메신저, 네트워크 등)을 이용하여 타인에게 전달 또는 외부 반출하는 경우는 부정 처리합니다.
- 시험 중 부주의 또는 고의로 시스템을 파손한 경우는 수험자가 변상해야 하며, 〈수험자 유의사항〉에 기재된 방법대로 이행하지 않아 생기는 불이익은 수험생 당사자의 책임임을 알려 드립니다.
- 문제의 조건은 한컴오피스 2016 버전으로 설정되어 있고 한컴오피스 2010은 【 】에 표기되어 있으니 유의하시기 바랍니다.
- 시험을 완료한 수험자는 답안파일이 전송되었는지 확인한 후 감독위원의 지시에 따라 문제지를 제출하고 퇴실합니다.

답안 작성요령

- 온라인 답안 작성 절차
  수험자 등록 ⇒ 시험 시작 ⇒ 답안파일 저장 ⇒ 답안 전송 ⇒ 시험 종료
- 슬라이드의 크기는 A4 Paper로 설정하여 작성합니다.
- 슬라이드의 총 개수는 6개로 구성되어 있으며 슬라이드 1부터 순서대로 작업하고 반드시 문제와 세부조건대로 합니다.
- 별도의 지시사항이 없는 경우 출력형태를 참조하여 글꼴색은 검정 또는 흰색으로 작성하고, 기타사항은 전체적인 균형을 고려하여 작성합니다.
- 슬라이드 도형 및 개체에 출력형태와 다른 스타일(그림자, 외곽선 등)을 적용했을 경우 감점처리 됩니다.
- 슬라이드 번호를 작성합니다(슬라이드 1에는 생략).
- 2~6번 슬라이드 제목 도형과 하단 로고는 슬라이드 마스터를 이용하여 출력형태와 동일하게 작성합니다(슬라이드 1에는 생략).
- 문제와 세부조건, 세부조건 번호 ◌(점선원)는 입력하지 않습니다.
- 각 개체의 위치는 오른쪽의 슬라이드와 동일하게 구성합니다.
- 그림 삽입 문제의 경우 반드시 「내 PC₩문서₩ITQ₩Picture」 폴더에서 정확한 파일을 선택하여 삽입하십시오.
- 각 슬라이드를 각각의 파일로 작업해서 저장할 경우 실격 처리됩니다.

kpc 한국생산성본부

[전체구성] (60점)

(1) 슬라이드 크기 및 순서 : 크기를 A4 용지로 설정하고 슬라이드 순서에 맞게 작성한다.

(2) 슬라이드 마스터 : 2~6슬라이드의 제목, 하단 로고, 슬라이드 번호는 슬라이드 마스터를 이용하여 작성한다.

- 제목 글꼴(굴림, 40pt, 흰색), 가운데 정렬, 도형(선 없음)
- 하단 로고(「내 PC₩문서₩ITQ₩Picture₩로고2.jpg」, 배경(회색) 투명색으로 설정)

[슬라이드 1] ≪표지 디자인≫ (40점)

(1) 표지 디자인 : 도형, 워드숍 및 그림을 이용하여 작성한다.

세부조건

① 도형 편집
- 도형에 그림 채우기 : 「내 PC₩문서₩ITQ₩Picture₩그림2.jpg」, 투명도 50%
- 도형 효과 : 옅은 테두리 5pt

② 워드숍
- 변환 : 아래로 수축
- 글꼴 : 궁서, 진하게
- 반사 : 1/3 크기, 8pt

③ 그림 삽입
- 「내 PC₩문서₩ITQ₩Picture₩로고2.jpg」
- 배경(회색) 투명한 색으로 설정

[슬라이드 2] ≪목차 슬라이드≫ (60점)

(1) 출력형태와 같이 도형을 이용하여 목차를 작성한다(글꼴 : 돋움, 24pt).

(2) 도형 : 선 없음

세부조건

① 텍스트에 하이퍼링크 적용 → '슬라이드 6'

② 그림 삽입
- 「내 PC₩문서₩ITQ₩Picture₩그림4.jpg」
- 자르기 기능 이용

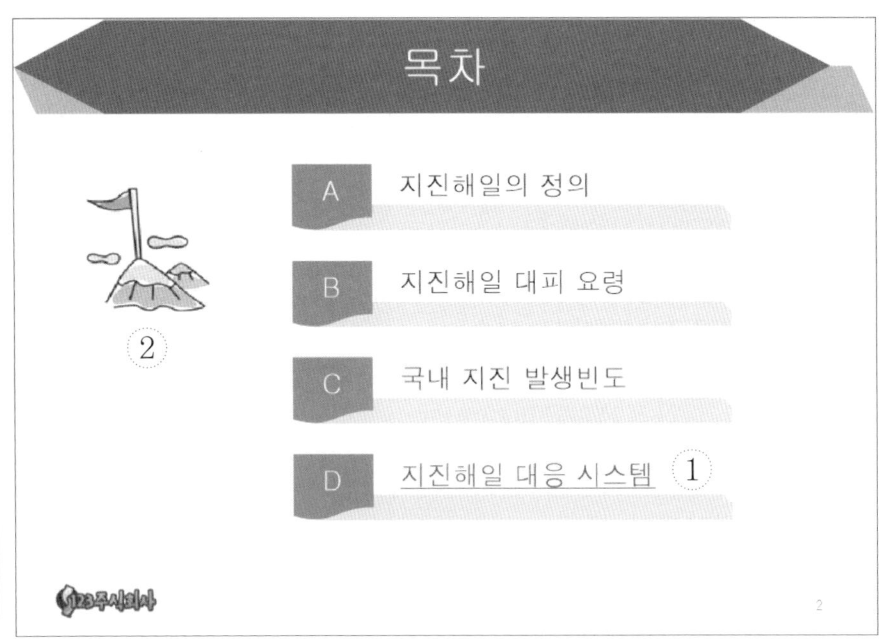

[슬라이드 3] ≪텍스트/동영상 슬라이드≫ (60점)

(1) 텍스트 작성 : 글머리 기호 사용(❖, ✓)

❖문단(돋움, 24pt, 굵게, 줄간격 : 1.5줄), ✓문단(돋움, 20pt, 줄간격 : 1.5줄)

세부조건

① 동영상 삽입 :
- 「내 PC₩문서₩ITQ₩Picture₩동영상.wmv」
- 자동실행, 반복재생 설정

A. 지진해일의 정의

❖ Risk of Tsunamis

✓ A kind of long wave occurred in ocean

✓ It has super mighty power than the same kind of flowing and ebbing tide or storm surge

❖ 지진해일의 정의

✓ 지진, 해저 화산폭발 등으로 바다에서 발생한느 파장이 긴 파도로 지진에 의해 바다 밑바닥이 솟아오르거나 가라앉으면 바로 위의 바닷물이 갑자기 상승 또는 하강하면서 해안가에 피해를 일으킴

1

3

[슬라이드 4] ≪표 슬라이드≫ (80점)

(1) 도형과 표 작성 기능을 이용하여 슬라이드를 작성한다(글꼴 : 돋움, 18pt).

세부조건

① 상단 도형 :
2개 도형의 조합으로 작성

② 좌측 도형 :
그라데이션 효과(선형 위쪽)

③ 표 스타일 :
보통 스타일 4 - 강조 1

B. 지진해일 대피 요령

1 2

	구분	대피요령
발생 전	실내	위험 요인이 있는 집기 등을 안전한 위치로 이동
		전기, 가스, 수도의 차단법 숙지
	실외	주변의 대피 장소를 파악하여 이동
발생 시	실내	탁자 밑으로 피신하여 안전 확보
		화재 발생 시 즉시 진화
	실외	유리창이나 낙하물 등으로부터 머리 보호

3

4

[슬라이드 5] ≪차트 슬라이드≫ (100점)

(1) 차트 작성 기능을 이용하여 슬라이드를 작성한다.
(2) 차트 : 종류(표식이 있는 꺾은선형), 글꼴(돋움, 18pt), 외곽선
(3) 표 : 차트 하단에 이미지와 같이 표 그리기

세부조건

※ 차트설명
- 차트제목 : 궁서, 20pt, 진하게, 채우기(하양), 테두리, 그림자(대각선 오른쪽 아래) 【그림자(2pt)】
- 범례 위치 : 오른쪽
- 전체배경 : 채우기(노랑)
- 값 표시 : 총횟수 계열의 2018년 요소만

① 도형 삽입
- 스타일 : 밝은 계열 – 강조 5
- 글꼴 : 함초롬돋움, 18pt

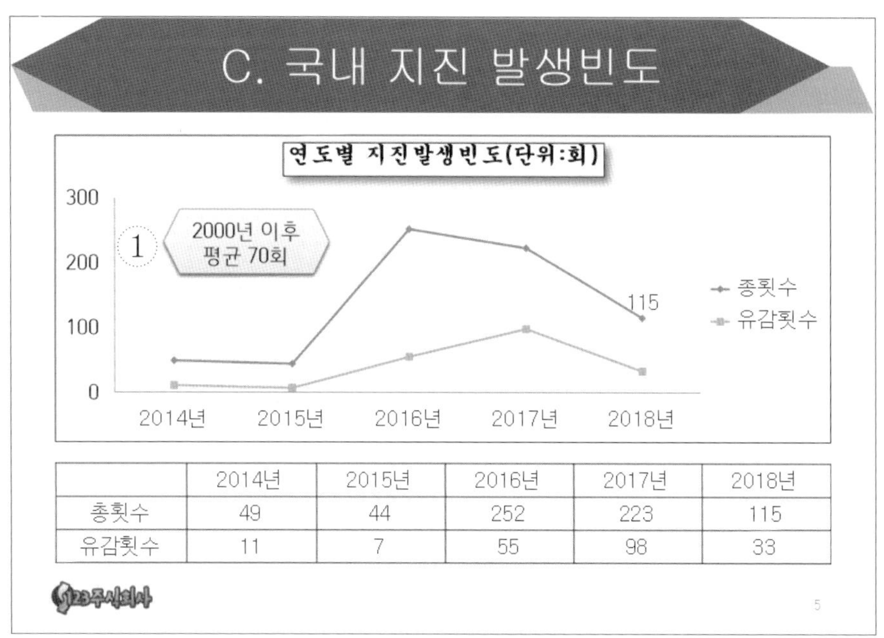

	2014년	2015년	2016년	2017년	2018년
총횟수	49	44	252	223	115
유감횟수	11	7	55	98	33

[슬라이드 6] ≪도형 슬라이드≫ (100점)

(1) 슬라이드와 같이 도형을 배치한다(글꼴 : 돋움, 18pt).
(2) 애니메이션 순서 : ① ⇒ ②

세부조건

① 도형 편집
- 그룹화 후 애니메이션 효과 : 바운드

② 도형 편집
- 그룹화 후 애니메이션 효과 : 블라인드(세로)

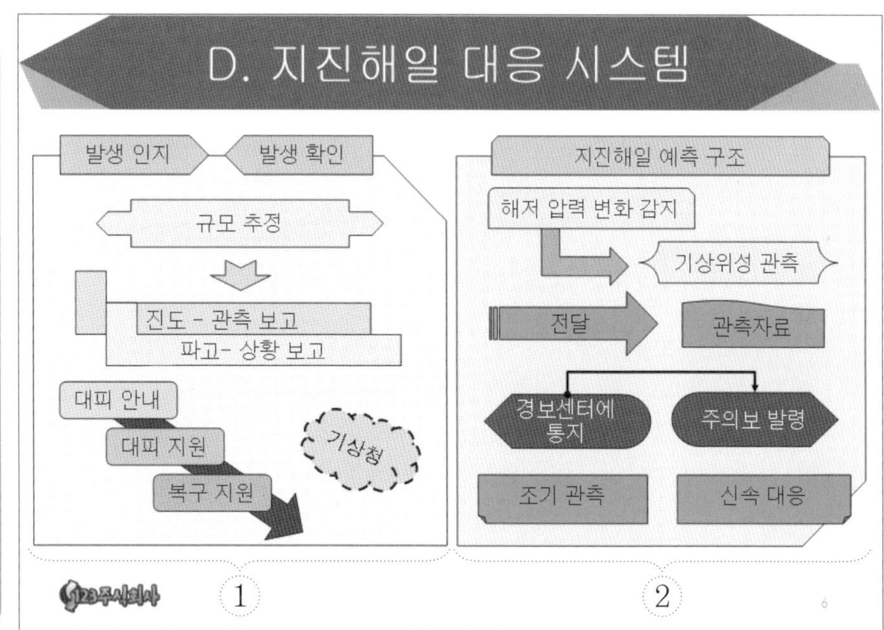

제 06 회 정보기술자격(ITQ) 시험

한컴오피스

과목	코드	문제유형	시험시간	수험번호	성명
한쇼	1141	A	60분		

수험자 유의사항

- 수험자는 문제지를 받는 즉시 문제지와 **수험표상의 시험과목(프로그램)이 동일한지 반드시 확인**하여야 합니다.
- 파일명은 본인의 "수험번호-성명"으로 입력하여 답안폴더(내 PC₩문서₩ITQ)에 하나의 파일로 저장해야 하며, 답안문서 파일명이 "수험번호-성명"과 일치하지 않거나, 답안파일을 전송하지 않아 미제출로 처리될 경우 실격 처리합니다(예:12345678-홍길동.show).
- 답안 작성을 마치면 파일을 저장하고, '답안 전송' 버튼을 선택하여 감독위원 PC로 답안을 전송하십시오. 수험생 정보와 저장한 파일명이 다를 경우 전송되지 않으므로 주의하시기 바랍니다.
- 답안 작성 중에도 **주기적으로 저장하고, '답안 전송'**하여야 문제 발생을 줄일 수 있습니다. 작업한 내용을 저장하지 않고 전송할 경우 이전에 저장된 내용이 전송되오니 이점 유의하시기 바랍니다.
- 답안문서는 지정된 경로 외의 다른 보조기억장치에 저장하는 경우, 지정된 시험 시간 외에 작성된 파일을 활용할 경우, 기타 통신수단(이메일, 메신저, 네트워크 등)을 이용하여 타인에게 전달 또는 외부 반출하는 경우는 부정 처리합니다.
- 시험 중 부주의 또는 고의로 시스템을 파손한 경우는 수험자가 변상해야 하며, 〈수험자 유의사항〉에 기재된 방법대로 이행하지 않아 생기는 불이익은 수험생 당사자의 책임임을 알려 드립니다.
- 문제의 조건은 한컴오피스 2016 버전으로 설정되어 있고 한컴오피스 2010은 【 】에 표기되어 있으니 유의하시기 바랍니다.
- 시험을 완료한 수험자는 답안파일이 전송되었는지 확인한 후 감독위원의 지시에 따라 문제지를 제출하고 퇴실합니다.

답안 작성요령

- 온라인 답안 작성 절차
  수험자 등록 ⇒ 시험 시작 ⇒ 답안파일 저장 ⇒ 답안 전송 ⇒ 시험 종료
- 슬라이드의 크기는 A4 Paper로 설정하여 작성합니다.
- 슬라이드의 총 개수는 6개로 구성되어 있으며 슬라이드 1부터 순서대로 작업하고 반드시 문제와 세부조건대로 합니다.
- 별도의 지시사항이 없는 경우 출력형태를 참조하여 글꼴색은 검정 또는 흰색으로 작성하고, 기타사항은 전체적인 균형을 고려하여 작성합니다.
- 슬라이드 도형 및 개체에 출력형태와 다른 스타일(그림자, 외곽선 등)을 적용했을 경우 감점처리 됩니다.
- 슬라이드 번호를 작성합니다(슬라이드 1에는 생략).
- 2~6번 슬라이드 제목 도형과 하단 로고는 슬라이드 마스터를 이용하여 출력형태와 동일하게 작성합니다(슬라이드 1에는 생략).
- 문제와 세부조건, 세부조건 번호 ◌(점선원)는 입력하지 않습니다.
- 각 개체의 위치는 오른쪽의 슬라이드와 동일하게 구성합니다.
- 그림 삽입 문제의 경우 반드시 「내 PC₩문서₩ITQ₩Picture」 폴더에서 정확한 파일을 선택하여 삽입하십시오.
- 각 슬라이드를 각각의 파일로 작업해서 저장할 경우 실격 처리됩니다.

kpc 한국생산성본부

[전체구성] (60점)

(1) 슬라이드 크기 및 순서 : 크기를 A4 용지로 설정하고 슬라이드 순서에 맞게 작성한다.

(2) 슬라이드 마스터 : 2~6슬라이드의 제목, 하단 로고, 슬라이드 번호는 슬라이드 마스터를 이용하여 작성한다.

- 제목 글꼴(굴림, 40pt, 흰색), 왼쪽 정렬, 도형(선 없음)
- 하단 로고(「내 PC₩문서₩ITQ₩Picture₩로고2.jpg」, 배경(회색) 투명색으로 설정)

[슬라이드 1] ≪표지 디자인≫ (40점)

(1) 표지 디자인 : 도형, 워드숍 및 그림을 이용하여 작성한다.

세부조건

① 도형 편집
- 도형에 그림 채우기 : 「내 PC₩문서₩ITQ₩Picture₩그림2.jpg」, 투명도 50%
- 도형 효과 : 옅은 테두리 5pt

② 워드숍
- 변환 : 역갈매기형 수장
- 글꼴 : 돋움, 진하게
- 반사 : 1/3 크기, 8pt

③ 그림 삽입
- 「내 PC₩문서₩ITQ₩Picture₩로고2.jpg」
- 배경(회색) 투명한 색으로 설정

[슬라이드 2] ≪목차 슬라이드≫ (60점)

(1) 출력형태와 같이 도형을 이용하여 목차를 작성한다(글꼴 : 맑은 고딕, 24pt).

(2) 도형 : 선 없음

세부조건

① 텍스트에 하이퍼링크 적용
→ '슬라이드 3'

② 그림 삽입
- 「내 PC₩문서₩ITQ₩Picture₩그림5.jpg」
- 자르기 기능 이용

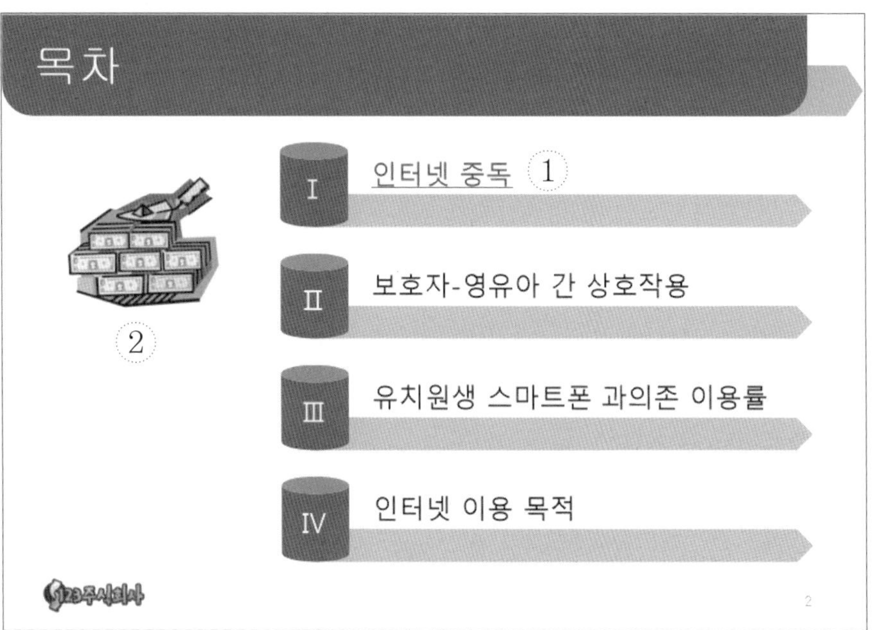

[슬라이드 3] ≪텍스트/동영상 슬라이드≫ (60점)

(1) 텍스트 작성 : 글머리 기호 사용(❖, ✓)
❖문단(굴림, 24pt, 굵게, 줄간격 : 1.5줄), ✓문단(굴림, 20pt, 줄간격 : 1.5줄)

세부조건

① 동영상 삽입 :
- 「내 PC₩문서₩ITQ₩Picture₩동영상.wmv」
- 자동실행, 반복재생 설정

Ⅰ. 인터넷 중독

❖ Internet Addiction Test

✓ The Internet Addiction Test is the first validated and reliable measure of addictive use of the Internet

✓ How do you know if you're already addicted or rapidly tumbling toward trouble

❖ 인터넷 중독

✓ 과다한 인터넷 이용으로 인해 가정, 학교, 사회에서 수행해야 할 일들에 지장이 생기거나 일상생활의 유지가 불가능한 상태로 습관적 행위로 굳어짐

1

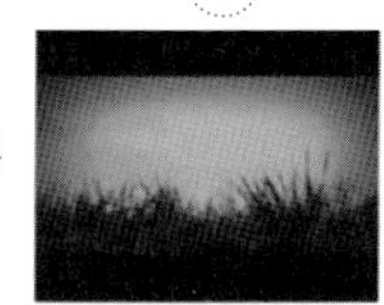

123주식회사

3

[슬라이드 4] ≪표 슬라이드≫ (80점)

(1) 도형과 표 작성 기능을 이용하여 슬라이드를 작성한다(글꼴 : 맑은 고딕, 18pt).

세부조건

① 상단 도형 :
2개 도형의 조합으로 작성

② 좌측 도형 :
그라데이션 효과(선형 위쪽)

③ 표 스타일 :
보통 스타일 4 - 강조 1

Ⅱ. 보호자-영유아 간 상호작용

1 2

	상황	상호작용 예시
선택권 주기	자녀가 스마트폰을 보느라 밥을 먹지 않으려 함	자녀가 좋아하는 캐릭터 두 가지를 제시하며 "둘 중에 뭘로 밥 먹을까?"
대안책 제시	자녀가 계속 스마트폰을 바닥에 던지려고 함	두드릴 수 있는 물건을 주며 "그렇게 하면 고장나, 방망이로 두드릴 수는 있어"
놀이로 전환	외출전 옷 입기를 거부하고 스마트폰만 보려고 함	"우리 누가 빨리 옷 입나 시합해볼까? 자, 시~작!"

3

123주식회사

4

[슬라이드 5] ≪차트 슬라이드≫ (100점)

(1) 차트 작성 기능을 이용하여 슬라이드를 작성한다.
(2) 차트 : 종류(묶은 세로 막대형), 글꼴(굴림, 16pt), 외곽선
(3) 표 : 차트 하단에 이미지와 같이 표 그리기

세부조건

※ 차트설명
- 차트제목 : 궁서, 20pt, 진하게, 채우기(하양), 테두리, 그림자(대각선 오른쪽 아래)【그림자(2pt)】
- 범례 위치 : 아래쪽
- 전체배경 : 채우기(노랑)
- 값 표시 : 일반사용자 계열

① 도형 삽입
- 스타일 : 밝은 계열 – 강조 5
- 글꼴 : 돋움, 18pt

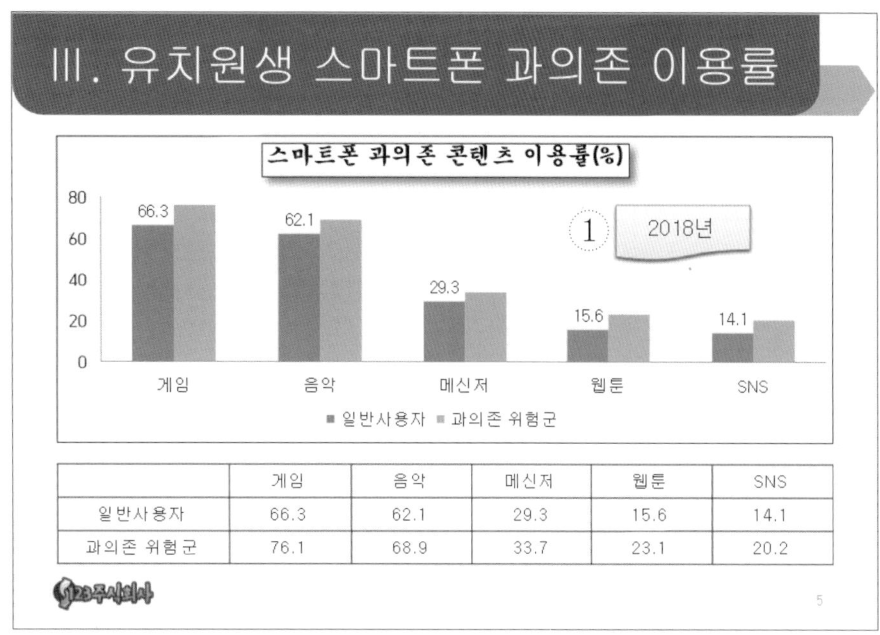

	게임	음악	메신저	웹툰	SNS
일반사용자	66.3	62.1	29.3	15.6	14.1
과의존 위험군	76.1	68.9	33.7	23.1	20.2

[슬라이드 6] ≪도형 슬라이드≫ (100점)

(1) 슬라이드와 같이 도형을 배치한다(글꼴 : 맑은 고딕, 18pt).
(2) 애니메이션 순서 : ① ⇒ ②

세부조건

① 도형 편집
- 그룹화 후 애니메이션 효과 : 수직 분할

② 도형 편집
- 그룹화 후 애니메이션 효과 : 시계 방향 회전

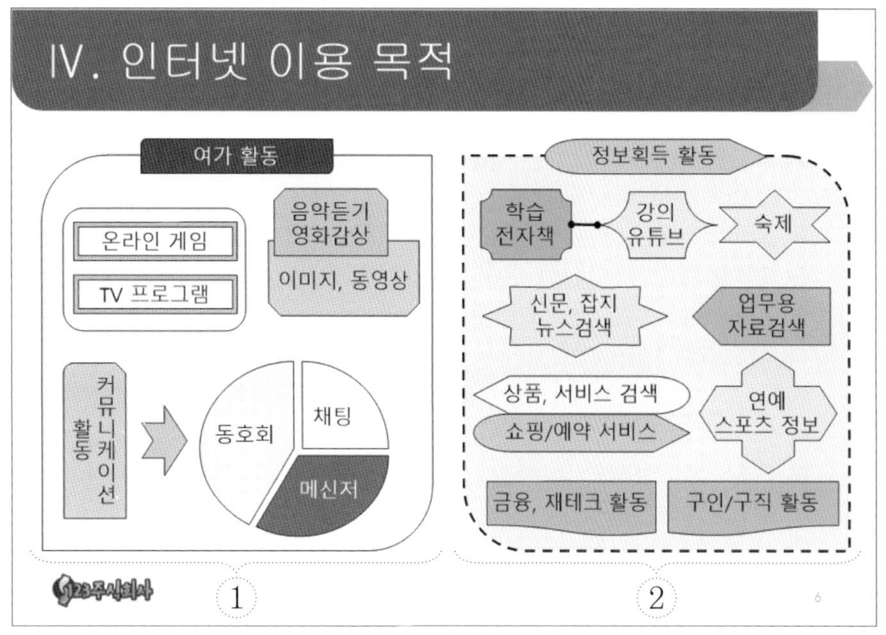

제 07 회 정보기술자격(ITQ) 시험

한컴오피스

과목	코드	문제유형	시험시간	수험번호	성명
한쇼	1141	B	60분		

수험자 유의사항

- 수험자는 문제지를 받는 즉시 문제지와 **수험표상의 시험과목(프로그램)이 동일한지 반드시 확인**하여야 합니다.
- 파일명은 본인의 "수험번호-성명"으로 입력하여 답안폴더(내 PC₩문서₩ITQ)에 하나의 파일로 저장해야 하며, 답안문서 파일명이 "수험번호-성명"과 일치하지 않거나, 답안파일을 전송하지 않아 미제출로 처리될 경우 실격 처리합니다(예:12345678-홍길동.show).
- 답안 작성을 마치면 파일을 저장하고, '답안 전송' 버튼을 선택하여 감독위원 PC로 답안을 전송하십시오. 수험생 정보와 저장한 파일명이 다를 경우 전송되지 않으므로 주의하시기 바랍니다.
- 답안 작성 중에도 **주기적으로 저장하고, '답안 전송'**하여야 문제 발생을 줄일 수 있습니다. 작업한 내용을 저장하지 않고 전송할 경우 이전에 저장된 내용이 전송되오니 이점 유의하시기 바랍니다.
- 답안문서는 지정된 경로 외의 다른 보조기억장치에 저장하는 경우, 지정된 시험 시간 외에 작성된 파일을 활용할 경우, 기타 통신수단(이메일, 메신저, 네트워크 등)을 이용하여 타인에게 전달 또는 외부 반출하는 경우는 부정 처리합니다.
- 시험 중 부주의 또는 고의로 시스템을 파손한 경우는 수험자가 변상해야 하며, 〈수험자 유의사항〉에 기재된 방법대로 이행하지 않아 생기는 불이익은 수험생 당사자의 책임임을 알려 드립니다.
- 문제의 조건은 한컴오피스 2016 버전으로 설정되어 있고 한컴오피스 2010은 【 】에 표기되어 있으니 유의하시기 바랍니다.
- 시험을 완료한 수험자는 답안파일이 전송되었는지 확인한 후 감독위원의 지시에 따라 문제지를 제출하고 퇴실합니다.

답안 작성요령

- 온라인 답안 작성 절차
  수험자 등록 ⇒ 시험 시작 ⇒ 답안파일 저장 ⇒ 답안 전송 ⇒ 시험 종료
- 슬라이드의 크기는 A4 Paper로 설정하여 작성합니다.
- 슬라이드의 총 개수는 6개로 구성되어 있으며 슬라이드 1부터 순서대로 작업하고 반드시 문제와 세부조건대로 합니다.
- 별도의 지시사항이 없는 경우 출력형태를 참조하여 글꼴색은 검정 또는 흰색으로 작성하고, 기타사항은 전체적인 균형을 고려하여 작성합니다.
- 슬라이드 도형 및 개체에 출력형태와 다른 스타일(그림자, 외곽선 등)을 적용했을 경우 감점처리 됩니다.
- 슬라이드 번호를 작성합니다(슬라이드 1에는 생략).
- 2~6번 슬라이드 제목 도형과 하단 로고는 슬라이드 마스터를 이용하여 출력형태와 동일하게 작성합니다(슬라이드 1에는 생략).
- 문제와 세부조건, 세부조건 번호 ◌(점선원)는 입력하지 않습니다.
- 각 개체의 위치는 오른쪽의 슬라이드와 동일하게 구성합니다.
- 그림 삽입 문제의 경우 반드시 「내 PC₩문서₩ITQ₩Picture」 폴더에서 정확한 파일을 선택하여 삽입하십시오.
- 각 슬라이드를 각각의 파일로 작업해서 저장할 경우 실격 처리됩니다.

kpc 한국생산성본부

[전체구성] (60점)

(1) 슬라이드 크기 및 순서 : 크기를 A4 용지로 설정하고 슬라이드 순서에 맞게 작성한다.
(2) 슬라이드 마스터 : 2~6슬라이드의 제목, 하단 로고, 슬라이드 번호는 슬라이드 마스터를 이용하여 작성한다.
- 제목 글꼴(궁서, 40pt, 흰색), 왼쪽 정렬, 도형(선 없음)
- 하단 로고(「내 PC₩문서₩ITQ₩Picture₩로고1.jpg」, 배경(회색) 투명색으로 설정)

[슬라이드 1] ≪표지 디자인≫ (40점)

(1) 표지 디자인 : 도형, 워드숍 및 그림을 이용하여 작성한다.

세부조건

① 도형 편집
- 도형에 그림 채우기 : 「내 PC₩문서₩ITQ₩Picture₩그림3.jpg」, 투명도 50%
- 도형 효과 : 옅은 테두리 5pt

② 워드숍
- 변환 : 물결 1
- 글꼴 : 맑은 고딕, 진하게
- 반사 : 1/2 크기, 4pt

③ 그림 삽입
- 「내 PC₩문서₩ITQ₩Picture₩로고1.jpg」
- 배경(회색) 투명한 색으로 설정

[슬라이드 2] ≪목차 슬라이드≫ (60점)

(1) 출력형태와 같이 도형을 이용하여 목차를 작성한다(글꼴 : 돋움, 24pt).
(2) 도형 : 선 없음

세부조건

① 텍스트에 하이퍼링크 적용
→ '슬라이드 5'

② 그림 삽입
- 「내 PC₩문서₩ITQ₩Picture₩그림5.jpg」
- 자르기 기능 이용

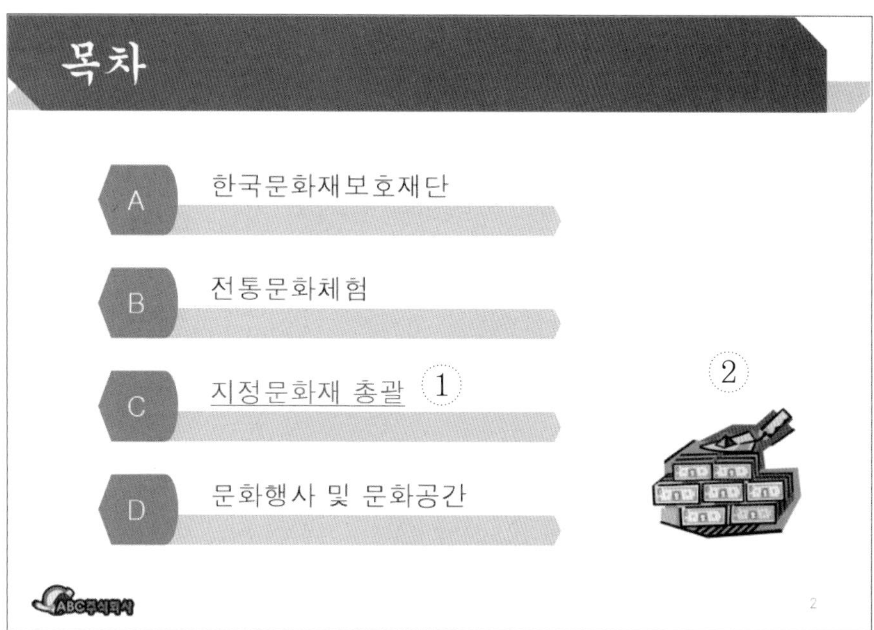

[슬라이드 3] ≪텍스트/동영상 슬라이드≫ (60점)

(1) 텍스트 작성 : 글머리 기호 사용(➢, ✓)

➢문단(굴림, 24pt, 굵게, 줄간격 : 1.5줄), ✓문단(굴림, 20pt, 줄간격 : 1.5줄)

세부조건

① 동영상 삽입 :
- 「내 PC₩문서₩ITQ₩Picture₩동영상.wmv」
- 자동실행, 반복재생 설정

A. 한국문화재보호재단

➢ The Traditional Ceremony Reproduction Project

✓ Royal Guard-Changing Ceremony

✓ Cangchamui(King's morning session) in the Joseon Dynasty

✓ Royal Palace Walk

✓ Giroyeon(the ceremony to honor the aged)

➢ 한국문화재보호재단

✓ 우리의 문화재를 보호 및 보존하고 전통생활문화를 창조적으로 계발하여 이를 보급, 활용함으로 우수한 우리의 민족 문화를 널리 보전 및 선양함을 목적으로 함

①

ABC주식회사 3

[슬라이드 4] ≪표 슬라이드≫ (80점)

(1) 도형과 표 작성 기능을 이용하여 슬라이드를 작성한다(글꼴 : 맑은 고딕, 18pt).

세부조건

① 상단 도형 :
2개 도형의 조합으로 작성

② 좌측 도형 :
그라데이션 효과(선형 위쪽)

③ 표 스타일 :
보통 스타일 4 - 강조 5

B. 전통문화체험

① ② ③

	전통문화 체험명	내용
초등학생	궁시 만들기	우리나라 궁시의 종류와 역사를 배우고, 활과 화살을 만들어보는 체험
	소고 만들기	북과 장구를 만드는 과정을 배우고, 가죽으로 소고를 만들어보는 체험
성인	자수컵받침 만들기	모시천을 이용하여 바늘과 실로 수놓는 기초법으로 작품 제작
	봉산탈춤 배우기	봉산탈춤을 배워보는 시간

ABC주식회사 4

[슬라이드 5] ≪차트 슬라이드≫ (100점)

(1) 차트 작성 기능을 이용하여 슬라이드를 작성한다.
(2) 차트 : 종류(표식이 있는 꺾은선형), 글꼴(굴림, 16pt), 외곽선
(3) 표 : 차트 하단에 이미지와 같이 표 그리기

세부조건

※ 차트설명
- 차트제목 : 궁서, 20pt, 진하게, 채우기(하양), 테두리, 그림자(대각선 오른쪽 아래) 【그림자(2pt)】
- 범례 위치 : 오른쪽
- 전체배경 : 채우기(노랑)
- 값 표시 : 국보 계열의 서울 요소만

① 도형 삽입
- 스타일 : 밝은 계열 – 강조 5
- 글꼴 : 돋움, 18pt

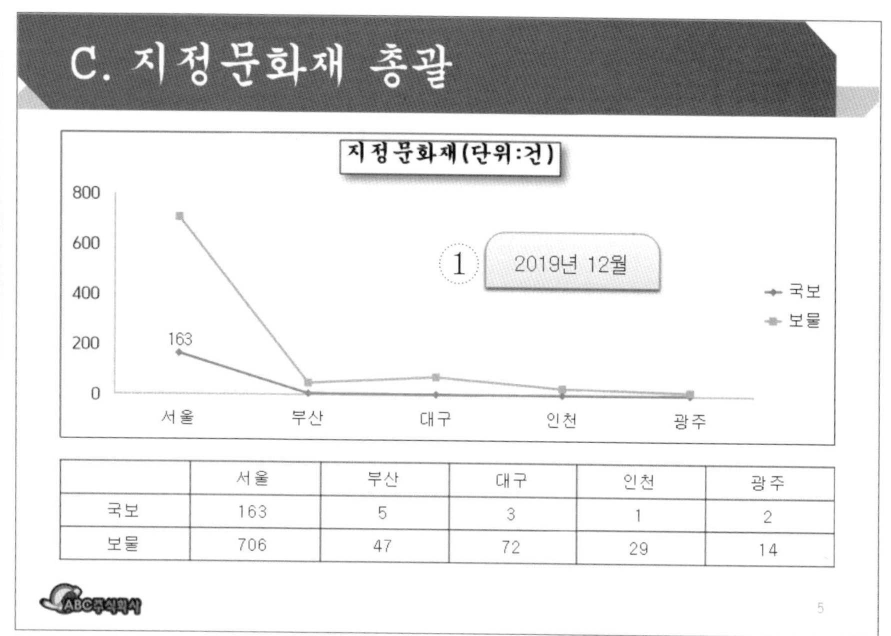

	서울	부산	대구	인천	광주
국보	163	5	3	1	2
보물	706	47	72	29	14

[슬라이드 6] ≪도형 슬라이드≫ (100점)

(1) 슬라이드와 같이 도형을 배치한다(글꼴 : 맑은 고딕, 18pt).
(2) 애니메이션 순서 : ① ⇒ ②

세부조건

① 도형 편집
- 그룹화 후 애니메이션 효과 : 밝기 변화

② 도형 편집
- 그룹화 후 애니메이션 효과 : 날아오기(아래로)

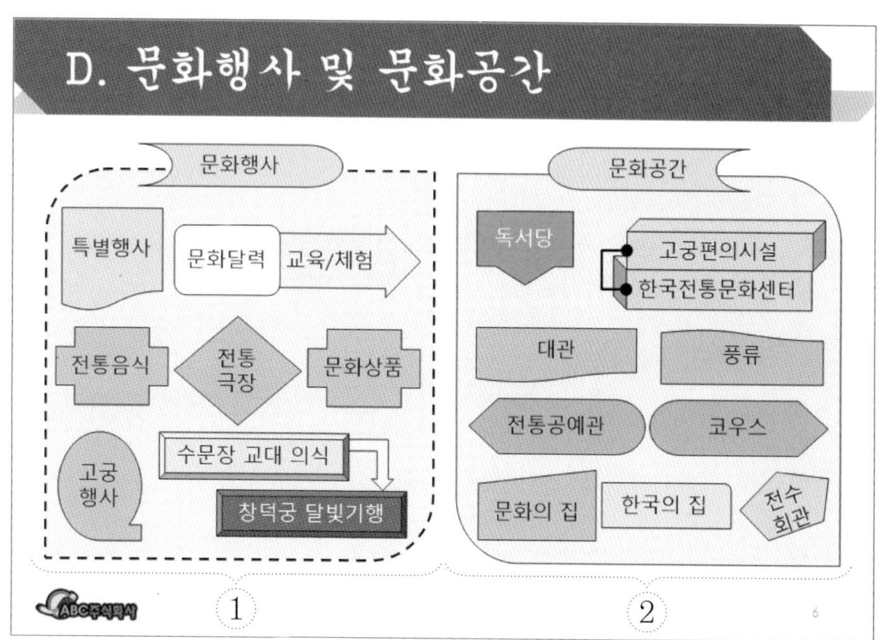

제 08 회 정보기술자격(ITQ) 시험

한컴오피스

과목	코드	문제유형	시험시간	수험번호	성명
한쇼	1141	C	60분		

수험자 유의사항

- 수험자는 문제지를 받는 즉시 문제지와 **수험표상의 시험과목(프로그램)이 동일한지 반드시 확인**하여야 합니다.
- 파일명은 본인의 "수험번호-성명"으로 입력하여 답안폴더(내 PC₩문서₩ITQ)에 하나의 파일로 저장해야 하며, 답안문서 파일명이 "수험번호-성명"과 일치하지 않거나, 답안파일을 전송하지 않아 미제출로 처리될 경우 실격 처리합니다(예:12345678-홍길동.show).
- 답안 작성을 마치면 파일을 저장하고, '답안 전송' 버튼을 선택하여 감독위원 PC로 답안을 전송하십시오. 수험생 정보와 저장한 파일명이 다를 경우 전송되지 않으므로 주의하시기 바랍니다.
- 답안 작성 중에도 **주기적으로 저장하고, '답안 전송'**하여야 문제 발생을 줄일 수 있습니다. 작업한 내용을 저장하지 않고 전송할 경우 이전에 저장된 내용이 전송되오니 이점 유의하시기 바랍니다.
- 답안문서는 지정된 경로 외의 다른 보조기억장치에 저장하는 경우, 지정된 시험 시간 외에 작성된 파일을 활용할 경우, 기타 통신수단(이메일, 메신저, 네트워크 등)을 이용하여 타인에게 전달 또는 외부 반출하는 경우는 부정 처리합니다.
- 시험 중 부주의 또는 고의로 시스템을 파손한 경우는 수험자가 변상해야 하며, 〈수험자 유의사항〉에 기재된 방법대로 이행하지 않아 생기는 불이익은 수험생 당사자의 책임임을 알려 드립니다.
- 문제의 조건은 한컴오피스 2016 버전으로 설정되어 있고 한컴오피스 2010은 【 】에 표기되어 있으니 유의하시기 바랍니다.
- 시험을 완료한 수험자는 답안파일이 전송되었는지 확인한 후 감독위원의 지시에 따라 문제지를 제출하고 퇴실합니다.

답안 작성요령

- 온라인 답안 작성 절차
  수험자 등록 ⇒ 시험 시작 ⇒ 답안파일 저장 ⇒ 답안 전송 ⇒ 시험 종료
- 슬라이드의 크기는 A4 Paper로 설정하여 작성합니다.
- 슬라이드의 총 개수는 6개로 구성되어 있으며 슬라이드 1부터 순서대로 작업하고 반드시 문제와 세부조건대로 합니다.
- 별도의 지시사항이 없는 경우 출력형태를 참조하여 글꼴색은 검정 또는 흰색으로 작성하고, 기타사항은 전체적인 균형을 고려하여 작성합니다.
- 슬라이드 도형 및 개체에 출력형태와 다른 스타일(그림자, 외곽선 등)을 적용했을 경우 감점처리 됩니다.
- 슬라이드 번호를 작성합니다(슬라이드 1에는 생략).
- 2~6번 슬라이드 제목 도형과 하단 로고는 슬라이드 마스터를 이용하여 출력형태와 동일하게 작성합니다(슬라이드 1에는 생략).
- 문제와 세부조건, 세부조건 번호 ◌(점선원)는 입력하지 않습니다.
- 각 개체의 위치는 오른쪽의 슬라이드와 동일하게 구성합니다.
- 그림 삽입 문제의 경우 반드시 「내 PC₩문서₩ITQ₩Picture」 폴더에서 정확한 파일을 선택하여 삽입하십시오.
- 각 슬라이드를 각각의 파일로 작업해서 저장할 경우 실격 처리됩니다.

kpc 한국생산성본부

[전체구성] (60점)

(1) 슬라이드 크기 및 순서 : 크기를 A4 용지로 설정하고 슬라이드 순서에 맞게 작성한다.
(2) 슬라이드 마스터 : 2~6슬라이드의 제목, 하단 로고, 슬라이드 번호는 슬라이드 마스터를 이용하여 작성한다.
- 제목 글꼴(돋움, 40pt, 흰색), 가운데 정렬, 도형(선 없음)
- 하단 로고(「내 PC₩문서₩ITQ₩Picture₩로고2.jpg」, 배경(회색) 투명색으로 설정)

[슬라이드 1] ≪표지 디자인≫ (40점)

(1) 표지 디자인 : 도형, 워드숍 및 그림을 이용하여 작성한다.

세부조건

① 도형 편집
- 도형에 그림 채우기 : 「내 PC₩문서₩ITQ₩Picture₩그림1.jpg」, 투명도 50%
- 도형 효과 : 옅은 테두리 5pt

② 워드숍
- 변환 : 역갈매기형 수장
- 글꼴 : 맑은 고딕, 진하게
- 반사 : 1/2 크기, 근접

③ 그림 삽입
- 「내 PC₩문서₩ITQ₩Picture₩로고2.jpg」
- 배경(회색) 투명한 색으로 설정

[슬라이드 2] ≪목차 슬라이드≫ (60점)

(1) 출력형태와 같이 도형을 이용하여 목차를 작성한다(글꼴 : 궁서, 24pt).
(2) 도형 : 선 없음

세부조건

① 텍스트에 하이퍼링크 적용
→ '슬라이드 4'

② 그림 삽입
- 「내 PC₩문서₩ITQ₩Picture₩그림5.jpg」
- 자르기 기능 이용

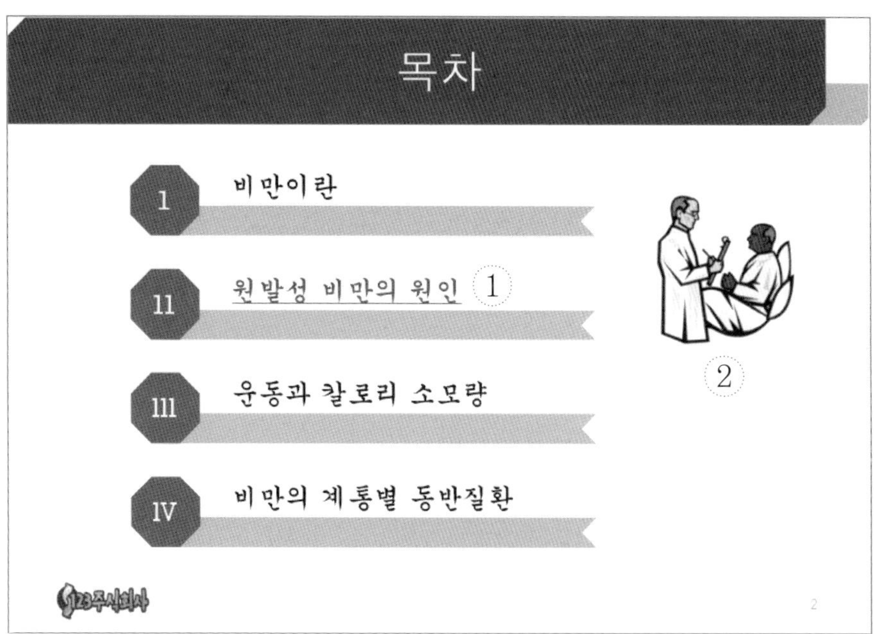

[슬라이드 3] ≪텍스트/동영상 슬라이드≫ (60점)

(1) 텍스트 작성 : 글머리 기호 사용(◆, ✓)
◆문단(굴림, 24pt, 굵게, 줄간격 : 1.5줄), ✓문단(굴림, 20pt, 줄간격 : 1.5줄)

세부조건

① 동영상 삽입 :
- 「내 PC₩문서₩ITQ₩Picture₩동영상.wmv」
- 자동실행, 반복재생 설정

Ⅰ. 비만이란

◆ Obesity

✓ Obesity has been connected with almost all diseases such as cardiovascular diseases, diabetes mellitus, cancers, joint disorders and other many diseases

①

◆ 비만의 원인

✓ 원발성 비만 : 식습관, 생활 습관, 연령, 인종 등의 다양한 위험 요인이 복합적으로 관여함

✓ 이차성 비만 : 유전 및 선천성 장애, 신경 및 내분비계 질환 등과 관련

3

[슬라이드 4] ≪표 슬라이드≫ (80점)

(1) 도형과 표 작성 기능을 이용하여 슬라이드를 작성한다(글꼴 : 돋움, 18pt).

세부조건

① 상단 도형 :
2개 도형의 조합으로 작성

② 좌측 도형 :
그라데이션 효과(선형 위쪽)

③ 표 스타일 :
보통 스타일 4 - 강조 4

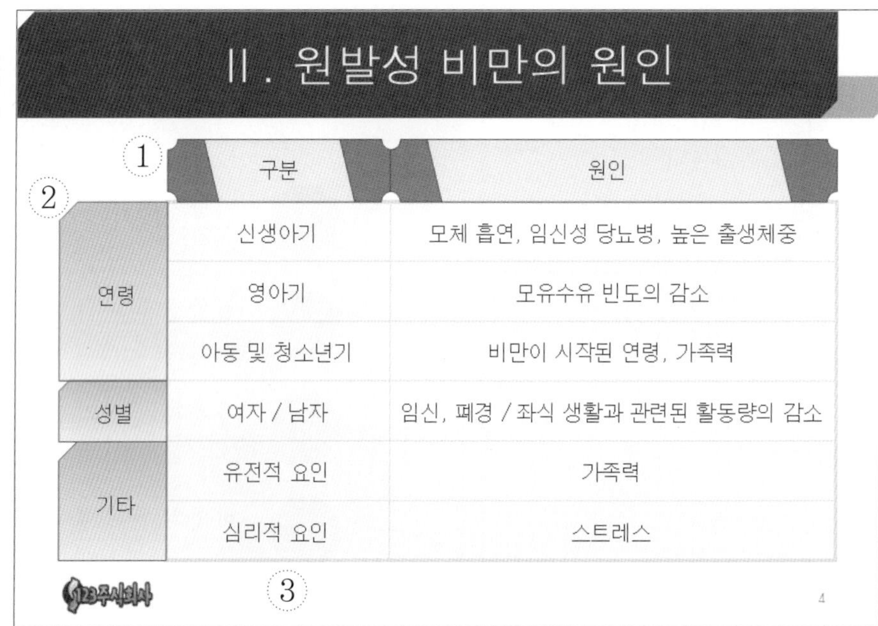

	구분	원인
연령	신생아기	모체 흡연, 임신성 당뇨병, 높은 출생체중
	영아기	모유수유 빈도의 감소
	아동 및 청소년기	비만이 시작된 연령, 가족력
성별	여자 / 남자	임신, 폐경 / 좌식 생활과 관련된 활동량의 감소
기타	유전적 요인	가족력
	심리적 요인	스트레스

[슬라이드 5] ≪차트 슬라이드≫ (100점)

(1) 차트 작성 기능을 이용하여 슬라이드를 작성한다.
(2) 차트 : 종류(묶은 세로 막대형), 글꼴(굴림, 16pt), 외곽선
(3) 표 : 차트 하단에 이미지와 같이 표 그리기

세부조건

※ 차트설명
- 차트제목 : 궁서, 20pt, 진하게, 채우기(하양), 테두리, 그림자(대각선 오른쪽 아래) 【그림자(2pt)】
- 범례 위치 : 오른쪽
- 전체배경 : 채우기(노랑)
- 값 표시 : 57kg 계열의 당구 요소만

① 도형 삽입
- 스타일 : 밝은 계열 – 강조 1
- 글꼴 : 돋움, 16pt

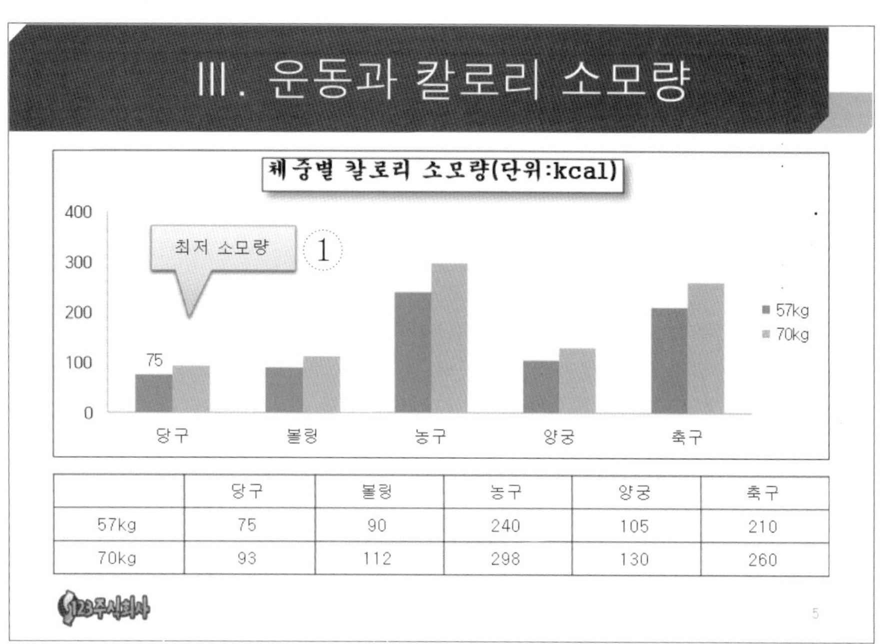

	당구	볼링	농구	양궁	축구
57kg	75	90	240	105	210
70kg	93	112	298	130	260

[슬라이드 6] ≪도형 슬라이드≫ (100점)

(1) 슬라이드와 같이 도형을 배치한다(글꼴 : 맑은 고딕, 18pt).
(2) 애니메이션 순서 : ① ⇒ ②

세부조건

① 도형 편집
- 그룹화 후 애니메이션 효과 : 바운드

② 도형 편집
- 그룹화 후 애니메이션 효과 : 수평 분할

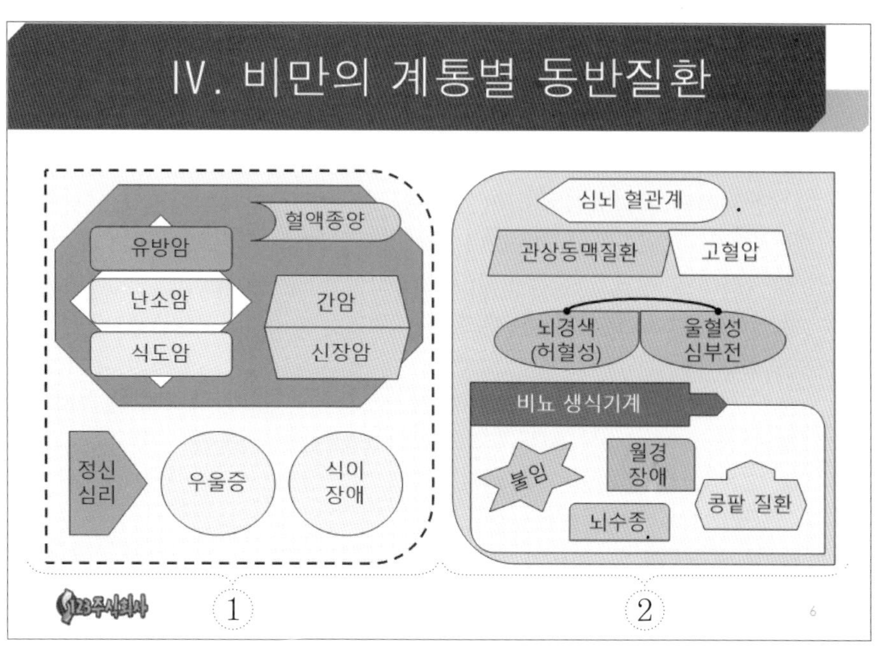

제 09회 정보기술자격(ITQ) 시험

한컴오피스

과목	코드	문제유형	시험시간	수험번호	성명
한쇼	1141	D	60분		

수험자 유의사항

- 수험자는 문제지를 받는 즉시 문제지와 **수험표상의 시험과목(프로그램)이 동일한지 반드시 확인**하여야 합니다.
- 파일명은 본인의 "수험번호-성명"으로 입력하여 답안폴더(내 PC₩문서₩ITQ)에 하나의 파일로 저장해야 하며, 답안문서 파일명이 "수험번호-성명"과 일치하지 않거나, 답안파일을 전송하지 않아 미제출로 처리될 경우 실격 처리합니다(예:12345678-홍길동.show).
- 답안 작성을 마치면 파일을 저장하고, '답안 전송' 버튼을 선택하여 감독위원 PC로 답안을 전송하십시오. 수험생 정보와 저장한 파일명이 다를 경우 전송되지 않으므로 주의하시기 바랍니다.
- 답안 작성 중에도 **주기적으로 저장하고, '답안 전송'**하여야 문제 발생을 줄일 수 있습니다. 작업한 내용을 저장하지 않고 전송할 경우 이전에 저장된 내용이 전송되오니 이점 유의하시기 바랍니다.
- 답안문서는 지정된 경로 외의 다른 보조기억장치에 저장하는 경우, 지정된 시험 시간 외에 작성된 파일을 활용할 경우, 기타 통신수단(이메일, 메신저, 네트워크 등)을 이용하여 타인에게 전달 또는 외부 반출하는 경우는 부정 처리합니다.
- 시험 중 부주의 또는 고의로 시스템을 파손한 경우는 수험자가 변상해야 하며, 〈수험자 유의사항〉에 기재된 방법대로 이행하지 않아 생기는 불이익은 수험생 당사자의 책임임을 알려 드립니다.
- 문제의 조건은 한컴오피스 2016 버전으로 설정되어 있고 한컴오피스 2010은 【 】에 표기되어 있으니 유의하시기 바랍니다.
- 시험을 완료한 수험자는 답안파일이 전송되었는지 확인한 후 감독위원의 지시에 따라 문제지를 제출하고 퇴실합니다.

답안 작성요령

- 온라인 답안 작성 절차
  수험자 등록 ⇒ 시험 시작 ⇒ 답안파일 저장 ⇒ 답안 전송 ⇒ 시험 종료
- 슬라이드의 크기는 A4 Paper로 설정하여 작성합니다.
- 슬라이드의 총 개수는 6개로 구성되어 있으며 슬라이드 1부터 순서대로 작업하고 반드시 문제와 세부조건대로 합니다.
- 별도의 지시사항이 없는 경우 출력형태를 참조하여 글꼴색은 검정 또는 흰색으로 작성하고, 기타사항은 전체적인 균형을 고려하여 작성합니다.
- 슬라이드 도형 및 개체에 출력형태와 다른 스타일(그림자, 외곽선 등)을 적용했을 경우 감점처리 됩니다.
- 슬라이드 번호를 작성합니다(슬라이드 1에는 생략).
- 2~6번 슬라이드 제목 도형과 하단 로고는 슬라이드 마스터를 이용하여 출력형태와 동일하게 작성합니다(슬라이드 1에는 생략).
- 문제와 세부조건, 세부조건 번호 ◌(점선원)는 입력하지 않습니다.
- 각 개체의 위치는 오른쪽의 슬라이드와 동일하게 구성합니다.
- 그림 삽입 문제의 경우 반드시 「내 PC₩문서₩ITQ₩Picture」 폴더에서 정확한 파일을 선택하여 삽입하십시오.
- 각 슬라이드를 각각의 파일로 작업해서 저장할 경우 실격 처리됩니다.

kpc 한국생산성본부

[전체구성] (60점)

(1) 슬라이드 크기 및 순서 : 크기를 A4 용지로 설정하고 슬라이드 순서에 맞게 작성한다.
(2) 슬라이드 마스터 : 2~6슬라이드의 제목, 하단 로고, 슬라이드 번호는 슬라이드 마스터를 이용하여 작성한다.
- 제목 글꼴(굴림, 40pt, 빨강), 가운데 정렬, 도형(선 없음)
- 하단 로고(「내 PC₩문서₩ITQ₩Picture₩로고2.jpg」, 배경(회색) 투명색으로 설정)

[슬라이드 1] ≪표지 디자인≫ (40점)

(1) 표지 디자인 : 도형, 워드숍 및 그림을 이용하여 작성한다.

세부조건

① 도형 편집
- 도형에 그림 채우기 : 「내 PC₩문서₩ITQ₩Picture₩그림1.jpg」, 투명도 50%
- 도형 효과 : 옅은 테두리 5pt

② 워드숍
- 변환 : 갈매기형 수장
- 글꼴 : 맑은 고딕, 진하게
- 반사 : 1/3 크기, 근접

③ 그림 삽입
- 「내 PC₩문서₩ITQ₩Picture₩로고2.jpg」
- 배경(회색) 투명한 색으로 설정

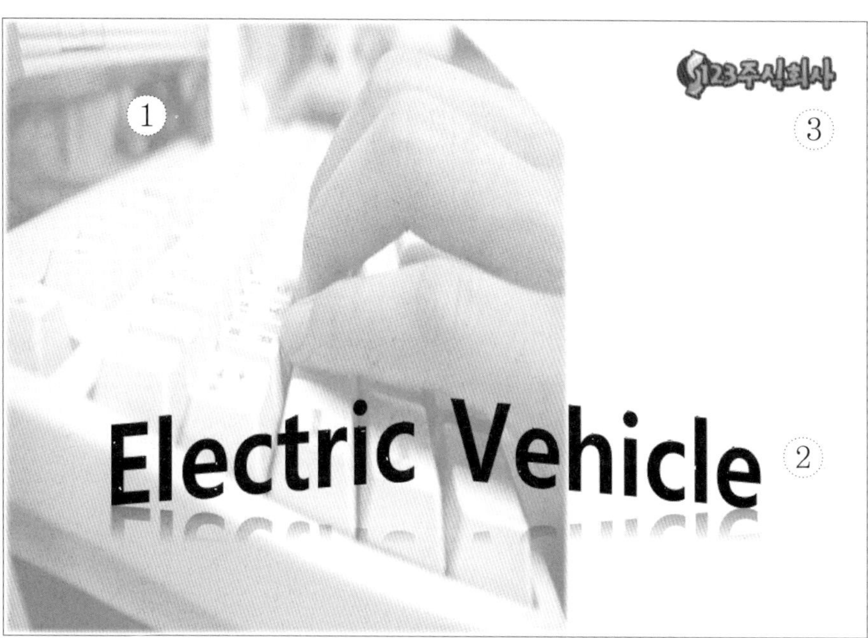

[슬라이드 2] ≪목차 슬라이드≫ (60점)

(1) 출력형태와 같이 도형을 이용하여 목차를 작성한다(글꼴 : 맑은 고딕, 24pt).
(2) 도형 : 선 없음

세부조건

① 텍스트에 하이퍼링크 적용
→ '슬라이드 4'

② 그림 삽입
- 「내 PC₩문서₩ITQ₩Picture₩그림4.jpg」
- 자르기 기능 이용

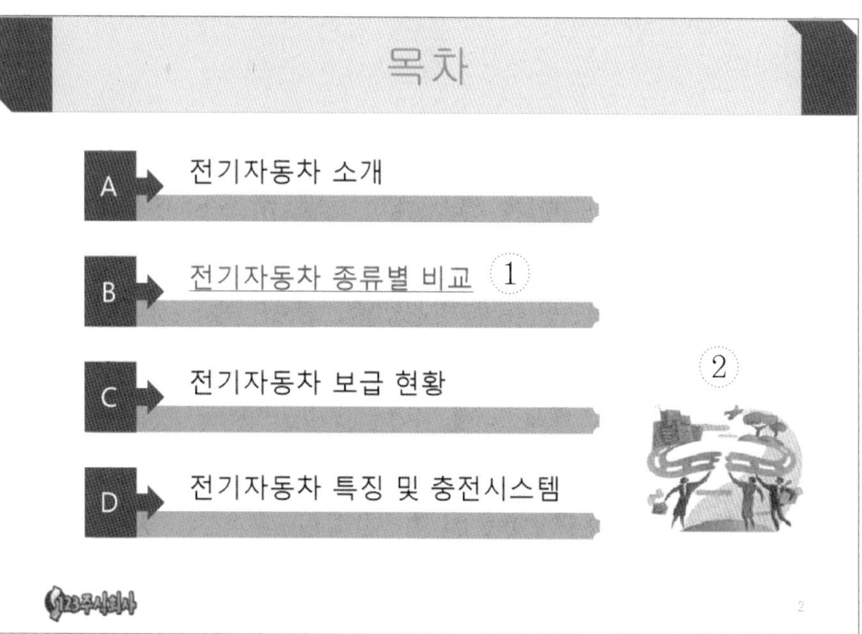

[슬라이드 3] ≪텍스트/동영상 슬라이드≫ (60점)

(1) 텍스트 작성 : 글머리 기호 사용(●, ➢)
●문단(굴림, 24pt, 굵게, 줄간격 : 1.5줄), ➢문단(굴림, 20pt, 줄간격 : 1.5줄)

세부조건

① 동영상 삽입 :
- 「내 PC₩문서₩ITQ₩Picture₩동영상.wmv」
- 자동실행, 반복재생 설정

A. 전기자동차 소개

- **Electric Vehicles**
  - An electric vehicle, also called an EV, uses one or more electric motors. An electric vehicle may be powered through a collector system by electricity from off-vehicle sources
- **전기자동차**
  - 1873년 가솔린자동차보다 먼저 제작
  - 배터리의 무거운 중량, 경영 효율화, 충전시간 등의 문제 때문에 실용화되지 못하다가 공해문제가 최근 심각해지면서 다시 개발 추진

①

3

[슬라이드 4] ≪표 슬라이드≫ (80점)

(1) 도형과 표 작성 기능을 이용하여 슬라이드를 작성한다(글꼴 : 맑은 고딕, 18pt).

세부조건

① 상단 도형 :
2개 도형의 조합으로 작성

② 좌측 도형 :
그라데이션 효과(선형 위쪽)

③ 표 스타일 :
보통 스타일 4 - 강조 6

B. 전기자동차 종류별 비교

	하이브리드	플러그 하이브리드	전기차
구조	엔진 + 모터(보조) 화석 연료 에너지와 전기 에너지를 사용하여 구동	모터로 주행 가능 가정이나 충전소에서 쉽게 충전할 수 있는 전기 플러그 장착	내연기관 없이 모터와 배터리가 엔진과 화석연료의 역할을 대신 수행
특징	주행 조건별로 엔진과 모터를 조합하여 최적운행	외부 전원 배터리 충전 하이브리드 + 전기차 특성	충전된 전기 에너지로 운행

① ② ③

4

[슬라이드 5] ≪차트 슬라이드≫ (100점)

(1) 차트 작성 기능을 이용하여 슬라이드를 작성한다.
(2) 차트 : 종류(묶은 세로 막대형), 글꼴(맑은 고딕, 16pt), 외곽선
(3) 표 : 차트 하단에 이미지와 같이 표 그리기

세부조건

※ 차트설명
- 차트제목 : 궁서, 20pt, 진하게, 채우기(하양), 테두리, 그림자(대각선 오른쪽 아래) 【그림자(2pt)】
- 범례 위치 : 오른쪽
- 전체배경 : 채우기(노랑)
- 값 표시 : 연도별 계열의 2014년 요소만

① 도형 삽입
- 스타일 : 밝은 계열 – 강조 5
- 글꼴 : 함초롬돋움, 16pt

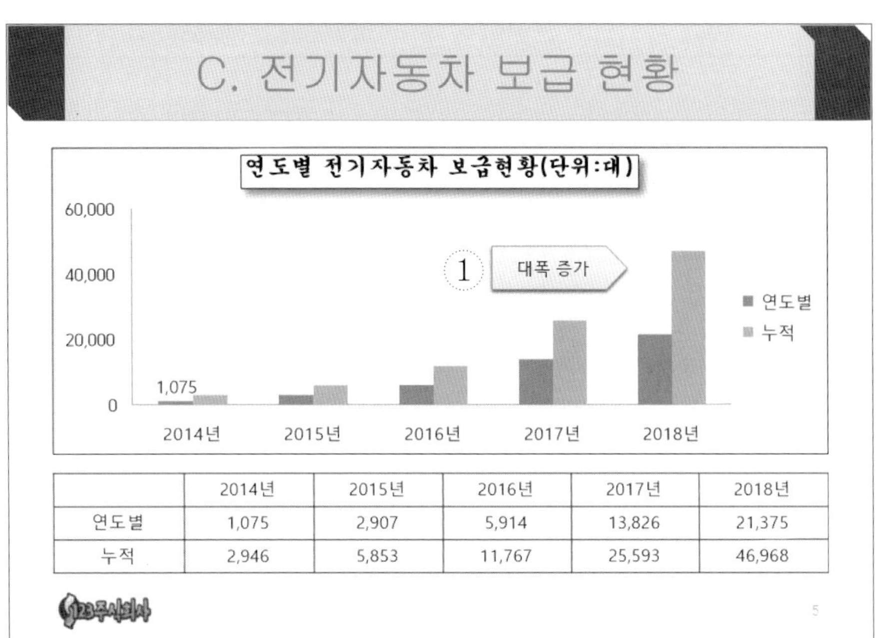

	2014년	2015년	2016년	2017년	2018년
연도별	1,075	2,907	5,914	13,826	21,375
누적	2,946	5,853	11,767	25,593	46,968

[슬라이드 6] ≪도형 슬라이드≫ (100점)

(1) 슬라이드와 같이 도형을 배치한다(글꼴 : 맑은 고딕, 18pt).
(2) 애니메이션 순서 : ① ⇒ ②

세부조건

① 도형 편집
- 그룹화 후 애니메이션 효과 : 수평 분할

② 도형 편집
- 그룹화 후 애니메이션 효과 : 밝기 변화

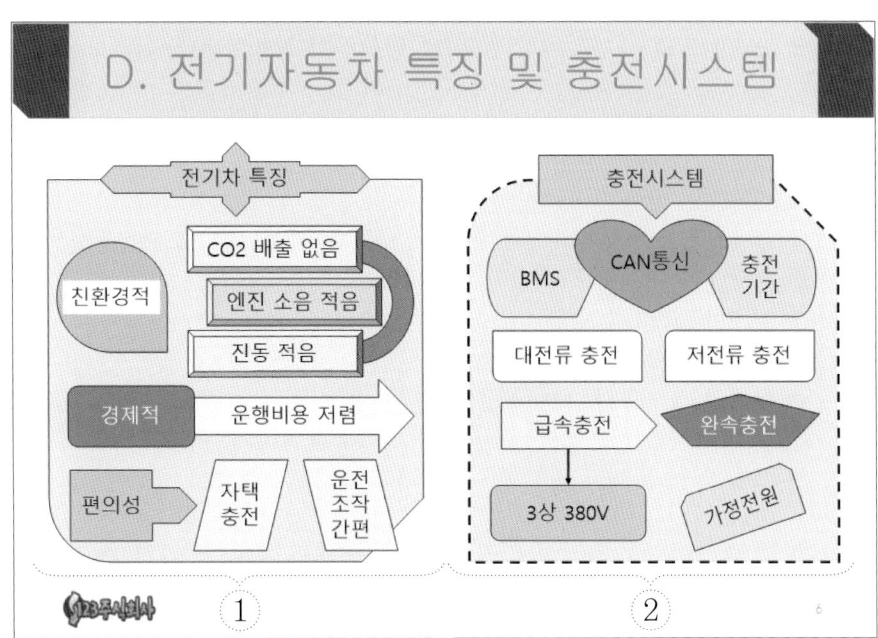

제 10 회 정보기술자격(ITQ) 시험

한컴오피스

과목	코드	문제유형	시험시간	수험번호	성명
한쇼	1141	E	60분		

수험자 유의사항

- 수험자는 문제지를 받는 즉시 문제지와 **수험표상의 시험과목(프로그램)이 동일한지 반드시 확인**하여야 합니다.
- 파일명은 본인의 "수험번호-성명"으로 입력하여 답안폴더(내 PC₩문서₩ITQ)에 하나의 파일로 저장해야 하며, 답안문서 파일명이 "수험번호-성명"과 일치하지 않거나, 답안파일을 전송하지 않아 미제출로 처리될 경우 실격 처리합니다(예:12345678-홍길동.show).
- 답안 작성을 마치면 파일을 저장하고, '답안 전송' 버튼을 선택하여 감독위원 PC로 답안을 전송하십시오. 수험생 정보와 저장한 파일명이 다를 경우 전송되지 않으므로 주의하시기 바랍니다.
- 답안 작성 중에도 **주기적으로 저장하고, '답안 전송'**하여야 문제 발생을 줄일 수 있습니다. 작업한 내용을 저장하지 않고 전송할 경우 이전에 저장된 내용이 전송되오니 이점 유의하시기 바랍니다.
- 답안문서는 지정된 경로 외의 다른 보조기억장치에 저장하는 경우, 지정된 시험 시간 외에 작성된 파일을 활용할 경우, 기타 통신수단(이메일, 메신저, 네트워크 등)을 이용하여 타인에게 전달 또는 외부 반출하는 경우는 부정 처리합니다.
- 시험 중 부주의 또는 고의로 시스템을 파손한 경우는 수험자가 변상해야 하며, 〈수험자 유의사항〉에 기재된 방법대로 이행하지 않아 생기는 불이익은 수험생 당사자의 책임임을 알려 드립니다.
- 문제의 조건은 한컴오피스 2016 버전으로 설정되어 있고 한컴오피스 2010은 【 】에 표기되어 있으니 유의하시기 바랍니다.
- 시험을 완료한 수험자는 답안파일이 전송되었는지 확인한 후 감독위원의 지시에 따라 문제지를 제출하고 퇴실합니다.

답안 작성요령

- 온라인 답안 작성 절차
  수험자 등록 ⇒ 시험 시작 ⇒ 답안파일 저장 ⇒ 답안 전송 ⇒ 시험 종료
- 슬라이드의 크기는 A4 Paper로 설정하여 작성합니다.
- 슬라이드의 총 개수는 6개로 구성되어 있으며 슬라이드 1부터 순서대로 작업하고 반드시 문제와 세부 조건대로 합니다.
- 별도의 지시사항이 없는 경우 출력형태를 참조하여 글꼴색은 검정 또는 흰색으로 작성하고, 기타사항은 전체적인 균형을 고려하여 작성합니다.
- 슬라이드 도형 및 개체에 출력형태와 다른 스타일(그림자, 외곽선 등)을 적용했을 경우 감점처리 됩니다.
- 슬라이드 번호를 작성합니다(슬라이드 1에는 생략).
- 2~6번 슬라이드 제목 도형과 하단 로고는 슬라이드 마스터를 이용하여 출력형태와 동일하게 작성합니다(슬라이드 1에는 생략).
- 문제와 세부조건, 세부조건 번호 ◌(점선원)는 입력하지 않습니다.
- 각 개체의 위치는 오른쪽의 슬라이드와 동일하게 구성합니다.
- 그림 삽입 문제의 경우 반드시 「내 PC₩문서₩ITQ₩Picture」 폴더에서 정확한 파일을 선택하여 삽입하십시오.
- 각 슬라이드를 각각의 파일로 작업해서 저장할 경우 실격 처리됩니다.

kpc 한국생산성본부

[전체구성] (60점)

(1) 슬라이드 크기 및 순서 : 크기를 A4 용지로 설정하고 슬라이드 순서에 맞게 작성한다.
(2) 슬라이드 마스터 : 2~6슬라이드의 제목, 하단 로고, 슬라이드 번호는 슬라이드 마스터를 이용하여 작성한다.
- 제목 글꼴(돋움, 40pt, 흰색), 가운데 정렬, 도형(선 없음)
- 하단 로고(「내 PC₩문서₩ITQ₩Picture₩로고3.jpg」, 배경(연보라) 투명색으로 설정)

[슬라이드 1] ≪표지 디자인≫ (40점)

(1) 표지 디자인 : 도형, 워드숍 및 그림을 이용하여 작성한다.

세부조건

① 도형 편집
- 도형에 그림 채우기 : 「내 PC₩문서₩ITQ₩Picture₩그림1.jpg」, 투명도 50%
- 도형 효과 : 옅은 테두리 5pt

② 워드숍
- 변환 : 위로 기울기
- 글꼴 : 맑은 고딕, 진하게
- 반사 : 1/3크기, 근접

③ 그림 삽입
- 「내 PC₩문서₩ITQ₩Picture₩로고3.jpg」
- 배경(연보라) 투명한 색으로 설정

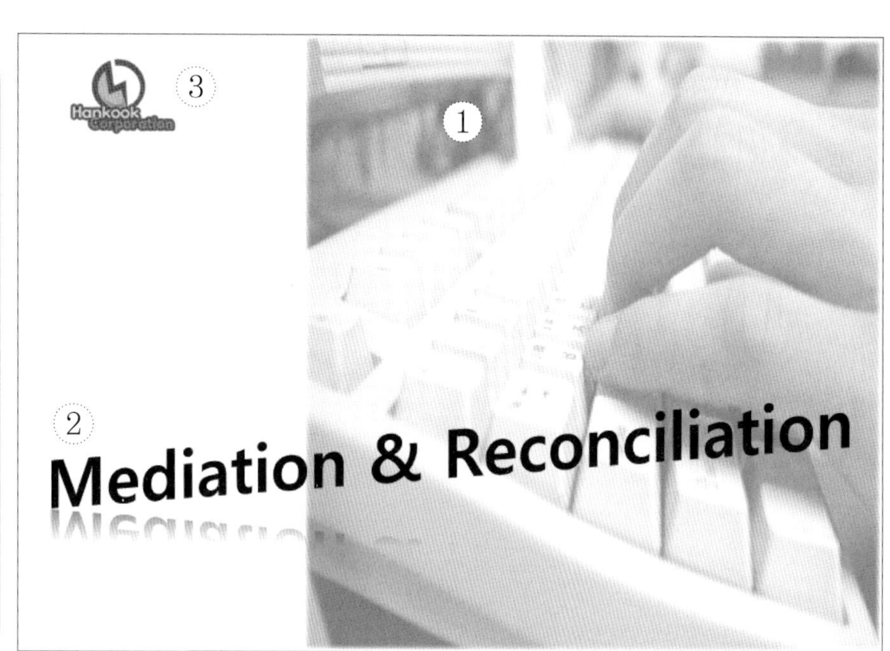

[슬라이드 2] ≪목차 슬라이드≫ (60점)

(1) 출력형태와 같이 도형을 이용하여 목차를 작성한다(글꼴 : 굴림, 24pt).
(2) 도형 : 선 없음

세부조건

① 텍스트에 하이퍼링크 적용
→ '슬라이드 5'

② 그림 삽입
- 「내 PC₩문서₩ITQ₩Picture₩그림4.jpg」
- 자르기 기능 이용

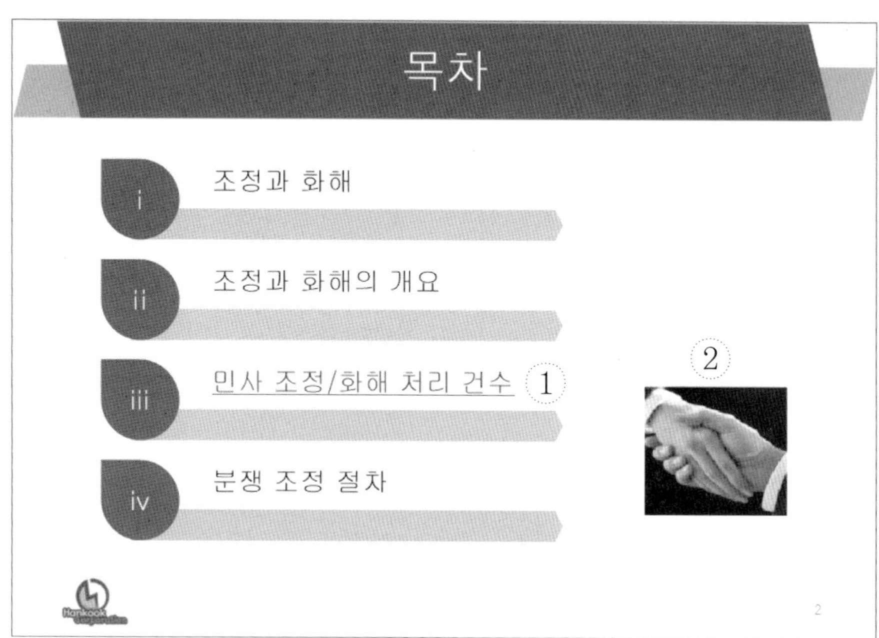

[슬라이드 3] ≪텍스트/동영상 슬라이드≫ (60점)

(1) 텍스트 작성 : 글머리 기호 사용(➢, ■)

➢문단(굴림, 24pt, 굵게, 줄간격 : 1.5줄), ■문단(굴림, 20pt, 줄간격 : 1.5줄)

세부조건

① 동영상 삽입 :
- 「내 PC₩문서₩ITQ₩Picture₩동영상.wmv」
- 자동실행, 반복재생 설정

i . 조정과 화해

➢ Reconciliation

- ■ The reconciliation of two beliefs, facts or demands that seem to be opposed is the process of finding a way in which they can both be true or both be successful

①

➢ 조정과 화해

- ■ 조정 : 법원을 비롯한 제3자가 화해에 이르도록 분쟁당사자들을 설득
- ■ 화해 : 분쟁 당사자가 서로 양보하여 당사자 사이의 분쟁을 종지할 것을 약정함으로써 성립하는 계약

3

[슬라이드 4] ≪표 슬라이드≫ (80점)

(1) 도형과 표 작성 기능을 이용하여 슬라이드를 작성한다(글꼴 : 굴림, 18pt).

세부조건

① 상단 도형 :
2개 도형의 조합으로 작성

② 좌측 도형 :
그라데이션 효과(선형 위쪽)

③ 표 스타일 :
보통 스타일 4 - 강조 1

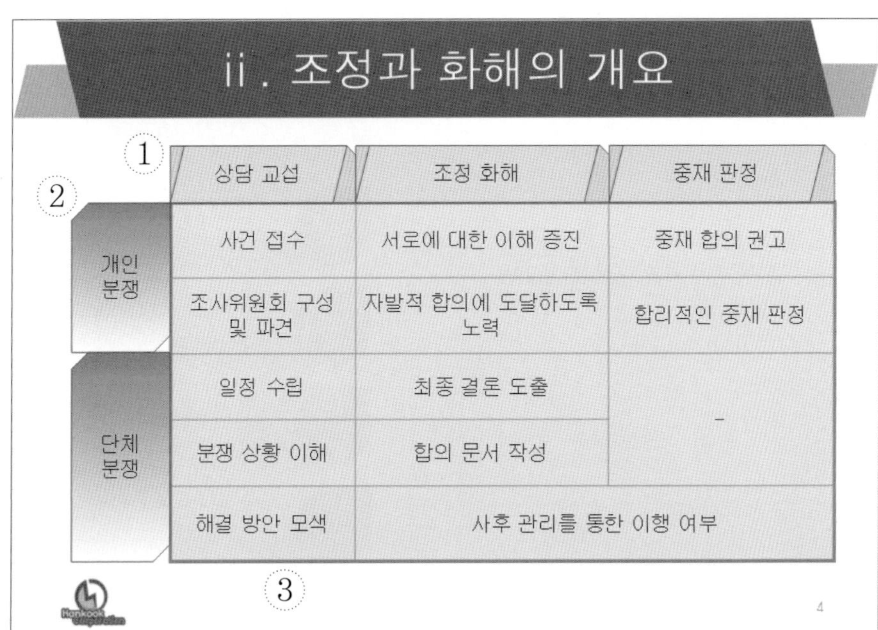

ii . 조정과 화해의 개요

	상담 교섭	조정 화해	중재 판정
개인 분쟁	사건 접수	서로에 대한 이해 증진	중재 합의 권고
	조사위원회 구성 및 파견	자발적 합의에 도달하도록 노력	합리적인 중재 판정
단체 분쟁	일정 수립	최종 결론 도출	-
	분쟁 상황 이해	합의 문서 작성	
	해결 방안 모색	사후 관리를 통한 이행 여부	

4

[슬라이드 5] ≪차트 슬라이드≫ (100점)

(1) 차트 작성 기능을 이용하여 슬라이드를 작성한다.
(2) 차트 : 종류(묶은 세로 막대형), 글꼴(굴림, 16pt), 외곽선
(3) 표 : 차트 하단에 이미지와 같이 표 그리기

세부조건

※ 차트설명
- 차트제목 : 궁서, 20pt, 진하게, 채우기(하양), 테두리, 그림자(대각선 오른쪽 아래) 【그림자(2pt)】
- 범례 위치 : 오른쪽
- 전체배경 : 채우기(노랑)
- 값 표시 : 2008년 계열의 합계 요소만

① 도형 삽입
- 스타일 : 밝은 계열 - 강조 5
- 글꼴 : 함초롬돋움, 16pt

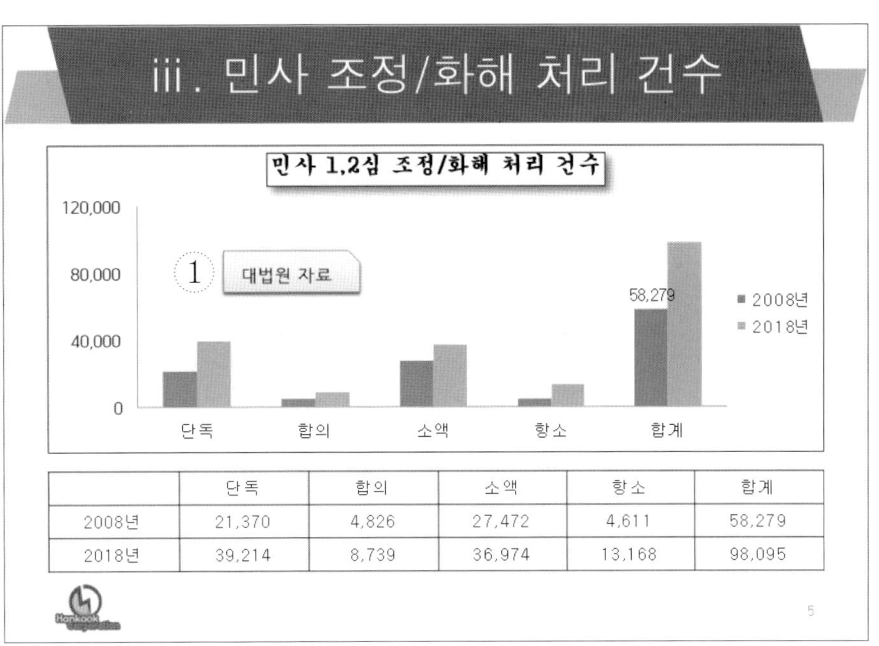

	단독	합의	소액	항소	합계
2008년	21,370	4,826	27,472	4,611	58,279
2018년	39,214	8,739	36,974	13,168	98,095

[슬라이드 6] ≪도형 슬라이드≫ (100점)

(1) 슬라이드와 같이 도형을 배치한다(글꼴 : 굴림, 18pt).
(2) 애니메이션 순서 : ① ⇒ ②

세부조건

① 도형 편집
- 그룹화 후 애니메이션 효과 : 밝기 변화

② 도형 편집
- 그룹화 후 애니메이션 효과 : 실선 무늬(세로)

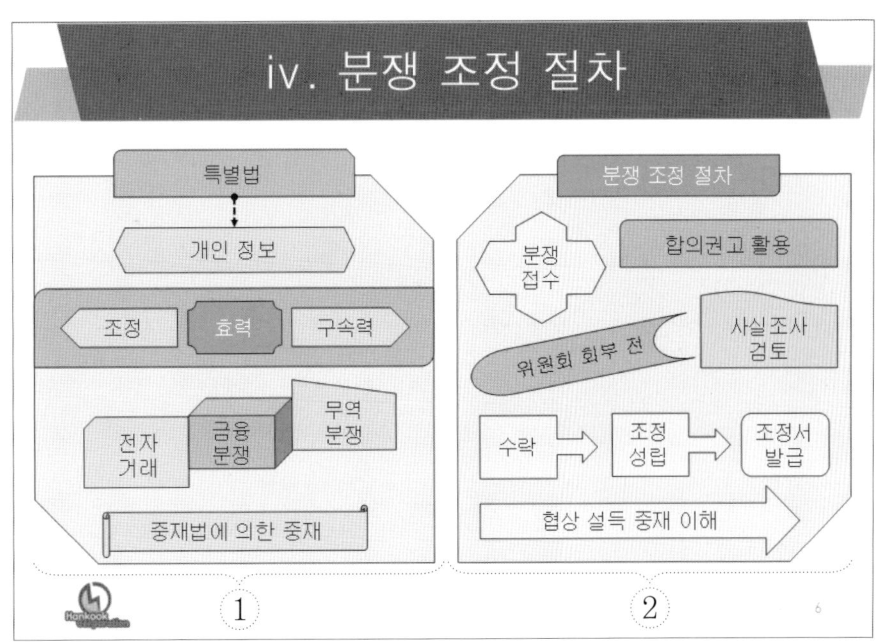

MEMO